“互联网＋政务服务”一体化平台建设及改革实践

桓德铭　苏　毅　刘　建　著

山东大学出版社
SHANDONG UNIVERSITY PRESS
·济南·

图书在版编目(CIP)数据

“互联网＋政务服务”一体化平台建设及改革实践/桓德铭，苏毅，刘建著.—济南：山东大学出版社，2021.6

ISBN 978-7-5607-7119-9

Ⅰ.①互…　Ⅱ.①桓…　②苏…　③刘…　Ⅲ.①电子政务—研究—中国　Ⅳ.①D63-39

中国版本图书馆 CIP 数据核字(2021)第 160535 号

策划编辑　李　港
责任编辑　李　港
封面设计　杜　婕

出版发行　山东大学出版社
社　　址　山东省济南市山大南路 20 号
邮政编码　250100
发行热线　(0531)88363008
经　　销　新华书店
印　　刷　济南华林彩印有限公司
规　　格　787 毫米×1092 毫米　1/16
　　　　　16.5 印张　378 千字
版　　次　2021 年 6 月第 1 版
印　　次　2021 年 6 月第 1 次印刷
定　　价　68.00 元

序　言

随着以大数据、区块链、人工智能等为代表的新一代信息技术的飞速发展，数字化渗透到社会经济的各个领域，深刻影响和改变了我们的社会生活以及政府治理模式。以数据驱动和数字化治理为核心特征的政府数字化转型，成为近年来全球政府治理改革的核心议题。各国数字化治理日益向纵深推进，一个前所未有的大变革时代已然来临。党的十九届四中全会明确提出“推进国家治理体系和治理能力现代化”的总体要求和深化改革总目标，未来可期的新一代信息技术为推进治理体系和治理能力现代化提供了不可或缺的科技驱动力。

近年来，我国运用数字和智能技术驱动治理现代化已产生了大量的实践经验，发挥着激发市场创造活力、激活社会参与热情、激励政府自我改革等积极作用。在2020年新冠肺炎疫情爆发以来，数字与智能技术在疫情防控、风险研判和复工复产等方面的创新应用，为我国有效应对疫情风险提供了坚实的技术支撑。党的十九届五中全会进一步提出“十四五”期间加快数字化发展，其中数字政府建设要成为经济与社会数字化发展的基础保障。可以说，以数据治理为基础，数字技术重构政府、企业、媒体和社会大众等主体的行为模式及其互动关系，为政府数字化转型准备了必要条件。

数字技术和治理理论结合所催生的数字治理新模式，为政府组织形态变革、职能结构整合、运作方式转变、治理主体协同、无缝隙服务等提供了理论源泉与实践路径。一方面，利用数字政府建设的时代契机改善政府的决策流程，优化政府的决策目标，提升政府的决策质量，明晰政府的决策效果，便利政府的施政评估。另一方面，通过数字化治理，改善政府提供公共服务的水平和质量，推进国家治理体系与治理能力现代化。

可以预见的是，伴随着社会生活网络化和数字化进程的持续推进，数字政府必将成为未来政府形态。通过政府数字化转型重塑治理结构、优化政府职能、革新治理理念，以提升政府综合治理能力和社会协同能力。这不仅包括数字技术嵌入政府内部所带来的内部结构再造、业务流程重塑和政府公共服务方式变革等，还包括新治理模式所引发的政府与社会关系、政府与市场关系的变革，以及由此产生的数字社会建构及数字经济发展。

随着国家数字化战略的不断发展，“互联网＋政务服务”作为我国数字政府建设的主要内容已取得显著成效。全国“互联网＋政务服务”工作一直以“一体化”为核心思想，通过“顶层设计＋统筹部署”的模式推进。一方面，国务院办公厅牵头制定推进指导意见、改革实施方案，不仅提供宏观方向上的指引，还对具体工作目标、任务划分、责任分工、技术要求、时间进度、保障措施等方面作出明确规定，政策权威性大、可操作性较强，全国统筹规划力度空前加强。另一方面，国务院建立了全国一体化政务服务平台，积极推动线上“一网通办”、线下“只进一扇门”、现场办理“最多跑一次”的改革模式，在统筹全国政务服务改革、引领地方数字建设实践方面发挥了重要指导作用。各地区、各部门认真贯彻党中央、国务院决策部署，围绕转变政府职能、深化简政放权、创新监管方式、优化政务服务，深入推进“互联网＋政务服务”。一些地方和部门依托平台创新政务服务模式，“只进一扇门”“最多跑一次”“不见面审批”等改革措施不断涌现。政务服务平台已成为提升政务服务水平的重要支撑，对深化“放管服”改革、优化营商环境、便利企业和群众办事创业发挥了重要作用。

本书立足国家有关要求，从全国“互联网＋政务服务”一体化平台建设方面深入浅出地阐述了我国“互联网＋政务服务”的发展目标和主要建设任务，对平台总体架构进行了总结分析，对政务服务事项在线运行、政务服务移动 APP 等一体化平台主要建设内容进行了论述和分析。此外，本书梳理的国内外有关优秀经验案例，为我们开展“互联网＋政务服务”建设提供了很好的借鉴与思考。本书可以说是对数字政府发展和一体化在线政务服务平台建设的系统研究和持续总结所得出的优秀成果，既响应了中国当下数字政府发展的总体趋势，又为相关知识领域做出了难得的贡献，值得推荐。

綦琳

2021 年 5 月

前言

党的十八大以来，各地区各部门认真贯彻党中央、国务院的决策部署，围绕转变政府职能、深化简政放权、创新监管方式、优化政务服务，深入推进“互联网＋政务服务”，加快建设地方和部门政务服务平台。一些地方和部门依托平台创新政务服务模式，“只进一扇门”“最多跑一次”“不见面审批”等改革措施不断涌现，政务服务平台已成为提升政务服务水平的重要支撑。推进“互联网＋政务服务”，是优化服务改革推向纵深的关键环节，对加快转变政府职能、提高政府服务效率和透明度、便利群众办事创业、进一步激发市场活力和社会创造力具有重要意义。

本书梳理了国内外“互联网＋政务服务”优秀经验案例，结合案例中有关经验做法以及我国一体化在线政务服务平台建设改革实践，在论述“互联网＋政务服务”的发展目标、建设任务以及总体架构的基础上，分别对权责清单管理、政务服务事项管理、一体化政务服务门户、政务服务移动APP、政务服务事项在线运行、统一用户身份认证、统一电子印章、电子证照、网上中介服务超市、政务信息资源共享交换、监督考核等内容进行了介绍和分析。本书以电子政务发展指数(EGDI)为依据，结合联合国电子政务调查报告，分析了国际电子政务发展水平，并以美国、英国等国家为例，深入研究了有关经验做法，为我国“互联网＋政务服务”建设提供借鉴思考。本书探讨了人工智能、区块链、虚拟现实等新技术在“互联网＋政务服务”的应用，对有关应用场景进行了展望，以支撑我国政府治理模式的变革创新。全书共分为十五章，内容简述如下：

第一章梳理了我国电子政务的总体发展历程，回顾了电子政务管理机制的变革与发展，对电子政务发展的相关政策与要求进行了总结，并对电子政务的内涵变迁进行了论述。

第二章首先阐述了“互联网＋政务服务”的发展目标，继而对全国一体化在线政务服务平台的建设任务进行梳理总结，即：以推进政务服务一体化、公共支撑一体化、综合保障一体化等三方面为重点加快全国一体化平台建设，最后阐述了全国一体化政务服务平台的总体架构，并对各组成部分进行了分析。

第三章主要介绍了权责清单的内涵，提出推行权力清单制度，就是确定政府部门的权责内容，划定政府与市场的边界，坚持政府“法无授权不可为，法定职责必须为”，然后阐述了权责清单的基本内容和编制原则，最后以省级政府为例，分析了编制权责清单的主要工作活动，以实现全省一体化的权责清单动态管理。

第四章主要介绍了政务服务事项的动态管理。首先阐述了政务服务事项的基本内涵，政务服务事项不仅是政府向群众提供服务的基本内容，而且是“互联网+政务服务”上网运行的关键，其次分析了政务服务事项的主要内容，最后提出了建设统一政务服务事项库的关键路径，以实现服务清单标准化、办理情形精细化、事项管理动态化、业务支撑特色化。

第五章讲述了一体化政务服务的需求内涵和发展目标，提供面向社会、企业、公众的“一站式”公共服务，阐述了门户网站的基本功能和建设要求，并从门户建设原则、主要活动和要点等方面进行了分析阐述。

第六章介绍了移动政务服务的建设发展现状，分析了用户习惯倒逼政务服务移动化需求和当前移动政务服务建设的主要问题，论述了构建移动政务服务应用生态和移动应用服务能力提升的关键，提出了优化移动政务服务的解决对策。

第七章讲述了政务服务事项在线运行，强调了政务服务平台系统是政务服务事项运行的关键支撑，分析了政务服务事项运行的基本原则和主要目标，论述了政务服务平台的总体架构，总结概括了政务服务事项在线运行的关键路径。

第八章至第十一章分别论述了统一用户身份认证、统一电子印章、电子证照、网上中介服务超市等共性统一支撑服务，并对基本概念、主要内涵以及各支撑服务的主要建设内容等进行了研究，以支撑跨部门、跨区域、跨层级的在线便捷政务服务。

第十二章首先分析了政务信息资源共享交换的工作背景和当前建设现状，其中数据共享是当前“互联网+政务服务”工作开展的核心关键。其次，围绕统一共享交换平台、与业务系统对接、共享统一信息资源库等方面，对政务信息资源共享交换的主要建设内容进行了论述。最后，概括总结了做好当前数据共享交换工作的主要思路对策。

第十三章分析了监督考核在“互联网+政务服务”建设中的背景和意义，分别从电子监察和第三方评估考核两个方面，对电子监察系统建设和开展评估考核工作的主要内容进行了论述。

第十四章梳理了“互联网+政务服务”的国际发展趋势，以电子政务发展指数(EGDI)为依据，结合联合国电子政务调查报告，分析了国际相关工作的发展水平，并以美国、英国等发达国家为例，深入研究了有关经验做法，为我国“互联网+政务服务”建设提供借鉴思考。

第十五章研究了人工智能、区块链以及虚拟现实等新一代信息技术的特性，分析了新技术给政府治理模式变革带来的机遇，促进了政府服务效率提升和服务方式变革等。

根据不同技术的特性和“互联网＋政务服务”的发展需求，本书还探讨了有关新技术在政务服务中的潜在应用场景，以支撑公共服务治理模式的变革创新。

本书最大的特点在于从工作实践出发，结合国内外优秀典型案例，对主要工作的工作背景、建设内容以及关键活动进行综合研究，供读者从系统化、整体化的角度了解我国一体化在线政务服务平台建设的主要内容。本书可作为机关和企事业单位从事政务服务建设和管理有关人员的自学和参考用书，也可作为社会培训机构的培训用书，是一本内容全面、实用性强的有益读物。

在写作过程中，笔者得到了兄弟省份以及省内政务服务工作同仁的大力支持，参考文献中涉及的一些专家学者也提供了宝贵的学习机会，在此一并表示感谢！

“互联网＋政务服务”工作处于高速发展的阶段，很多内容仍在探索之中，各方面要素都在持续发展变化，书中涉及内容广泛，难以对所有的“互联网＋政务服务”工作进行精准分析，加之水平所限，纰漏不妥之处在所难免，恳请大家不吝赐教。

桓德铭

2021 年 5 月

目　录

第一章　概论 …… 1

第一节　电子政务的总体发展历程 …… 1
第二节　电子政务管理机制的变革与发展 …… 6
第三节　电子政务发展的相关政策与要求 …… 9
第四节　电子政务的内涵变迁 …… 13

第二章　“互联网＋政务服务”总体框架 …… 19

第一节　“互联网＋政务服务”的发展目标 …… 19
第二节　全国一体化政务服务平台的建设任务 …… 22
第三节　全国一体化政务服务平台的总体架构 …… 23

第三章　权责清单管理 …… 28

第一节　推行权责清单的内涵 …… 28
第二节　权责清单的基本内容与原则 …… 32
第三节　编制权责清单的工作活动 …… 38
第四节　典型案例 …… 40

第四章　政务服务事项管理 …… 42

第一节　政务服务事项的基本内涵 …… 42
第二节　事项清单的主要内容 …… 43
第三节　建立统一的政务服务事项库 …… 55

第五章　一体化政务服务门户 …… 57

第一节　一体化政务服务门户的需求内涵 …… 57

第二节　一体化政务服务门户的发展目标 …… 60
第三节　门户的基本功能及要求 …… 61
第四节　一体化政务服务门户建设指引 …… 67
第五节　典型案例 …… 70

第六章　政务服务移动 APP …… 75

第一节　移动政务服务的建设发展现状 …… 75
第二节　构建移动政务服务应用生态 …… 77
第三节　移动应用服务能力提升的关键 …… 80
第四节　移动政务服务的解决之道 …… 84
第五节　典型案例 …… 85

第七章　政务服务事项在线运行 …… 92

第一节　政务服务平台是事项运行的关键支撑 …… 92
第二节　政务服务平台的总体架构 …… 94
第三节　政务服务事项在线运行的关键路径 …… 98
第四节　典型案例 …… 105

第八章　统一用户身份认证 …… 114

第一节　构建统一用户身份认证的内涵 …… 114
第二节　统一用户身份认证平台的建设内容 …… 116
第三节　典型案例 …… 125

第九章　统一电子印章 …… 129

第一节　构建统一电子印章的内涵 …… 129
第二节　电子印章的建设内容 …… 132
第三节　典型案例 …… 147

第十章　电子证照 …… 149

第一节　构建统一电子证照的内涵 …… 149
第二节　电子证照的建设内容 …… 151
第三节　电子证照共享服务的接入与应用 …… 156
第四节　典型案例 …… 161

第十一章　网上中介服务超市 …… 167

第一节　网上中介服务超市的内涵 …… 167
第二节　网上中介服务超市的管理 …… 170
第三节　典型案例 …… 174

第十二章　政务信息资源共享交换 …… 181

第一节　政务信息资源共享交换的概念 …… 181
第二节　政务信息资源共享交换的建设内容 …… 185
第三节　政务信息资源共享交换的关键 …… 195
第四节　典型案例 …… 197

第十三章　“互联网＋政务服务”监督考核 …… 200

第一节　“互联网＋政务服务”监督考核的概念 …… 200
第二节　电子监察 …… 201
第三节　“互联网＋政务服务”评估考核 …… 206

第十四章　“互联网＋政务服务”国际趋势 …… 217

第一节　“互联网＋政务服务”的国际发展情况 …… 217
第二节　典型案例 …… 222

第十五章　新技术在“互联网＋政务服务”中的应用 …… 235

第一节　人工智能与政府治理转型 …… 235
第二节　区块链与政务服务 …… 241
第三节　虚拟现实与政务服务 …… 246

主要参考文献 …… 249

第一章　概论

电子政务是信息技术发展的必然产物，是政府信息化建设的核心内容。近年来，电子政务已经成为许多国家信息化建设的重点领域。从世界范围来看，政府信息化建设最早可以追溯到20世纪50年代计算机在政府部门的应用，并随着计算机的大量应用，从70年代开始在很多国家推行。90年代初期，美国首次提出了借助信息技术实现“电子政府”(e-Government)的概念。此后，包括我国在内的世界上很多国家纷纷根据本国实际制定了电子政务的发展目标和规划，并将电子政务作为信息化建设的一大重点领域，以信息化的手段来提高政府的行政管理水平、行政效能水平和科学决策水平，更加有效地为企业和公众服务。

第一节　电子政务的总体发展历程

党中央、国务院高度重视电子政务，早在1972年周恩来总理就高瞻远瞩地提出了要“积极推广电子计算机应用”。纵览改革开放的这40多年，我国电子政务发展历程大致可分为四个阶段，1993年前属于探索试验阶段，重点是办公自动化，建立了各种纵向和横向的内部办公网络；1993年至2000年9月属于初级建设阶段，重点是“三金”工程；2000年10月至2013年属于全面推进阶段，电子政务在全国范围内展开，成为提高政府执政能力的重要工具；2014年至今属于创新发展阶段，在工程建设、政务信息资源共享协同、“互联网＋政务服务”和网络强国等方面，实施了创新转型发展。

一、探索试验阶段

计算机在我国政府部门的应用始于20世纪70年代，此后直到1993年我国的电子政务建设都处于探索试验阶段，建设重点是机关内部的办公自动化。20世纪80年代，中央和部分地方党政机关开展办公自动化(OA)工程，建立了各种纵向和横向的内部信息办公网络。1985年前后，党中央和国务院决定在中南海实施信息化建设项目，从而掀起了我国办公自动化建设的热潮。

1992年，国务院办公厅下发了《国务院办公厅关于建设全国政府行政首脑机关办公决策服务系统的通知》(国办发[1992]25号)，要求在政府机关普及推广计算机的使用，推进政府机关自动化程度。文件明确提出，要利用3～5年的时间，在全国范围内初步建成全国行政首脑机关办公决策服务系统。在政府系统的办公自动化建设初期，电子政务应用主要集中于事务处理层面，表现为分散开发、各自应用的状况，如使用计算机打字，推广使用传真机、复印机，开发简单的单机应用项目等。

在开展办公自动化建设的同时，国务院在1984～1990年先后批准了经济、金融、铁路、电力、民航、统计、财税、海关、气象、灾害防御等12个国家级信息系统的建设。在此期间，有43个部委先后成立信息机构，总投资约200亿元，引进了大、中、小型计算机1391台，安装了微型计算机约6万台、用户终端3万台，开发了各类经济信息数据库174个、各类经济信息管理系统252个。这些系统都发挥了一定的经济和社会效益，但应用广度和深度都很有限。

二、初级建设阶段

改革开放以来，我国信息网络和信息系统的建设取得了长足进展，但与发达国家相比仍存在较大差距。随着经济体制改革的深化和市场机制的建立，跨部门、跨地区的通信与信息交换日益频繁，在20世纪90年代继续加快办公自动化建设的同时，对我国电子政务发展具有重要影响的“金”字工程也开始萌芽并逐渐发展起来。

1993年3月12日，国务院副总理朱镕基主持国务院会议，提出了建设“三金”工程的设想，即“金桥”“金关”和“金卡”工程，由此拉开了“金”字工程建设的序幕。“三金”工程的实施为此后电子政务的发展打下了良好的基础。但从电子政务建设的广度和深度看，这一时期我国的电子政务建设仍然处在初级建设阶段。

(一)“金桥”工程

“金桥”工程即国家公用经济信息通信网工程，是以建设我国重要的信息化基础设施为目的的工程。“金桥”工程的总体目标是以光纤、微波、程控、卫星、无线移动等多种方式建立起覆盖全国的经济信息网，与国务院各部委、全国各省(自治区、直辖市)及500个中心城市、1.2万个大中型企业以及国家重点工程等相联系，最终形成电子信息高速公路主干线，并与全球信息高速公路实现互联。“金桥”工程的建设，对我国电子政务的发展起到了积极的探索作用。

(二)“金关”工程

“金关”工程是我国政府利用信息技术，实现对对外经济贸易和相关领域进行标准化、规范化、科学化、网络化和现代化管理的一项国家信息化重点系统工程。工程的短期目标是建设好配额许可证管理、进出口统计、出口退税、出口收汇和进口付汇核销应用系统，实现外经贸领域的网络互联和信息共享；中长期目标是逐步推行各类对外经贸业务单证的计算机网络传输，提高对外经济贸易的现代化管理水平，实现电子商务，增强国家的宏观调控能力。“金关”工程于1993年提出，最初由电子工业部全面负责，1996年3月移交外经贸部负责实施。

（三）“金卡”工程

“金卡”工程是银行信用卡支付系统工程，不仅涉及金融电子化建设，而且关系到国民经济各重点部门及地方政府的管理信息化建设，是提高各级政府部门、企事业单位现代化管理水平和推广应用电子商务的社会信息化基础工程。1993年10月，国务院批准成立全国“金卡”工程办公室，由电子工业部牵头，协同中国人民银行、邮电部、内贸部、国家旅游局等，共同负责“金卡”工程的领导和组织协调工作。1986年发行的红棉卡是我国第一张银行卡。到1993年，5家国有商业银行总计发行银行卡400万张，当时的银行卡在本行内尚不能异地使用。

（四）其他工程

随着“三金”工程建设步伐的加快，尤其是“金关”和“金卡”工程效益的显现，越来越多的经济管理信息系统被纳入“金”字工程的行列，如“金税”工程。“金税”工程是“三金”工程之外第一个被纳入“金”字工程的项目。“金税”工程的提出源于加强增值税管理的需求。党的十四届三中全会以后，国家出台了一系列重大改革措施，税制改革是其中之一。从防伪、防弊入手，抓好增值税的征管是保证国家税制改革的关键，同时也是保证国家财税收入的关键。1994年，“金税”工程被纳入“金”字工程系列。同年3月，“金税”工程试点工作正式启动。

三、全面推进阶段

2000年10月，党的十五届五中全会明确提出“以信息化带动工业化”。2001年12月，国家信息化领导小组召开第一次会议。会议决定，把电子政务建设作为今后一个时期我国信息化工作的重点，政府先行，带动国民经济和社会发展信息化。从此，我国电子政务建设开始进入全面推进阶段。

2002年8月，《中共中央办公厅、国务院办公厅转发〈国家信息化领导小组关于我国电子政务建设指导意见〉的通知》（中办发[2002]17号）。规划安排了“一站、两网、四库、十二金”，即建设并整合中央和地方的综合门户网站，建设和整合统一的、由政务内网和政务外网构成的电子政务网络，规划和开发人口基础信息库、法人单位基础信息库、自然资源和空间地理基础信息库、宏观经济数据库的重要政务信息资源，建设和完善政府办公业务资源系统、“金关”“金税”、金融监管（含“金卡”）、宏观经济管理、“金财”“金盾”“金审”、社会保障、“金农”“金质”“金水”等重点业务系统。

(一)中央政府门户网站建设

中央政府门户网站由国务院办公厅牵头组织建设。一期建设目标是:从无到有建立中央政府门户网站,实现政务信息发布、典型交互式服务以及信息分类与检索等功能;初步整合各级政府网上信息和服务,建立与其他政务系统已有网站的链接。二期建设目标是:完善中央政府门户网站各项服务功能,整合中央和国家机关的网上信息和服务,充分利用电子政务网络平台资源,全面开展对企业和公众的一站式服务,最终建成功能完备、代表我国政府形象的世界一流的政府门户网站。

(二)网络基础设施建设

网络基础设施为电子政务建设提供网络平台,是电子政务建设的基础工作之一。在网络基础设施建设方面,主要是要求建设和整合统一的网络平台,适应业务发展和安全保障的要求,有效遏制重复建设。

(三)基础信息库建设

重点建设四个基础信息库。人口基础信息库的建设目标是建立战略性的人口基础数据库,实现资源共享,增强政府部门间的协调,提高管理水平服务,促进国民经济发展和社会全面进步。法人单位基础信息库的建设目标是建设以组织机构代码为统一标识的标准统一、信息完善、安全可靠的法人单位基础信息库,建设法人单位基础信息计算机管理信息系统和基础信息数据库群,整合和统一不同部门的法人单位基础信息,实现信息资源共享,建设法人单位基础信息标准规范化的运行管理体系,保障法人单位基础信息的动态更新。自然资源和地理空间基础信息库的建设目标是建设标准化、规模化和可持续更新维护的基础性、战略性自然资源与地理空间信息资源数据库,构筑基础地理空间信息共享和应用服务平台,为社会提供系列化、标准化的基础性地理空间信息产品,促进自然资源与地理空间信息共享,带动相关产业发展。宏观经济数据库的关键任务是建立面向宏观决策、公共服务和国际社会要求的宏观经济数据库的核心系统。

(四)重点业务系统建设

重点推进的业务系统主要有12个,由原来的"三金"工程扩展为"十二金"工程。从"十二金"工程立项来分析,"十二金"工程又可以分为三类:第一类是对加强监管、提高效率和推进公共服务起到核心作用的办公业务资源系统、宏观经济管理系统建设;第二类是增强政府收入能力,保证公共支出合理性的"金税""金关""金财"、金融监管(含"金卡")、"金审"等五个业务系统建设;第三类是保障社会秩序,为国民经济和社会发展打下坚实基础的"金盾"、社会保障、"金农""金水""金质"等五个业务系统建设。

四、创新发展阶段

党的十八大报告在深化行政管理体制改革方面明确提出,建设"职能科学、结构优化、廉洁高效、人民满意的服务型政府，稳步推进大部门制改革，健全部门职责体系”。党的十八届三中全会通过的《中共中央关于全面深化改革若干重大问题的决定》明确提出：“推进社会领域制度创新，推进基本公共服务均等化，加快形成科学有效的社会治理体制，确保社会既充满活力又和谐有序；切实转变政府职能，深化行政体制改革，创新行政管理方式。”这些要求都为我国电子政务的发展指明了方向。

2014 年 2 月，中央网络安全和信息化领导小组成立。该领导小组着眼于国家安全和长远发展，统筹协调涉及经济、政治、文化、社会及军事等各个领域的网络安全和信息化的重大问题，研究制定网络安全和信息化发展战略、宏观规划和重大政策，推动国家网络安全和信息化建设。

2018 年 3 月，根据中共中央印发的《深化党和国家机构改革方案》，中央网络安全和信息化领导小组改为中国共产党中央网络安全和信息化委员会，负责相关领域重大工作的顶层设计、总体布局、统筹协调、整体推进、督促落实。习近平总书记在全国网络安全和信息化工作会议上强调：要运用信息化手段推进政务公开、党务公开，加快推进电子政务，构建全流程一体化在线服务平台，更好解决企业和群众反映强烈的“办事难、办事慢、办事繁”的问题。网信事业发展必须贯彻以人民为中心的发展思想，把增进人民福祉作为信息化发展的出发点和落脚点，让人民群众在信息化发展中有更多获得感、幸福感、安全感。中央网络安全和信息化委员会和习近平总书记的重要指示表明，我国电子政务进入了建设网络强国的重要发展时期。

2018 年 7 月，国务院印发了《国务院关于加快推进全国一体化在线政务服务平台建设的指导意见》（国发[2018]27 号），就深入推进“互联网＋政务服务”、加快建设全国一体化在线政务服务平台、全面推进政务服务“一网通办”作出重要部署。这对于深化“放管服”改革、推进政府治理现代化、提高政务服务水平、便利群众办事创业，进一步激发市场活力和社会创造力具有重要意义。

这个时期的主要工作目标是：加快建设全国一体化在线政务服务平台，推进各地区、各部门政务服务平台规范化、标准化、集约化建设和互联互通，形成全国政务服务“一张网”。政务服务流程不断优化，全过程留痕、全流程监管，政务服务数据资源有效汇聚、充分共享，大数据服务能力显著增强。政务服务线上、线下融合互通，跨地区、跨部门、跨层级协同办理，全城通办、就近能办、异地可办，服务效能大幅提升，全面实现全国“一网通办”，为持续推进“放管服”改革、推动政府治理现代化提供强有力支撑。

2018 年年底前，国家政务服务平台主体功能建设基本完成，通过试点示范实现部分省（自治区、直辖市）和国务院部门政务服务平台与国家政务服务平台对接。制定国家政务服务平台政务服务事项编码、统一身份认证、统一电子印章、统一电子证照等标准规范，各省（自治区、直辖市）和国务院有关部门按照全国一体化在线政务服务平台要求对本地区、本部门政务服务平台进行优化完善，为全面构建全国一体化在线政务服务平台奠定基础。

2019 年年底前，国家政务服务平台上线运行，各省（自治区、直辖市）和国务院有关部门政务服务平台与国家政务服务平台对接，全国一体化在线政务服务平台标准规范体系、安全保障体系和运营管理体系基本建立，国务院部门垂直业务办理系统为地方政务服务需求提供数据共享服务的水平显著提升，全国一体化在线政务服务平台框架初步形成。

2020 年年底前，国家政务服务平台功能进一步强化，各省（自治区、直辖市）和国务院部门政务服务平台与国家政务服务平台应接尽接、政务服务事项应上尽上，全国一体化在线政务服务平台标准规范体系、安全保障体系和运营管理体系不断完善，国务院部门数据实现共享，满足地方普遍性政务需求，"一网通办"能力显著增强，全国一体化在线政务服务平台基本建成。

2022 年年底前，以国家政务服务平台为总枢纽的全国一体化在线政务服务平台更加完善，全国范围内政务服务事项基本做到标准统一、整体联动、业务协同，除法律法规另有规定或涉及国家机密等，政务服务事项全部纳入平台办理，全面实现"一网通办"。

第二节　电子政务管理机制的变革与发展

在国家电子政务管理机制方面，涉及电子政务的部门先后包括了国家计委、国信办、工信部、国家发改委、国务院办公厅、中共中央办公厅、中央网信办等。根据管理机制的重要变革情况，可以将其划分为以下四个阶段。

一、国务院信息化工作领导小组成立前

从 20 世纪 80 年代开始，随着各级各类国家机构信息中心的建立与发展，隶属事业单位人事管理制度的政府信息技术人才队伍逐步形成。1983 年，原国家计委成立信息管理办公室负责国家信息管理系统的规划和建设，以及相关总体方案、法律法规和标准化的研究工作。1986 年，国务院批准建设国家经济信息系统并组建国家经济信息中心。1987 年 1 月 24 日，原国家计委所属的计算中心、预测中心和信息管理办公室合并，组建成国家经济信息中心，全面负责国家信息系统规划与建设工作。与此同时，中央其他政府部门也开始开展信息系统建设工作。此后，各级地方政府及有关部门相继建立信息中心。1988 年 1 月 22 日，国家经济信息中心更名为"国家信息中心"。1993 年，国家经济信息化联席会议成立，由国务院副总理邹家华任主席，统一领导和组织协调全国的信息化建设工作。领导小组下设办公室，加强了信息化工作的统一领导，确立了推进信息化

工程实施、以信息化带动产业发展的指导思想。1994 年，国家信息化专家组成立。专家组作为国家信息化建设的决策参谋机构，为建设国家信息化体系、推动国家信息化进程提出了许多重要建议。

二、国务院信息化工作领导小组从成立到合并

1996 年 1 月，国务院信息化工作领导小组成立。国务院信息化工作领导小组由 20 多个部委组成，由国务院副总理邹家华任组长，领导小组是国务院负责全国信息化工作的议事协调机构，领导小组下设办公室，原国家经济信息化联席会议办公室改为领导小组办公室。办公室主任由电子部副部长吕新奎兼任。办公室设专职、兼职副主任各2 名，专职副主任分别由电子部和邮电部派出，兼职副主任分别由国家计委和国家科委派出。此后，在全国绝大部分省(自治区、直辖市)、部委局办都成立了信息化工作领导小组及其办公室。

国务院信息化工作领导小组的主要职责是：研究制订国家信息化工作的方针政策，组织起草有关信息化的法规和规章，拟订国家信息化的发展战略、总体规划及分段实施方案，并进行监督检查；组织跨部门、跨地区、关系国民经济和社会发展的国家重大信息工程项目建设，负责大型计算机信息网络及国际联网的协调与管理工作，协调制订有关信息化的技术和应用标准。

国务院信息化工作领导小组确立了国家信息化的定义和国家信息化体系六要素，进一步充实和丰富了我国信息化建设的内涵；提出了信息化建设“统筹规划，国家主导；统一标准，联合建设；互联互通，资源共享”的 24 字指导方针。国务院信息化工作领导小组成立是国家适应信息化发展形势的需求，根据我国政府机构特殊的组织形势需要设立的跨部门的信息化工作协调小组，表明了国家对信息化工作的高度重视，为跨部门信息化协调工作提供了有力的新途径，开辟了国家信息化工作的新篇章。

1998 年，国务院机构改革，组建了信息产业部，撤销国务院信息化工作领导小组，相关工作改由信息产业部承担，其具体职责包括：担负研究制订推进国民经济和社会信息化发展规划，指导各地区、各行业的国民经济信息化工作；协助推进重大信息化工程；组织协调和推进全国软件产业的发展；研究制订有关信息资源的发展政策与措施，指导、协调信息资源的开发利用和信息安全技术开发；成立信息化推进司，推动信息化普及教育；等等。

三、国家信息化工作领导小组成立

1999 年 12 月，国家信息化工作领导小组成立。根据国务院领导关于恢复国务院信息化领导小组的批示，成立了由国务院副总理吴邦国担任组长的国家信息化工作领导小

组,以继续推进国家信息化工作。领导小组不单设办事机构,具体工作由信息产业部承担。领导小组的主要职责是:组织协调国家计算机网络与信息安全管理方面的重大问题,组织协调跨部门、跨行业的重大信息技术开发和信息化工程的有关问题,组织协调解决计算机2000年问题(千年虫),负责组织拟定并在必要时组织实施计算机2000年问题(千年虫)的应急方案,承办国务院交办的其他事项。

在国务院信息化工作领导小组撤销的一年后,以国家名义再次成立了国家信息化工作领导小组,这是国家领导人根据当时信息化工作形势的需要作出的重大决定,表明了国家对信息化工作重要性的高度重视,强化了国家对信息化工作的领导和指导。

2001年8月,为了进一步加强对推进我国信息化建设和维护国家信息安全工作的领导,中共中央、国务院重新组建国家信息化领导小组,具体工作由信息产业部承担,由国务院总理朱镕基任组长。国家信息化领导小组的主要职责是:审议国家信息化的发展战略、宏观规划、有关法规草案和重大决策;综合协调涉及政治、经济、文化及军事等各个领域的信息化和信息安全工作;组织协调计算机网络与信息安全管理方面的重大问题。

国家信息化领导小组成立后,我国又成立了国务院信息化工作办公室(简称"国信办"),由曾培炎任办公室主任。国信办是国家信息化领导小组的办事机构,办公室下设五个组和一个秘书处,即政策规划组、推广应用组、网络与信息安全组、电子政务组、综合组和专家委员会秘书处。国务院信息化工作办公室的主要职责是:组织贯彻落实中共中央、国务院关于信息化工作的方针政策,开展对涉及政治、经济、文化及军事等领域的信息化和信息安全等重大问题的调查研究,并向国家信息化领导小组提出政策建议;督促检查并协调推进国家信息化领导小组决议的执行,研究国家信息化的协调机制;组织有关部门研究我国信息化发展战略、规划,协调推进国家信息化建设和计算机网络与信息安全管理工作中的法规、标准及相关政策的起草工作;组织协调国家信息安全保障体系的建立;参与涉及全局的重大信息化项目的协调与审议;组织规划政府网,推进电子政务建设;协调国家重要信息资源的开发利用与共享,促进跨行业、跨部门面向社会服务网的互联互通;协调信息网络规划和实施中的问题,防止重复建设,促进电信网络、广播电视网络和计算机网络的融合;协调完善与信息化相关的统计调查制度,推进信息化的宣传普及和教育培训;参与信息化相关的重要国际合作与交流;承办国家信息化领导小组交办的其他工作。

国务院信息化工作办公室的成立,表明了国家信息化领导小组工作有了日常办事机构,日常的具体事务能够得到有效的落实。

2008年,国务院信息化工作办公室并入工业和信息化部,原国信办电子政务司取消,相关工作改由信息化推进司和信息安全协调司承担。

四、中央网络安全和信息化委员会成立

2014 年 2 月 27 日，中央网络安全和信息化领导小组宣告成立，中共中央总书记、国家主席、中央军委主席习近平任组长，李克强、刘云山任副组长，这再次体现了中国最高层全面深化改革、加强顶层设计的意志，显示出我国保障网络安全、维护国家利益、推动信息化发展的决心。

中央网络安全和信息化建设领导小组的成立是以规格高、力度大、立意远来统筹指导中国迈向网络强国的发展战略，是在中央层面设立的一个更强有力、更有权威性的机构，是落实党的十八届三中全会精神的又一重大举措，是我国实施网络安全和信息化国家战略迈出的重要一步。

根据中央精神，中央网络安全和信息化领导小组要发挥集中统一领导作用，统筹协调各个领域的网络安全和信息化的重大问题，制订实施国家网络安全和信息化发展战略、宏观规划和重大政策，不断增强安全保障能力。中央网络安全和信息化领导小组办事机构即中央网络安全和信息化领导小组办公室，由国家互联网信息办公室承担具体职责。工业和信息化部与电子政务相关的信息化推进司和信息安全协调司的相关职能、人员调整入中央网络安全和信息化领导小组办公室，成立信息化发展局和网络安全协调局。

2018 年 3 月，根据中共中央印发的《深化党和国家机构改革方案》，将中央网络安全和信息化领导小组改为中国共产党中央网络安全和信息化委员会，负责相关领域重大工作的顶层设计、总体布局、统筹协调、整体推进、督促落实。同年，对国务院办公厅职责进行调整，增加监督指导全国政府信息公开工作的职责。另外，由国务院办公厅牵头，成立全国一体化在线政务服务平台建设和管理协调工作小组，负责全国一体化在线政务服务平台顶层设计、建设规划、组织推进、统筹协调和监督指导等工作。

第三节　电子政务发展的相关政策与要求

为规范和引导电子政务健康、持续发展，我国先后出台了一系列相关政策文件。其中，既包括统筹部署电子政务发展的总体性文件，也包括规范和引导电子政务建设的专项文件。同时，信息化、互联网等相关领域的一些重要文件也多次对我国电子政务的发展提出要求，这些文件对推进我国电子政务建设和发展起到了显著的支撑作用。

一、总体性文件

2002 年，中共中央办公厅、国务院办公厅联合颁布了《中共中央办公厅、国务院办公

厅关于转发〈国家信息化领导小组关于我国电子政务建设指导意见〉的通知》(中办发[2002]17号),要求"把电子政务建设作为今后一个时期我国信息化工作的重点,政府先行,带动国民经济和社会发展信息化",明确电子政务建设的指导思想和原则,提出了"十五"期间我国电子政务建设的主要目标和任务。该通知将"政府先行,带动国民经济和社会发展信息化"正式确立为我国信息化建设的发展战略,提出"一站、两网、四库、十二金"的建设任务,确立电子政务发展的主脉络,从此开启了全面推进党委、人大、政府、政协、高检、高法等六大系统政务信息化建设的序幕。

2006年,为指导"十一五"期间各地区、各部门更好地推行电子政务,促进全国电子政务健康发展,国务院信息化工作办公室正式下发了《国家电子政务总体框架》(国信[2006]2号),并为此专门召开了全国电子政务工作会议。框架从战略高度明确了电子政务发展的思路、目标和重点,为加快我国电子政务建设打下了重要基础。《国家电子政务总体框架》(国信[2006]2号)以极为简明清晰的结构,深刻揭示了电子政务的历史使命及社会价值,科学地将电子政务的社会功能、技术关键、管理要素有机组成统一的、动态的整体,并划分为五个部分:服务是宗旨,应用是关键,信息资源开发利用是主线,基础设施是支撑,法律法规、标准化体系、管理体制是保障。

2014年,国务院办公厅印发了《国务院办公厅关于促进电子政务协调发展的指导意见》(国办发[2014]66号),客观分析了当时国家电子政务发展状况,指出电子政务经过多年发展,已经成为各级政府平稳运转和高效履职不可或缺的手段,并由业务办公的支撑工具逐步发展为促进重大改革措施贯彻实施、支撑重大问题决策研判、推动重点工作督查落实、提高服务人民群众水平的有效抓手,是提升政府治理能力必不可少的创新手段。文件重点强调电子政务顶层设计,强调信息资源开发利用和共建共享,强调深化应用、信息安全和完善电子政务协调发展的体制机制,为解决电子政务工作中的突出矛盾和问题,进一步推动政府系统电子政务科学、可持续发展指明了方向。

2016年,国务院印发了《国务院关于加快推进"互联网+政务服务"工作的指导意见》(国发[2016]55号),分析了自李克强总理在2016年全国"两会"提出大力推行"互联网+政务服务"以来的情况,刷新了我国政府服务的发展理念,政务服务的模式、渠道、平台等发展骤然增速。随着"互联网+"战略的全面推进、"放管服"改革的不断深入以及用户需求的激活,我国"互联网+政务服务"迎来重要的发展节点政务服务的互联网化发展进入深水区,"互联网+政务服务"正在由一项便民利民的发展举措,升级为激活经济社会发展动能与集聚民间创新激情、智慧的重要杠杆。"互联网+政务服务"不再仅限于对服务事项的虚拟化与线上化,而是需要"伤筋动骨"地优化甚至去除传统政务的窠臼与陈规。因此,《国务院关于加快推进"互联网+政务服务"工作的指导意见》(国发[2016]55号)提出"优化再造政务服务"与"融合升级平台渠道",一方面是直面政务服务本身,对服务事项、服务流程、服务模式进行优化再造,“优化再造”不是做隔靴搔痒式的表面文章,而是破旧立新的政务服务网络化改革;另一方面是针对服务平台和渠道,强调要以政府门户网站为核心,构建一体化互联网政务服务平台,并将实体政务大厅、基层办事网点、移动端、自助终端、热线电话进行全面融合升级。

2016 年年底,国务院办公厅下发《国务院办公厅关于印发“互联网＋政务服务”技术体系建设指南的通知》(国办函[2016]108 号)。根据其总体目标,围绕构建统一、规范、多级联动的“互联网＋政务服务”技术体系,以服务驱动和技术支撑为主线,重点建设“互联网＋政务服务”业务支撑体系、基础平台体系、关键保障技术体系、评价考核体系四个方面的内容。以服务事项标准化提升规范化发展能力,以互联互通和信息共享提升协同化治理能力,以一体化政务服务平台建设提升整体化服务支撑能力,以强化权力运行监督提升流程化约束能力,以政务数据开放和应用提升智慧化服务能力。此次国务院办公厅印发的文件对全国一体化“互联网＋政务服务”技术和服务体系进行了整体设计,提出了优化政务服务供给的信息化解决路径和操作方法,为各地区、各部门开展网上政务服务平台建设提供了重要参考和指引。

2017 年 5 月,国务院办公厅印发了《国务院办公厅关于印发政府网站发展指引的通知》(国办发[2017]47 号)。在“互联网＋政务服务”的发展背景下,文件对政府网站发展的总体要求、职责分工、开设整合、网站功能、集约共享、创新发展等进行了明确要求,这不仅是《国务院办公厅关于加强政府网站建设和管理工作的意见》(国办发[2006]104 号)颁布 12 年来首次从国家层面对政府网站建设管理工作提出详细要求,也是《中共中央办公厅、国务院办公厅印发〈关于全面推进政务公开工作的意见〉的通知》提出“将政府网站打造成更加全面的信息公开平台、更加权威的政策颁布解读和舆论引导平台、更加及时的回应关切和便民服务平台”以来,首次全面系统地围绕政府网站从发展理念、管理视角、服务内容、设计规则、安全保障等多角度地规划与阐述。

2018 年,国务院印发了《国务院关于加快推进全国一体化在线政务服务平台建设的指导意见》(国发[2018]27 号),提出自党的十八大以来,各地区、各部门围绕转变政府职能、深化简政放权、创新监管方式、优化政务服务等方面,深入推进“互联网＋政务服务”,加快建设地方和部门政务服务平台,一些地方和部门依托平台创新政务服务模式,如创新开展了“只进一扇门”“最多跑一次”“不见面审批”等一系列的改革探索,对深化“放管服”改革、优化营商环境、便利企业和群众办事创业发挥了重要作用。但同时,也提出了各级政务服务平台建设管理分散、办事系统繁杂、事项标准不一、数据共享不畅、业务协同不足等问题较为普遍,政务服务整体效能不强,“办事难、办事慢、办事繁”的问题还不同程度存在,需要进一步强化顶层设计、强化整体联动、强化规范管理,加快建设全国一体化在线政务服务平台。因此,为深入推进“放管服”改革,全面提升政务服务规范化、便利化水平，更好地为企业和群众提供全流程一体化在线服务，推动政府治理现代化，提出了加快推进全国一体化在线政务服务平台建设的指导意见，为全面推进政务服务“一网通办”作出重要部署。

二、重点专项文件

为做好电子政务建设和管理的各项工作，我国电子政务相关主管部门先后出台了一系列专项政策文件，内容涵盖了政务网络、政务信息资源、政府网站、政务服务、电子政务工程等各个方面，助力了我国电子政务各项工作的深入开展、扎实推进。主要包括以下文件：

(1)《国务院信息化工作办公室、科学技术部、信息产业部关于印发〈电子政务工程技术指南〉的通知》(国信办[2003]2 号)。

(2)《国家信息化领导小组关于推进国家电子政务网络建设的意见》(中办发[2006]18 号)。

(3)《国务院办公厅关于加强政府网站建设和管理工作的意见》(国办发[2006]104 号)。

(4)《国家电子政务工程建设项目管理暂行办法》(发改委令 55 号)。

(5)《国家发展改革委关于进一步加强国家电子政务工程建设项目管理工作的通知》(发改高技[2008]2544 号)。

(6)《国家发展改革委、财政部关于加快推进国家电子政务外网建设工作的通知》(发改高技[2009]988 号)。

(7)《国务院办公厅转发全国政务公开领导小组关于开展依托电子政务平台加强县级政府政务公开和政务服务试点工作意见的通知》(国办函[2011]99 号)。

(8)《关于进一步加强国家电子政务网络建设和应用工作的通知》(发改高技[2012]1986 号)。

(9)《国家发展改革委关于加强和完善国家电子政务工程建设管理的意见》(发改高技[2013]266 号)。

(10)《关于开展国家电子政务工程项目绩效评价工作的意见》(发改高技[2015]200 号)。

(11)《国务院办公厅关于转发国家发展改革委等部门推进“互联网+政务服务”开展信息惠民试点实施方案的通知》(国办发[2016]23 号)。

(12)《国务院关于印发政务信息资源共享管理暂行办法的通知》(国发[2016]51 号)。

(13)《国务院关于加快推进“互联网+政务服务”工作的指导意见》(国发[2016]55 号)。

(14)《国务院办公厅关于印发“互联网+政务服务”技术体系建设指南的通知》(国办

函[2016]108号)。

(15)《国务院办公厅关于印发政务信息系统整合共享实施方案的通知》(国办发[2017]39号)。

(16)《国务院办公厅关于印发政府网站发展指引的通知》(国办发[2017]发47号)。

(17)《国务院关于加快推进全国一体化在线政务服务平台建设的指导意见》(国发[2018]27号)。

第四节　电子政务的内涵变迁

一、电子政务的发展阶段

电子政务发展具备明显的中国特色,主要原因在于来自内外部的政策条件、经济条件、技术条件与社会条件达到了触发政务改革创新的峰值,互联网与政务形成了技术与理念相互渗透、供给与需求逐步弥合的互动关系,互联网推动政务服务突破了行为壁垒(数字鸿沟、行为能力、行为意愿)、能力壁垒(资源整合能力、创新合作能力、数据利用能力)与制度壁垒(管理体制、政策制度),在网络驱动、数据驱动和用户驱动下,通过技术接入、信息融合、职能对接、服务跨界等立体化发展路径,在技术、业务、理念与模式层面全面接入政务服务的全流程,最终通过网上政务大厅、行政服务中心、数据开放平台、移动政务服务端,通过服务内容创新、服务流程再造、服务模式优化、服务体验提升,为办事群众带来切身感受的存在感、获得感、幸福感。

根据电子政务的发展路径,大致可以分为平台化、社会化和数据化三个阶段(见表1-1)。

表1-1　"互联网+政务服务"的发展阶段

发展阶段	关键词	关键核心	发展特征
1.0	平台化	建设统一的政务服务平台	大规模建设集政务公开、政民互动与政务服务于一体的政务服务平台
2.0	社会化	利用第三方资源优化政务服务	把握移动互联网资源,利用微信/支付宝城市服务、政务微信等拓展政务服务范围
3.0	数据化	利用人工智能技术提供政务服务	从线上服务创新到线下机器人服务,在数据共享开放、数据挖掘与数据治理层面推进政务服务创新

(一)1.0时代:政务服务平台化建设时代

从电子政务的发展历程来看,政务服务平台建设是电子政务建设的初始路径,可称为"1.0 阶段"。经过电子政务的初期应用,政府部门逐渐发觉机构之间网络不能互通、信息不能共享、数据不能交换、资源不能整合,于是以块为主对政务服务平台进行整合(如各地的网上办事大厅和信用公示平台等),解决了本级政府的联通问题,形成了整合型的政务服务平台。

在具体的建设上,政务服务平台通常由基础支撑平台、网上审批监察系统、资源目录共享交换系统、协同办公和公文交换系统、门户网站群等组成。按照电子政务网络系统构架,结合部门业务专网,进行调整、升级和改造,形成统一的政务服务平台,满足政务公开、政民互动与政务服务需要。本阶段出现的"一张网""政务 O2O"等模式,主要在前端服务体验上进行了巨大提升,使公众办事具有了获得感。

(二)2.0 时代:利用社会化力量优化政务服务

"社会化融合"成为本阶段的关键词,其核心在于政府广泛利用第三方资源来扩展政务服务范围,提升政务服务体验,优化政务服务质量。

2016 年 9 月 29 日,国务院颁布的《国务院关于加快推进"互联网+政务服务"的工作的指导意见》(国发[2016]55 号)提出,引入社会力量,积极利用第三方平台,开展预约查询、证照寄送以及在线支付等服务。

近年来,互联网技术、模式与应用的快速发展为政务服务创新提供了更多选择,丰富了政务服务的手段和途径,多渠道数据共享促进各平台服务融合发展,满足了公众多元化服务需求,作为社会化政务服务平台的代表,微信、支付宝等应用在政务服务创新过程中正在发挥着重要作用。第三方平台政务服务的发展具有至关重要的意义。

在技术上,第三方平台的自身特点与优势能够更好地满足移动互联网时代用户需求。通过微信/支付宝城市服务、政务微信等渠道的政务服务输出,首先,可以共享平台已有的海量用户红利,吸引更多的用户参与和使用服务;其次,第三方平台在云计算、大数据方面的基础设施建设基本完备,可以为用户体验与流程优化提供最优化的解决方案;最后,微信、支付宝等第三方平台作为国民级移动应用,可以充分利用用户已有的使用习惯,降低用户的使用门槛。此外,随着电子政务的深入发展,政务办事开始涉及在线支付,而支付是第三方平台本身的基础功能,无现金的办事流程也使用户风险降低。例如,浙江政务服务网统一公共支付平台通过和支付宝深度融合,拓宽了支付渠道,打破了时间和空间限制,同时也降低了征缴成本,提升了征缴效率,提高了政府非税收入现代化管理水平,有助于政务服务的优化创新。

在运营上,积极利用第三方平台有助于降低政府机构运营成本,并提升政务数据资源的使用价值与利用效率。通过第三方平台政务服务对政府自建网上办事大厅与线下政务服务大厅的分流,不仅使政府减少了运营投入和提升了处理效率,同时也减轻了窗口办事人员的工作压力,为公众提供了更好的服务。

(三)3.0 时代:大数据驱动的政务服务创新

根据《国务院关于加快推进“互联网+政务服务”的工作的指导意见》(国发[2016]55号),政府要依托数据统一共享交换平台,大力推进基础数据资源和各部门信息系统跨部门、跨区域共享。在《促进大数据发展行动纲要》(国发[2015]50号)中,对大数据开放应用等工作提出了指导意见。其中《促进大数据发展行动纲要》(国发[2015]50号)特别提到,到2018年年底前,建成国家政府数据统一开放平台;2020年年底前,逐步实现信用、交通、医疗、卫生等民生保障服务相关领域的政府数据集向社会开放。政府大数据的全面开放,不仅是政府信息公开的真正体现,而且还将使政府决策更为公开透明,也将为政府的科学决策提供坚实的基础。

通过构建政务云平台,大数据可以打通各个政府部门的信息孤岛,打破各部门数据的条块分割,提升行政审批效率,让数据为老百姓“跑腿办事”,省去了“跑断腿、磨破嘴,办事跑十几个部门,盖几十个公章”的苦恼和无奈,这样既提高了行政审批效率,又节约了政府开支。大数据通过对公共服务产品数据和服务对象数据的挖掘、分析,提升公共服务产品供给的精准化、分层化、个性化;通过公共数据的开放和兼容,让公众参与公共服务产品设计、提供和监督等各个环节,实现公共服务产品质量的提高。政府通过平台开放数据,让企业能够使用数据并反哺技术和服务,将实现政府与企业在数据、技术、服务多层面融合,充分体现和发挥大数据应用价值,在数据运用的过程中不断创新和积累也能实现政府数据的更新和完善。

二、“互联网+”趋势下政府形态进化路径

“互联网+”趋势下政府形态路径大致分为网络政府、平台政府和数字政府三个阶段(见表1-2)。

表1-2　信息技术视角下的政府形态进化

阶段	类别	驱动力	技术特点	特征
1.0	网络政府	信息	互联网、Web 2.0	主要解决信息共享与在线服务的基本供给
2.0	平台政府	平台	移动互联网、社会化平台	主要解决体验与服务的供给效率
3.0	数字政府	数据	人工智能、物联网、云计算	主要解决个性化与自主创新

(一)网络政府

基于网络平台的网络政府本质上是网上的虚拟政府、现实政府的影子替身及电子政府的内涵深化。政府自身职能由此发生相关转变,正是信息时代政府模式变革的重要内

容。"虚拟"一词表示潜在的可能性,它像现实一样真实,但却是用不同的方式。相应地,网络政府是在虚拟世界一网络空间中运作。它是现实政府在网络空间映射的结果,是像现实政府一样真实的虚拟实在。它可令政府工作人员在电子化方式下一起工作,通过电子化手段交流互动,利用信息技术代替组织某些部分行事或增加组织某些方面影响,具有随时开放、成本低廉、可忽略物理位置和组织边界合作、解决问题不需让人面对面等特点,可借助虚拟化应用、以虚拟化方式付诸实践。但网络政府并非单单让政府上网,搞一个"电子政务",电子政务建设不是信息技术在政务领域的简单推广和应用,不能简单地将现有政务职能和业务流程电子化,它本质上是政府职能转变的重大创新和改革。网络政府包含了电子政府,同时又广延涵盖了电子政府与网络社会文化及其信息时代特征的有机融合。

网络政府同时伴随着政府管理方式的升级,在电子政府基础上进行深化,除了网络建设和维护、网络办公、网络警察等职能之外,还有网络议事、网络选举及网络社区管理等民主功能。网络政府要求官员能够判断民意、回应民意,并解决问题,从而保障公民的参与权、知情权、监督权、表达权。当民意不但得到了充分的表达,而且成为决策者的参考时,网络民主才得到最终体现。

网络政府也要求政务服务的虚拟化发展,使得政府能够凭借网络平台更高效地为公众提供公共服务。虚拟化使得政府服务更加真实可靠,让公众"怕麻烦"的心理一扫而光。网络政府虽然无处不在,却无影无踪,更能使公众内心生出较高的自由安全感,同时也保证了政府履行服务理念时获得公众的高度认同。随着时代的发展,公众的需求层次日益提高和丰富,由现实生活中有形的"衣食住行"需求,扩大到网络上无形的公共参与、沟通交流及网络生活等。并且,政府将传统的行政审批、行政合同、行政指导和行政执法等放到网络上虚拟运作,不仅省时省工,还能获得即时性互动效果。

(二)平台政府

"平台政府"的概念诞生于2008年金融危机以后,公众对政府的需求发生变化,要求政府更透明、更节约,服务更好。接着在2009年,美国政府建立开放数据的模式,标志着电子政务朝平台型政府演进。开放数据不仅是数据的开放,而且重要的是从此作为一个平台,其提供服务的方式就如同互联网上的商业机构。开放数据实际上是指政府将非保密的、对社会有高利用价值的数据,以开放的、结构化的、可重复利用的、机器可读的形式,放在有开放入口的服务平台上。平台不仅提供政务数据,还提供开发工具,供社会各方面,包括用户在内,也包括第三方开发者使用,如同 APP Store 的模式。开发应用上传到平台,经过检验后,发现是可用、无害的,在用户群体上受到欢迎,就能够大规模推广。这种模式能大大提高政府信息资源的社会化利用效率,满足了公众对政府信息资源不同层次的需求,也同时减少了政府提供电子政务服务的成本。此外,开放平台可以充分利用社交网络,用社交网络和大数据分析来了解市民的需求,及时了解民意,及时响应民意,及时满足公众的需求,而且及时发现政府行政管理和行政服务中一些不足的地方,再加上透明性,使公众能监督政府自发的过程。

因此,平台政府改变了政务服务中供给和需求者之间的关系,利用互联网建立起"协同治理"与"服务众筹"模式和在高新科技基础上建立分布式、点对点等基于互联网的横向社会治理和公共服务模式;负责某一行业、某一部门的工作人员与自己的服务对象建立社交网络圈,增强互动、沟通、交流、合作、创新,每位居民管理自己的政府官员就像管理网约车的驾驶员那样简单——打分、批评、奖励、晋升;服务人员和普通市民共同参与到解决问题的过程中,平台政府借助于私人的力量创新公共价值,配置更多公共服务资源,提升公共服务质量。

用平台定义政府的服务与治理,也就赋予了现代政府一个新含义。相对于商业平台来说,在平台政府监管方面要确保公众的安全、平台的公平性和透明性,在社会治理方面要确保公共秩序和收入分配格局的合理性。在这个意义上建平台政府,就意味着建设政府自己的 APP,供公众使用,这是政府流程再造的核心点。

平台政府主要通过政府的网络体系和网络平台把官员和民众直接联系在一起,民众通过网络接受政府机构和官员的服务,对政府机构和官员直接进行评价,监督部门通过网络平台检测系统对官员和公众行为进行监督评价,开展信誉定级并测算其工作效率。平台政府的建设实现了政府流程再造,提高了政府效率,在此基础上,国家治理现代化就会大大迈出一步。

(三)数字政府

数字政府是充分利用新兴数字技术、数据思维、数字文化和盘活数据资产,以信息与系统为基础,以连接与在线为核心,以数据与智能为驱动,以推动社会管理精细化、公共服务便民化和数字经济发展为主要内容,重塑政府、公民、企业及社会组织之间、治理与服务之间的关系,从"政府中心"走向"用户中心"的政府自我升级与再造过程。

数字政府是一种不断演进的政府形态。数字政府在不同的技术条件、需求阶段、社会响应趋势等背景下,其所表现出来的特色、价值和影响等均不一样。本质上,数字政府是在 Web 2.0 技术、移动互联网和人工智能等不同技术的作用下,不同服务模式的驱动与用户需求的倒逼下,逐渐生成的一种政府新形态。

数字政府是一种数据驱动的组织范式。数字政府本质是数据驱动,无论是治理精细化、服务个性化,其背后都是对数据价值的挖掘与运营。对于数据驱动的组织而言,数据作为一种资产、能源和组织灵魂与依归,"电子政府""网络政府""智慧政府"等可视为不同的数据价值爆发阶段对数字政府的再定义。

数字政府是一种社会创新的开源平台。数字政府的终极模式是公民社会的成熟与自组织,主动参与政府事务,并分担责任,贡献力量解决问题,类似于 APP Store 的应用市场模式将出现,政府以开源平台模式呈现自身能力与资源,为社会创新力量提供二次创新与开发的基础资源。

第二章 “互联网＋政务服务”总体框架

推进“互联网＋政务服务”，是贯彻落实党中央、国务院决策部署，把简政放权、放管结合、优化服务改革推向纵深的关键环节，为加快转变政府职能、提高政府服务效率和透明度、创新政府现代化治理能力和治理体系提供了路径，对建设现代政府、便利群众办事创业、进一步激发市场活力和社会创造力具有重要意义。

第一节 “互联网＋政务服务”的发展目标

一、《国务院关于加快推进“互联网＋政务服务”工作的指导意见》

《国务院关于加快推进“互联网＋政务服务”工作的指导意见》(国发[2016]55 号)按照“坚统筹规划、问题导向、协同发展、开放创新”的原则，分步提出了“互联网＋政务服务”工作目标。

(1)2017 年年底前，各省(自治区、直辖市)人民政府、国务院有关部门建成一体化网上政务服务平台，全面公开政务服务事项，政务服务标准化、网络化水平显著提升。

(2)2020 年年底前，实现互联网与政务服务深度融合，建成覆盖全国的整体联动、部门协同、省级统筹、一网办理的“互联网＋政务服务”体系，大幅提升政务服务智慧化水平，让政府服务更聪明，让企业和群众办事更方便、更快捷、更有效率。

二、《国务院办公厅关于印发“互联网＋政务服务”技术体系建设指南的通知》

《国务院办公厅关于印发“互联网＋政务服务”技术体系建设指南的通知》(国办函[2016]108 号)主要以服务驱动和技术支撑为主线，围绕“互联网＋政务服务”业务支撑体系、基础平台体系、关键保障技术、评价考核体系等方面，提出了优化政务服务供给的信息化解决路径和操作方法，为构建统一、规范、多级联动的“互联网＋政务服务”技术和服务体系提供保障。

《国务院办公厅关于印发“互联网＋政务服务”技术体系建设指南的通知》(国办函[2016]108号)从技术的角度提出了“互联网＋政务服务”的建设目标，为各级政务服务主管部门组织开展“互联网＋政务服务”技术体系建设提供指引。

(1)2017年年底前，各省(自治区、直辖市)人民政府、国务院有关部门普遍建成网上政务服务平台。

(2)2020年年底前，建成覆盖全国的整体联动、部门协同、省级统筹、一网办理的“互联网＋政务服务”技术和服务体系，实现政务服务的标准化、精准化、便捷化、平台化、协同化，政务服务流程显著优化，服务形式更加多元，服务渠道更为畅通，群众办事满意度显著提升。

——政务服务标准化。实现政务服务事项清单标准化、办事指南标准化、审查工作细则标准化、考核评估指标标准化、实名用户标准化、线上线下支付标准化等，让企业和群众享受规范、透明、高效的政务服务。

——政务服务精准化。按照公众和企业办事需求，群众“点餐”与政府“端菜”相结合，将政务服务事项办事指南要素和审查工作细则流程相融合，减条件、减材料、减环节，实现政务服务精准供给，让数据“多跑路”，让群众“少跑腿”。

——政务服务便捷化。以用户为中心，整合政务服务资源和流程，提供个性化政务服务，实现一站式办理。创新应用云计算、大数据、移动互联网等新技术，分级分类推进新型智慧城市建设。对政务服务办理过程和结果进行大数据分析，创新办事质量控制和服务效果评估，大幅提高政务服务的在线化、个性化、智能化水平。

——政务服务平台化。打造线上线下融合、多级联动的政务服务平台体系。着力破解“信息孤岛”，建成网上统一身份认证体系、统一支付体系、统一电子证照库，推动跨部门、跨地区数据共享和业务协同。推动政务服务平台向基层延伸，促进实体办事大厅规范化建设，公众和企业办事网上直办、就近能办、同城通办、异地可办。

——政务服务协同化。运用互联网思维，调动各地区、各部门积极性和主动性，在政务服务标准化、精准化、便捷化、平台化过程中，推动政务服务跨地区、跨部门、跨层级业务协作。开展“众创”“众包”“众扶”“众筹”，借助社会资源和智力，加快政务服务方式、方法、手段迭代创新，为企业和群众提供用得上、用得好的“互联网＋政务服务”。

三、《国务院关于加快推进全国一体化在线政务服务平台建设的指导意见》

《国务院关于加快推进全国一体化在线政务服务平台建设的指导意见》(国发[2018]27号)顺应了政务服务平台从分头建设向集中管理、从“信息孤岛”向协同共享转变的要求，明确了全国一体化在线政务服务平台建设的基本原则、工作目标、主要任务，坚持政务服务上网是原则、不上网是例外，联网是原则、孤网是例外，充分利用各地区、各有关部门已建的政务服务平台，整合各类政务服务资源，协同共建，整体联动，以此推动全国政务服务平台不断提升建设集约化、管理规范化、服务便利化水平。通过加快建设全国一体化在线政务服务平台，推进各地区、各部门平台规范化、标准化建设和互联互通，推动政务服务跨地区、跨部门、跨层级协同办理，全城通办、就近能办、异地可办。

《国务院关于加快推进全国一体化在线政务服务平台建设的指导意见》(国发[2018]27号)就深入推进“互联网＋政务服务”，加快建设全国一体化在线政务服务平台，全面推进政务服务“一网通办”作出部署。主要工作目标如下：

加快建设全国一体化在线政务服务平台，推进各地区、各部门政务服务平台规范化、标准化、集约化建设和互联互通，形成全国政务服务“一张网”。政务服务流程不断优化，全过程留痕、全流程监管，政务服务数据资源有效汇聚、充分共享，大数据服务能力显著增强。政务服务线上、线下融合互通，跨地区、跨部门、跨层级协同办理，全城通办、就近能办、异地可办，服务效能大幅提升，全面实现全国“一网通办”，为持续推进“放管服”改革、推动政府治理现代化提供强有力支撑。

(1)2018年年底前，国家政务服务平台主体功能建设基本完成，通过试点示范实现部分省(自治区、直辖市)和国务院部门政务服务平台与国家政务服务平台对接。制定国家政务服务平台政务服务事项编码、统一身份认证、统一电子印章、统一电子证照等标准规范，各省(自治区、直辖市)和国务院有关部门按照全国一体化在线政务服务平台要求对本地区、本部门政务服务平台进行优化完善，为全面构建全国一体化在线政务服务平台奠定基础。

(2)2019年年底前，国家政务服务平台上线运行，各省(自治区、直辖市)和国务院有关部门政务服务平台与国家政务服务平台对接，全国一体化在线政务服务平台标准规范体系、安全保障体系和运营管理体系基本建立，国务院部门垂直业务办理系统为地方政务服务需求提供数据共享服务的水平显著提升，全国一体化在线政务服务平台框架初步形成。

(3)2020年年底前，国家政务服务平台功能进一步强化，各省(自治区、直辖市)和国务院部门政务服务平台与国家政务服务平台应接尽接、政务服务事项应上尽上，全国一体化在线政务服务平台标准规范体系、安全保障体系和运营管理体系不断完善，国务院部门数据实现共享，满足地方普遍性政务需求，“一网通办”能力显著增强，全国一体化在线政务服务平台基本建成。

(4)2022年年底前，以国家政务服务平台为总枢纽的全国一体化在线政务服务平台更加完善，全国范围内政务服务事项基本做到标准统一、整体联动、业务协同，除法律法规另有规定或涉及国家机密等外，政务服务事项全部纳入平台办理，全面实现“一网通办”。

第二节　全国一体化政务服务平台的建设任务

根据《国务院关于加快推进全国一体化在线政务服务平台建设的指导意见》(国发[2018]27 号)总体目标,以推进政务服务一体化、公共支撑一体化、综合保障一体化等三方面为重点加快全国一体化平台建设。在政务服务一体化方面,提出规范政务服务事项、优化政务服务流程、融合线上线下服务、推广移动政务服务等四项措施,推动实现政务服务事项全国标准的统一、全流程网上的办理。在公共支撑一体化方面,提出统一网络支撑、统一身份认证、统一电子印章、统一电子证照、统一数据共享等五项措施,促进政务服务跨地区、跨部门、跨层级数据共享和业务协同。在综合保障一体化方面,提出健全标准规范、强化安全保障、完善运营管理、强化咨询投诉、加强评估评价等五项措施,确保平台安全平稳规范运行。

《国务院关于加快推进全国一体化在线政务服务平台建设的指导意见》(国发[2018]27 号)要求,各地区、各部门要把加快全国一体化在线政务服务平台建设作为深化“放管服”改革、推进政府治理现代化的重要举措,主要从以下几个方面建设推进:

(1)平台规范化建设,做好互联互通。明确了全国一体化平台的建设重点,各地区、各部门政务服务平台要对标全国一体化平台统一标准规范及相关要求,加强本地区、本部门平台规范化、标准化建设,全面对接国家政务服务平台,与国家政务服务门户形式统一规范、内容深度融合,实现事项集中发布、服务集中提供,共同推动全国范围内政务服务事项标准统一、整体联动、业务协同。

(2)数据共享,业务协同。将“坚持协同共享”作为重要工作原则,明确“以数据共享为核心”,“坚持政务服务上网是原则、不上网是例外,联网是原则、孤网是例外”。国务院各部门政务服务平台要统筹整合本部门业务办理系统和相关政务服务资源,依托国家政务服务平台,为各地区和国务院相关部门政务服务平台提供数据共享服务。各部门加大信息共享力度,简化共享数据申请使用流程,不断拓展数据共享范围和深度,确保到 2020 年年底前实现国务院部门数据共享满足地方普遍性政务需求。各地区要以政务信息系统整合共享工作为抓手,以政务服务平台为依托,切实解决群众办事的“难点”“堵点”问题,不断提升群众办事的满意度。

(3)优化服务,持续创新。以“推动政务服务从政府供给导向向群众需求导向转变”作为指导思想的重要内容,坚持优化流程。“互联网+政务服务”不是简单地把原有行政审批流程照搬到网上,而是需要从行政审批制度改革的要求和群众的需求出发,对相关业务流程乃至政府部门职能进行优化,以数据驱动改革,以技术引领业务创新。在一体化平台建设过程中,各地区、各部门要紧密结合“放管服”改革要求和群众的需求,不断优化政务服务流程、创新政务服务方式,不断提升政务服务能力和水平。在国家政务服务平台提供的统一政务服务门户、统一政务服务事项库、统一身份认证、统一电子印章、统一电子证照、统一数据共享等“标配”服务基础上，各地方部门结合实际，建设个性化政务服务“旗舰店”，提供本地区、本部门特色应用，实现流程优化创新服务等。

(4)强化安全，平稳运行。随着全国一体化平台的建设运行，大量涉及国家利益、公共安全、商业秘密、个人隐私等重要数据将日趋集中，建立一套完善的安全管理体系尤为关键，坚持安全可控作为构建一体化平台的基本原则和重点任务。各地区、各部门应分级负责本地区、本部门平台建设、安全保障和运营管理。强化网络安全底线思维，健全管理制度，加强综合防范，积极运用自主可控技术，提升本地区、本部门政务服务平台安全保障系统的风险防控能力，共同构建全方位、多层次防护体系，保障全国一体化平台平稳高效安全运行。

(5)先行先试，破解难题。选择部分条件成熟的省(自治区、直辖市)和国务院部门开展与国家政务服务平台对接试点，积累经验，逐步推广。列入第一批试点的上海市、江苏省、浙江省、安徽省、山东省、广东省、重庆市、四川省、贵州省等地区和发展改革委、教育部、公安部、人力资源社会保障部、商务部、市场监管总局等部门要先行先试，积极创造条件、主动作为，按时完成与国家政务服务平台对接任务，并在一体化平台建设模式、管理方式、运行机制、应用效果等方面积极探索、不断创新，为构建全国一体化平台、推动全国政务服务“一网通办”积累经验。其他地方和国务院有关部门，要按照全国一体化平台要求不断完善本地区、本部门平台，根据本地区、本部门平台建设成熟程度分批接入国家政务服务平台，确保2019年年底前完成接入任务。

第三节 全国一体化政务服务平台的总体架构

全国一体化在线政务服务平台由国家政务服务平台、国务院有关部门政务服务平台(业务办理系统)和各地区政务服务平台组成。国家政务服务平台是全国一体化在线政务服务平台的总枢纽，各地区和国务院有关部门政务服务平台是全国一体化在线政务服务平台的具体办事服务平台。

一、总体架构

(一)国家政务服务平台

国家政务服务平台建设统一政务服务门户、统一政务服务事项管理、统一身份认证、统一电子印章、统一电子证照等公共支撑系统，建设电子监察、服务评估、咨询投诉、用户体验监测等应用系统，建立政务服务平台建设管理的标准规范体系、安全保障体系和运营管理体系，为各地区和国务院有关部门政务服务平台提供公共入口、公共通道和公共支撑。

国家政务服务平台作为全国一体化在线政务服务平台的总枢纽，联通各省（自治区、直辖市）和国务院有关部门政务服务平台，实现政务服务数据汇聚共享和业务协同，支撑各地区、各部门政务服务平台为企业和群众提供高效、便捷的政务服务。

国家政务服务平台以中国政府网为总门户，具有独立的服务界面和访问入口，两者用户访问互通，对外提供一体化服务。

（二）国务院有关部门政务服务平台和各地区政务服务平台

国务院有关部门政务服务平台统筹整合本部门业务办理系统，依托国家政务服务平台的公共支撑系统，统筹利用政务服务资源，办理本部门政务服务业务，通过国家政务服务平台与各地区和国务院有关部门政务服务平台互联互通、数据共享、业务协同，依托国家政务服务平台办理跨地区、跨部门、跨层级的政务服务业务。

各地区政务服务平台按照省级统筹原则建设。通过整合本地区各类办事服务平台，建成本地区各级互联、协同联动的政务服务平台，办理本地区政务服务业务，实现网上政务服务省、市、县、乡镇（街道）、村（社区）全覆盖。各省（自治区、直辖市）政务服务平台与国家政务服务平台互联互通，依托国家政务服务平台办理跨地区、跨部门、跨层级的政务服务业务。

二、技术架构

按照《国务院办公厅关于印发"互联网＋政务服务"技术体系建设指南的通知》（国办函[2016]108 号）以及《国家电子政务总体框架》（国信[2006]2 号）的要求，以安全运维保障体系和运行维护体系为保障，以标准规范体系和管理制度为依托，由用户及服务层、业务应用层、应用支撑层、数据资源层和基础设施层组成了国家政务服务平台总体技术架构（见图 2-1）。

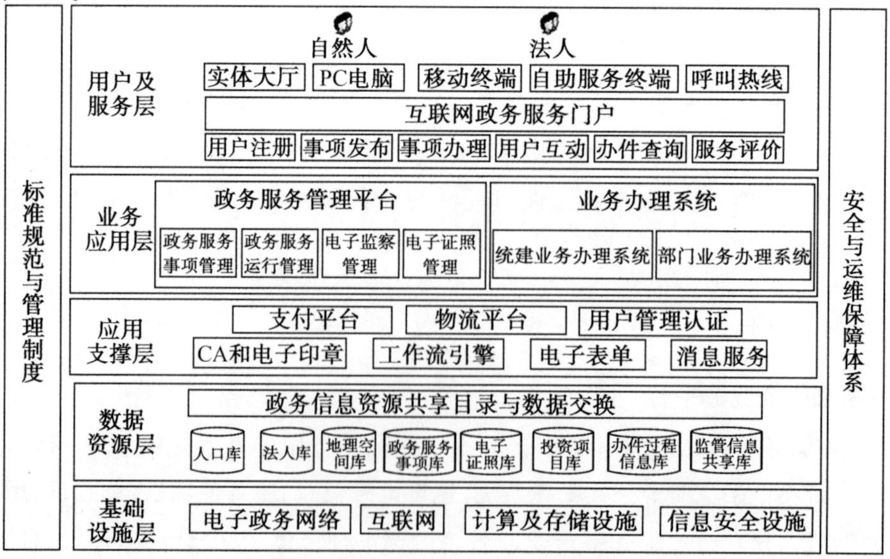

图 2-1　政务服务平台技术架构

(一)基础设施层

基础设施包括网络、服务器、安全等硬件基础设施,优先依托政务云平台进行集约化部署建设。在网络方面,政务服务的预审、受理、审批、决定等原则上依托统一电子政务网络,政务服务的咨询、预约、申报、反馈等依托互联网。政务服务数据共享平台依托电子政务网络建设。

(二)数据资源层

数据资源层基于政务服务资源目录和数据交换,汇聚政务服务事项库、办件信息库、监管信息共享库、信用信息库等政务服务业务信息库,共享利用人口、法人、地理空间信息、电子证照等基础信息资源库,实现数据资源共建共享,共同构成政务服务数据共享平台,为政务服务提供统一的数据支撑。

(三)应用支撑层

应用支撑包括CA和电子印章、工作流引擎、电子表单、消息服务等各种通用组件服务,也包括用户管理及认证、支付平台和物流平台等中间支撑系统。

(四)业务应用层

业务应用包括政务服务管理平台和各级部门审批业务办理系统,实现政务服务事项管理、运行管理、电子监察、电子证照管理等功能。

(五)用户及服务层

互联网政务服务门户包括用户注册、事项发布、事项申请、办理互动、办件查询、服务评价等,自然人和法人可通过个人计算机、移动终端、实体大厅、自助服务终端、呼叫热线等多种渠道访问。

三、应用架构

国家政务服务平台的应用架构设计包括服务界面和工作门户、业务应用、公共支撑三层(见图2-2)。

(一)服务门户及移动端

服务门户实现统一访问入口和集中展现,支持用户通过多种访问渠道获取服务。利用地方和部门已有政务服务平台资源,通过网上政务服务资源汇聚整合、政务服务信息交换共享服务、地方部门政务服务平台公共支撑等功能,扩展和增强跨地区、跨部门、跨层级政务服务能力,为内部用户提供个性化服务,提升内部人员协作和管理能力。

移动端应用依托一体化移动应用支撑子系统,提供国家网上政务服务界面移动版、国家政务服务工作门户APP、国家政务服务微信公众号等移动应用服务。汇聚地方部门网上政务服务资源,面向自然人、法人和其他社会组织提供全国网上政务服务移动端办事入口,为平台工作人员提供便捷的移动业务支撑。针对移动端应用实现统一视觉展现、统一技术标准、统一系统支撑、统一服务管理,保障政务服务移动端应用的标准性、开放性、灵活性、可扩展性、安全性和稳定性。

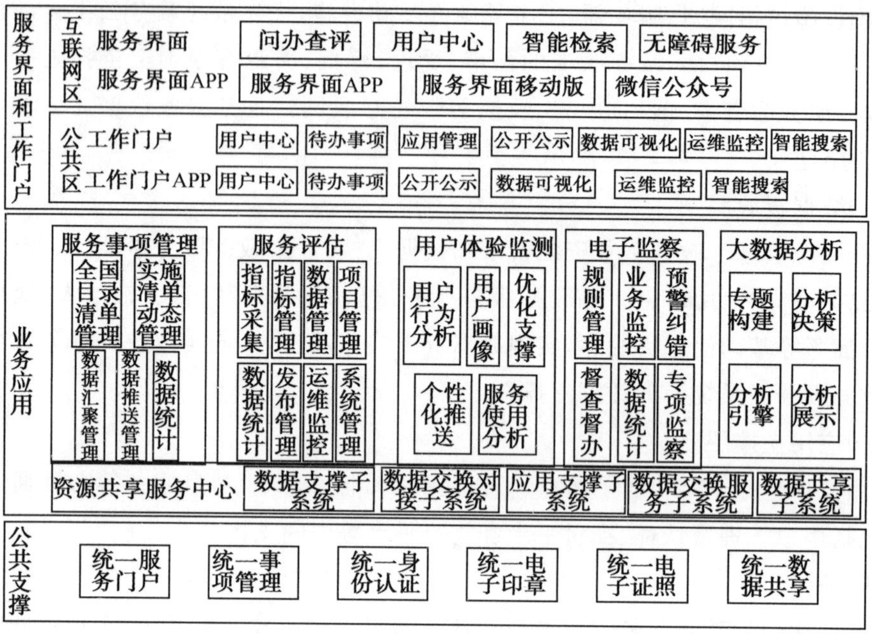

图 2-2　政务服务平台应用架构

(二)业务应用

(1)政务服务事项管理系统，对国家级政务服务事项目录进行集中管理，包含政务服务事项目录的动态管理，如登记、审核、变更、下放、拆分、取消等，汇聚地方独立实施的政务服务事项目录。对国务院有关部门的政务服务事项实施清单进行动态化、流程化、版本化管理，包括登记、审核、变更、取消等日常管理功能；汇聚各级地方政府部门的政务服务事项实施清单信息。

(2)政务服务电子监察系统，获取资源共享服务中心汇聚的各地区、各部门政务服务事项信息和办件信息，对事项信息的完整性、事项办理的时效性、办件内容的规范性等方面进行集中监控。

(3)网上政务服务评估系统，对各地区、各部门政务服务数据进行采集，并针对政务服务指标进行处理(数据归集、抽取、清洗、分析)，按照既定的模型全面评估各地区、各部门政务服务水平。

(4)资源共享服务中心，整合各地区、各部门政务服务数据，采用大数据并行计算技术，对国家政务服务平台产生和汇聚的政务服务事项信息、办件信息、用户注册信息和用户行为信息等进行数据清洗、转换、比对和质量控制，构建形成统一的国家政务服务信息资源库。

(5)政务服务大数据分析系统，基于国家政务服务平台的基础设施和资源共享服务中心汇聚交换的数据资源，建设国家政务服务大数据分析系统。对政务服务事项数据、办件数据、电子证照目录数据、用户行为数据等政务服务数据资源进行整合，依据数据之间的联系，提升数据价值；在大数据分析引擎基础上，通过统计分析、数据挖掘、空间分析、数据建模等分析手段揭示全国政务服务内在图景，发现政务服务纰漏，优化政务服务供给，支撑政务服务决策；依托国家政务服务平台，分别向政府领导和地方部门工作人员提供决策分析服务和业务分析服务。

(6)用户体验监测系统，根据采集的用户访问行为数据，对用户的基本属性、浏览历史、搜索关键词、系统使用率、使用效果等进行多维度科学分析，为国家网上政务服务界面的优化改进提供数据支撑。

(三)公共支撑

公共支撑包括公共服务和基础支撑两部分。

1.公共服务

(1)统一身份认证。通过统一身份认证系统，联通各地区和国务院有关部门的网上政务服务入口，构建全国统一用户实名认证体系，实现单点登录、“一地注册、各地互认”“一次认证、全网通办”，促进跨地区、跨部门、跨层级办理各类政务服务事项。

(2)统一电子印章。通过国家政务服务平台统一电子印章系统，构建一体化电子印章体系和相关标准规范，建立各地区和国务院有关部门电子印章制发体系，保证电子印章的权威性、可控性、规范性，为电子印章使用建立规范化的有效性验证技术架构，实现国家政务服务平台对接入系统的有效检验。

(3)国家电子证照共享服务。通过国家政务服务平台电子证照共享服务系统，制定业务和技术标准规范，形成标准化共享服务体系，为各地区和国务院有关部门提供电子证照共享服务。

2.基础支撑

基础支撑包括移动支撑、地图服务、搜索引擎、数据整合工具服务、工作流引擎、消息服务和API网关等。依托基础支撑，封装国家政务服务平台业务应用系统的共性功能，提供可扩展、可定制、可复用的业务应用组件和服务。

第三章　权责清单管理

推行地方各级政府工作部门权责清单制度，是党中央、国务院部署的重要改革任务，也是加强政府自身建设的一项基础性工程，是推进社会主义民主建设的重要一步。改革开放40多年来，政府治理能力取得了长足进步，但也要看到，政府的工作理念、管理内容、运行方式、治理水平，还存在与时代发展不相适应的方面；政府层级之间、部门之间有的职责还不明确，职责交叉问题比较突出；权力运行过程不够透明、权责不对等、对权力的监督不够有力等问题，容易滋生寻租空间。正是基于强烈的“问题导向”，党的十八届三中全会明确要求，推行地方各级政府及其工作部门权责清单制度，依法公开权力运行流程。

第一节　推行权责清单的内涵

一、推行权责清单制度的意义

通过推行权责清单制度，把政府部门的权力和责任以清单形式明确下来，就是要明确政府该干什么、不该干什么，理清哪些权力应该保留，哪些权力应该取消或下放，从而确定政府部门的权责内容、划定政府与市场的边界，实现政府“法无授权不可为”“法定职责必须为”。从整体上标注权力的运行轨迹，在微观上划定部门的权力边界。可以说，推行权责清单制度，是推进政府治理现代化、加强政府自身建设的一项基础工作，是进一步厘清政府与市场权责边界、促进简政放权的重要抓手，是推动政府全面履行职能、建设服务型政府的内在要求，是规范权力运行，建设法治政府、廉洁政府的重要途径。

从某种意义上来说，权责清单就是一张“明确政府权力边界的纸”。推行权责清单制度，无先例可循，地方各级政府既是责无旁贷的推动者，更是“自我革命”的重点对象，这无疑是对地方各级政府执政能力的一个重大考验。围绕“清权、减权、制权、晒权”等主要环节，各级政府应敢于攻坚克难，善于科学实施，勇于探索创新，坚定不移地推行权责清单制度工作，并以推行权责清单制度为契机，不断深化行政体制改革，让人民群众切身感受到改革带来的变化，拥有更多的“获得感”。推行权责清单制度，将以权力的自我设限，最大限度地激发社会活力，为引领经济新常态注入强劲动力，为推进治理现代化提供坚强保障。

二、基本概念和内涵

（一）权责清单

权责清单，是指政府部门实施的行政许可、行政处罚、行政强制、行政征收、行政给付、行政裁决、行政确认、行政奖励、行政检查、其他行政权力等行政权力事项和公共服务事项及其对应的责任事项以清单的形式列明，并向社会公开。编制权责清单就是把各级政府及其所属工作部门掌握的各项公共权力进行全面统计，并将权力的列表清单公之于众，主动接受社会监督。它着眼于依法优化和公开权力运行流程，致力于形成权责清晰、程序严密、运行公开、监督有效的行政权力公开透明运行机制，以切实有效地解决权力运行中存在的不作为、乱作为、权责交叉、多头执法、相互推诿、监管缺位、暗箱操作、权力寻租等突出问题。

具体说来，权责清单主要包含两层意思：一是明确权力边界，即政府该管什么，不该管什么，哪些该审批，哪些不该审批，都用制度形式定格下来，让政府“法无授权不可为”；二是实行政务公开，即权责清单不是内部掌握，而要求“晒”出来，置于公众和社会的监督视野之下。

（二）行政许可

行政许可，是指在法律一般禁止的情况下，行政主体根据行政相对人的申请，经依法审查，通过颁发许可证、执照等形式，赋予或确认行政相对人从事某种活动的法律资格或法律权利的一种具体行政行为，包括普通许可、特许、核准、认可等。行政许可由《行政许可法》规范，其特征有：(1)行政许可是依法申请的行政行为。(2)行政许可的内容是国家一般禁止的活动。(3)行政许可是行政主体赋予行政相对人某种法律资格或法律权利的具体行政行为。(4)行政许可是一种外部行政行为。(5)行政许可必须遵循一定的法定形式（如许可证和执照）。

（三）行政处罚

行政处罚，是指行政主体依法定职权和程序对违反行政法规范、尚未构成犯罪的行政相对人给予行政制裁的具体行政行为。由法律法规和规章设定的处罚，包括警告、罚款、没收违法所得、没收非法财物、责令停产停业、暂扣或者吊销许可证、暂扣或吊销执照、行政拘留等。

（四）行政强制

行政强制包括行政强制措施和行政强制执行。

(1)行政强制措施，是指行政机关在行政管理过程中，为制止违法行为、防止证据损毁、避免危害发生、控制危险扩大等情形，依法对公民的人身自由实施暂时性限制，或者对公民、法人或者其他组织的财物实施暂时性控制的行为，包括：限制公民人身自由；查封场所、设施或者财物；扣押财物；冻结存款、汇款；其他行政强制措施。

(2)行政强制执行，是指行政机关对不履行行政决定的公民、法人或者其他组织，依法强制履行义务的行为，包括：加处罚款或者滞纳金；排除妨碍、恢复原状；其他强制执行方式。

(五)行政征收

行政征收，是指行政主体根据法律法规的规定，向公民、法人或者其他组织无偿收取一定财物的行政行为。行政征收须以公民、法人或者其他组织负有行政法上的缴纳义务为前提，其实质是国家以强制方式无偿取得行政相对人一定财产的所有权。

(六)行政给付

行政给付，是指行政主体在特定情况下，依法向符合条件的申请人提供物质利益或赋予其与物质利益有关的权益的行为。“物质利益”主要表现为给付行政相对人一定数量的金钱或实物，如给付抚恤金、生活补助费、安置费、救济款等。

(七)行政裁决

行政裁决，是指行政主体依法对当事人之间发生的、与行政管理活动密切相关的、与合同无关的民事纠纷进行审查，并作出裁决的具体行政行为。行政裁决的主体具有法定性，行政机关只有获得法律法规授权，才能对授权范围内的民事纠纷案件进行审查并裁决，如环境污染损害赔偿纠纷、土地权属纠纷、商标纠纷、专利纠纷等。

(八)行政确认

行政确认，是指行政主体依照法律法规规定的权限和程序对有关身份、能力、资格、法律事实、法律地位或者法律关系等进行甄别，通过确定、证明等方式决定行政相对人法律地位、法律关系或者权利义务的具体行政行为。

注意行政确认与行政许可的区别：一是法律性质不同。前者是对行政相对人既有法律事实、身份、能力的确认，不赋予行政相对人权利；后者是赋予行政相对人某种权利、资格，具有赋权性质。二是法律效果不同。前者是对既有的事实、身份、能力的确认，其效力溯及既往；后者是准许行政相对人今后从事某种行为或享有某种权利，其效力针对未来。三是裁量范围不同。前者没有自由裁量的空间，只要符合确认的要件，就予以确认；后者具有一定的自由裁量权，需要择优赋权，有的有数量限制。

(九)行政奖励

行政奖励，是指行政主体依照法定条件和程序，对为国家、人民和社会作出突出贡献或者模范遵纪守法的行政相对人，给予物质或精神鼓励的具体行政行为。其主要特征有:行政奖励的主体是行政机关或者法律法规授权的组织;其目的在于表彰和鼓励先进,调动和激发人们的积极性;奖励的对象是贡献突出或者模范遵纪守法的组织或者个人;奖励的形式包括物质奖励和精神鼓励,二者大多合并使用;其性质是行政主体以法律法规规定,赋予被奖励者以奖励性权益的无强制执行力的一种具体行政行为。

(十)行政检查

行政检查,是指行政主体按照法定的监督检查职权,对一定范围内行政相对人是否遵守法律法规、规章,是否执行有关行政决定、命令等情况,进行能够影响行政相对人权益的、检查了解的具体行政行为。

行政检查往往贯穿于日常行政管理全过程,通常与行政许可、行政处罚、行政强制等其他行政行为紧密相关,是作出行政许可、行政处罚等行政决定的必要环节。同时,根据法律法规规定,行政检查可以独立行使的,应当单独梳理。如果仅作为行政许可、行政处罚等职权中获取证据和事实的手段,为行政许可等其他行政行为所包含的非独立的行政检查行为,则作为审批过程的特殊环节,不需单独列项梳理。例如检验检测事项:行政许可法规定,直接关系公共安全、人身健康、生命财产安全的重要设备、设施、产品、物品,需要按照技术标准、技术规范,通过检验、检测、检疫等方式进行审定的事项,可以设定行政许可。对这一类事项,应当归入行政许可。又如,《餐饮服务许可管理办法》(卫生部令第70号)第十三条规定:"食品药品监督管理部门受理申请人提交的申请材料后,应当审核申请人按照本办法第十条规定提交的相关资料,并对申请人的餐饮服务经营场所进行现场核查。"现场核查属于行政许可的一个环节,不需单独梳理在行政检查类别。但是,对被许可人、行政相对人、相关物品、场所、产品等进行抽样检查、实地检查、定期检验检测的,这类事项归入行政检查。

行政处罚与行政检查不是一一对应的关系,一个行政检查可以导致多种行政处罚决定,多个行政检查行为也可能导致一个行政处罚决定。

(十一)其他行政权力

其他行政权力,是指行政主体依法实施,对公民、法人和其他组织的权利义务产生直接影响,又难以准确界定的具体行政行为。凡属于过程性管理或者事后管理性质,又不依附于上述类型权力事项,可列入其他行政权力类。

(十二)公共服务事项

公共服务事项,是指以满足公民、法人或其他组织生存、生活与发展等具体需求为目的,使用公共权力或公共资源提供的服务项目。

第二节　权责清单的基本内容与原则

推行权责清单制度，必须遵循职权法定、边界清晰、主体明确、运行公开原则，使政府机关职权的设定依照法律法规进行，严格实行"法无授权不可为"。各级政府和部门实施行政管理、开展行政执法、提供行政服务，都要在法定范围内进行，体现法治政府对行政主体行使权力的要求。同时，随着经济社会的发展、体制改革的深化，行政权力的确定还要符合精简、统一、效能的要求。

一、基本内容

权责事项要素主要包括八项要素，以省级行政许可（见表3-1）为例进行介绍。

（1）部门职责：部门"三定"规定中与实施该权责事项直接相关的具体表述。

（2）事项名称：具体事项的名称。

（3）事项编码：按照统一规范赋予的事项编码。

（4）事项类型：行政许可、行政处罚、行政强制、行政征收、行政给付、行政裁决、行政确认、行政检查、行政奖励、其他行政权力、公共服务。

（5）设定行使依据及有关条款：法律法规、规范性文件等。

（6）实施层级及权限：根据法律法规等要求，事项在本系统内国家、省、市、县四级的具体实施权限。

（7）对应责任事项：根据权力事项、公共服务事项不同类别所包含的具体责任内容。

（8）追责情形及依据：根据法律法规等规定的情形，因不履行或不正确履行职责，行政机关及相关工作人员应承担的相应责任情形。

二、基本原则

权责清单按照政府层级分为国家、省、市、县四级，同层级政府同一部门的权责事项数量应当基本相近，同一权责事项的名称、类型、设定依据、编码等要素应当一致。

（1）政府部门是推行权责清单制度的责任主体，应当对权责清单的准确性、完整性、合法性和规范性负责。

（2）坚持"法无授权不可为""法定职责必须为"，依法依规、清晰准确规范部门权力和责任。梳理和细化部门主要职责，实现权责清单与"三定"规定有机结合。政府部门应当按照现行法律法规等，结合"三定"规定，梳理权责事项，编制权责清单。

表 3-1 ×××系统权责清单通用目录样表(以省级行政许可为例)

序号	部门职责	事项名称	事项编码	事项类型	设定行使依据及有关条款	实施层级及权限		对应责任事项(至少应包括以下责任事项)	追责情形及依据
	填写部门“三定”规定明确的职责	根据法律法规、部门“三定”规定以及现有行政权责清单、公共服务事项目录清单,填写相应事项名称	统一编码	行政许可	根据法律法规以及现有行政权责清单、公共服务事项目录清单,填写事项设定依据,以及明确实施层级的行使依据	省	填写省级权限内的事项内容	**直接实施责任:** 1.规范完善审批标准、程序等具体规定;主动公示依据、条件、数量、程序、期限以及需要提交的全部材料的目录和申请书示范文本等,便于申请人阅取 2.依法依规实施行政许可,作出的准予行政许可决定应当予以公开 3.监督责任。建立健全监督制度,对被许可人从事行政许可事项的活动进行监督检查,对未经行政许可,擅自从事相关活动的,依法采取措施予以制止 **指导监督责任:** 4.指导下级行政机关完善审批标准、程序等具体规定,并进一步规范 5.对下级行政机关实施行政许可进行监督检查,及时纠正行政许可实施中的违法行为 6.指导、监督下级行政机关履行行业管理职责	根据法律法规以及现有责任清单,填写追责情形及依据

续表

序号	部门职责	事项名称	事项编码	事项类型	设定行使依据及有关条款	实施层级及权限		对应责任事项（至少应包括以下责任事项）	追责情形及依据
						市	填写市级权限内的事项内容	**直接实施责任：** 1.规范完善审批标准、程序等具体规定；主动公示依据、条件、数量、程序、期限以及需要提交的全部材料的目录和申请书示范文本等，便于申请人阅取 2.依法依规实施行政许可，作出的准予行政许可决定应当予以公开 3.监督责任。建立健全监督制度，对被许可人从事行政许可事项的活动进行监督检查，对未经行政许可，擅自从事相关活动的，依法采取措施予以制止 **指导监督责任：** 4.指导下级行政机关完善审批标准、程序等具体规定，并进一步规范 5.对下级行政机关实施行政许可进行监督检查，及时纠正行政许可实施中的违法行为 6.指导、监督下级行政机关履行行业管理职责	

续表

序号	部门职责	事项名称	事项编码	事项类型	设定行使依据及有关条款	实施层级及权限		对应责任事项（至少应包括以下责任事项）	追责情形及依据
						县	填写县级权限内的事项内容	直接实施责任： 1.规范完善审批标准、程序等具体规定；主动公示依据、条件、数量、程序、期限以及需要提交的全部材料的目录和申请书示范文本等，便于申请人阅取 2.依法依规实施行政许可，作出的准予行政许可决定应当予以公开 3.监督责任。建立健全监督制度，对被许可人从事行政许可事项的活动进行监督检查，对未经行政许可，擅自从事相关活动的，依法采取措施予以制止	

(3)自上而下牵头规范本系统权责清单通用目录,强化上级部门的行业管理职责和对下指导监督职责,打造全方位职能运行体系。如省级政府部门负责编制本部门权责清单和本系统省、市、县三级权责清单通用目录。市、县(市、区)政府部门根据本系统权责清单通用目录,结合本地区实际,编制本部门权责清单。

(4)各级政府部门应当在本级政务服务总门户网站等向社会公布权责清单(涉密权责事项除外),接受社会监督。

(5)政府部门应当充分发挥权责清单制度的基础性制度效用,将权责清单贯穿到职能运行的各个环节、各个方面,严格按照权责清单履职尽责,未纳入权责清单且无法定依据的权责事项不得实施。

(6)权责清单实行动态调整。有下列情形之一的,政府部门应当对权责清单进行调整:因法律法规等颁布、修改或者废止,导致权责事项发生变化的;国务院或者省、市、县(市、区)政府决定对权责事项予以调整的;政府部门机构职能发生调整的;其他应当予以调整的情形。

(7)着力强化权责清单制度的便民性、实用性,以规范统一的权责清单为基础,编制简明易懂的运行流程和服务指南,让企业和群众能够看得懂、用得上。公民、法人或者其他组织对权责清单及其实施情况提出意见建议的,政府部门应当依照有关规定及时处理并作出反馈。

(8)强化权责清单对权力运行的制约作用,建立全过程标准化的政府权力运行监管机制,推动各级各部门依法依规履职。机构编制部门、司法行政部门按照职责分工对同级政府部门落实权责清单制度情况进行督促指导和监督检查。

三、规范清单的具体问题

(1)准确把握权责清单、政务服务事项目录清单和政务服务事项实施清单的衔接关系。

权责清单的事项由权力事项、公共服务事项和对应的责任事项组成。政务服务事项目录清单由权责清单中依申请的权力事项和公共服务事项自动生成。

政务服务事项实施清单(即"一网通办"事项清单),是对政务服务事项目录清单进行细化完善形成的清单,是编制政务服务指南、进行政务服务事项运行管理的基础。实施清单的事项是按照"一网通办"的要求,结合群众办事和网上运行的需要,对政务服务事项目录清单的事项进行拆分和细化形成的办理项。

(2)权责事项依据分为设定依据、行使依据。权力事项设定依据原则上应是法律法规。法律法规没有作出具体规定的,其他规范性文件在法律法规范围内作出具体规定视为行使依据。公共服务设定依据、行使依据可适当放宽,从严控制设定依申请的公共服务事项。

(3)权责清单原则上不设子项。原有行政权责清单中的子项大体有两种情况：一类是按环节划分的，例如×××许可的新设、变更、注销等，此类子项建议在政务服务事项实施清单中体现，以方便相对人查阅和办事；另一类是按权限划分的，例如不同层级部门实施的不同资质等级的许可，按照“三级四同”的要求，这一类属于同一事项，应在实施层级及权限一栏中体现。

(4)按照国务院部门行政权力事项分类，将“行政监督”调整为“行政检查”。

(5)在梳理行政检查事项和根据法律法规的规定梳理行政奖励事项时，要注意把握此类奖励、检查事项应是面向社会上行政相对人的外部行政行为，不应与对下级部门(单位)的奖励、检查混淆。

(6)行政处罚、行政强制类权力事项。按照综合行政执法体制改革要求，省直部门主要负责行政执法相关政策标准制定、监督指导、重大案件查处和跨区域执法的组织协调，集中行使法律法规明确由省级承担的执法职责，对于省、市、县三级均有的行政处罚、行政强制，行政执法职能主要由市、县两级承担，省级不再保留该事项，但承担监督指导责任。

(7)“申请人民法院强制执行”不作为行政权力事项列入清单。“先行登记保存”“加处罚款”列入行政强制类事项。

(8)行政调解事项应作为其他行政权力事项。

行政调解，是指在行政主体主持下，以争议双方当事人自愿为基础，以相关法律法规及政策为依据，通过说服与劝导，促使双方当事人互让互谅、平等协商、达成协议，从而解决有关矛盾纠纷的活动。在行政调解过程中，行政机关不能利用职权为当事人增加义务或减损权益，行政调解协议也不具有强制执行力。但行政调解作为行政机关履行行政管理职能的一种表现形式，是及时化解矛盾和纠纷不可缺少的行政手段。

(9)责令改正或者限期改正违法行为不再单独作为一项权力事项梳理。

《行政处罚法》第二十三条规定：“行政机关实施行政处罚时，应当责令当事人改正或者限期改正违法行为。”这是对行政机关设置的一种作为义务，即针对行为人的违法行为，行政机关不能只实施行政处罚，还应当责令行为人改正违法行为，若行政相对人不按照要求停止或纠正违法行为，才会对违法行为人作出行政处罚。因此，责令改正或者限期改正，作为行政处罚程序的一个前置环节，不再单独作为一项权力事项梳理。

(10)审核转报事项。法律法规规定省、市、县对某一类型的事项有初审(审核)权限的，应按照“三级四同”的要求作为同一事项列入，并分别明确实施层级及权限。其中，对于行政许可类事项，规章要求初审(审核)权限的暂作为行政许可类事项列入，下步将根据改革要求进行清理。

(11)未明确实施层级的行政权力事项。对法律法规等没有明确实施层级的行政权力事项，如“县级以上×××部门行使×××权”或“×××部门行使×××权”的，省级部门应明确省、市、县三级的实施层级及权限。

(12)如某一事项需由某省直部门出具审查意见后、经另一省直部门审批，则该事项列入牵头或主办部门的权责清单。该审批部门要按照“一网通办”要求，组织相关部门实施并联审批，方便企业和群众办事。

(13)事业单位承担的公共服务事项，由其主管部门按系统列入权责清单。

(14)统筹考虑市县实行相对集中行政许可权改革和综合行政执法体制改革情况。

由省直部门按系统对本行业领域的权责事项进行统一规范，并分别明确省、市、县的实施层级和权限，省直部门要按照有关要求，列出本行业系统的全部权责事项，做到应列尽列。

在行业系统权责清单通用目录公布后，市县相关部门根据改革情况，分别认领行业管理、行政许可和行政处罚等权责事项。例如，行政审批服务局认领划转的行政许可事项，对应的责任事项可由行业主管部门、行政审批服务局、综合执法局分别认领。

省直部门要注重厘清行业指导、标准制定、组织实施、事中事后监管等责任事项，便于市、县(市、区)行业主管部门、行政审批服务局和综合执法局分别认领。

(15)关于类别调整和事项取消、下放。

各部门在梳理清单过程中，根据现行的法律法规和梳理口径，可以对原有清单进行适当调整，但应对权力事项调整变化情况进行汇总，并与清单发布文件一并报送。法律法规尚未修订，各部门根据“放管服”改革要求，拟下放权力事项的，待按程序审定公布后，再行调整权责清单。

(16)责任事项。责任事项要围绕事前定标准、事中管实施、事后抓监管、对下履行行业管理职能等方面确定。

第三节　编制权责清单的工作活动

作为一项政府职能转变和运行流程再造的系统工程，推行政府权责清单制度需要完善配套的法律制度和机制平台来支撑，使政府权力制度化、程序化、规范化，具有统一的规范、清晰的界限、既定的程序和明确的责任，切实把政府权力关进制度的笼子里，用法治思维来管理政府事务，以制度的公信力来保障政府的公信力，以制度的执行力来提升政府的执行力。因此，要通过建立健全法律制度，规范政府与市场的关系、政府与社会的关系，使政府对外的职责边界清晰化；规范政府层级之间的关系、部门之间的关系，使政府对内的职责边界清晰化；规范权力运行步骤、方式、次序、时限以及权力运行效果评价办法和衡量标准，使政府运行的职责边界清晰化。

以省级为例，编制权责清单的主要活动内容如下：

一、推进“两单融合”

省直部门按照权责一致的原则，将行政权力事项、公共服务事项以及对应的责任事项，统一规范为权责事项，对照部门“三定”规定，逐一明确权力、服务对应的直接实施责任和指导监督责任、追责情形及依据等，构建权责匹配、简明实用的清单模式。

二、实现“三级四同”

省直部门自上而下对本系统权责事项进行统一规范，逐项完善省、市、县三级权责事项名称、类型、设定依据、编码等目录要素内容，形成权责清单通用目录，实现省、市、县三级权责清单目录要素基本一致，同层级政府职能部门的权责事项数量基本相近。市、县两级各部门按照“三定”规定，从权责清单通用目录中认领本级事项，结合地方立法等情况，形成本级本部门权责清单并予以公布。

三、清单动态管理

按照“一级开发、三级应用”的原则，依托省级行政权力事项动态管理系统，建成集清单公示、动态调整、统计分析、监督运行等功能于一体的权责清单动态管理系统。组织编制清单动态管理办法，进一步规范调整主体、权限、时限、程序、责任和具体要求，确保权责清单实时动态调整。

四、规范“一网通办”事项清单

依托权责清单，规范完善政务服务事项实施清单，重点对行政许可、行政给付、行政裁决、行政确认、行政奖励、其他行政权力和公共服务等依申请的政务服务事项进行规范，进一步减材料、压环节、优流程、缩时限，确保政务服务事项全覆盖。进一步加大简政放权力度，推动民生、投资建设、生产经营、创业创新等领域事项下放，赋予基层和市场更大自主权。

五、梳理规范监管事项目录清单

按照全链条监管要求，根据部门行政许可、行政处罚、行政强制、行政检查、其他行政权力以及取消下放的事项等，结合日常监管情况，梳理监管事项目录清单，强化对行政相对人未经许可擅自从事相关活动、取得许可后相关行为的监管，细化监管措施和流程标准，增强监管的针对性和可操作性。

六、推动行政执法事项上网运行

在权责清单的基础上，细化行政处罚与行政强制事项上网运行相关要素，优化完善上网运行流程。省、市、县三级行政处罚与行政强制事项全面上网运行，建立跨部门、跨层级执法运行机制，实现行政执法信息数据跨层级协同共享。

七、推进部门履职尽责

各级机构编制部门根据权责清单执行情况，客观分析编制使用效果，相应调整机构编制事项，增强编制配备的针对性和有效性。各级各部门将权责清单使用贯穿管理运行的各个环节和方面，按清单明确的实施层级和权限行使权力，承担相应的直接实施责任和指导监督责任，避免权力越位、错位、缺位。把权责清单执行情况纳入履职评估范围，研究建立履职评估机制，健全相应的指标体系，跟踪监督履职情况，逐步将权责清单打造成部门履职清单。

第四节　典型案例

一、江苏省

2016 年，江苏省正式启动权责清单标准化工作，对省、市、县三级权力事项进行了纵向梳理，统一口径、统一编码，让项目名称、行使层级、有无子项等内容一目了然。利用互联网平台，江苏省建立了江苏省政府各部门责任清单网站，对 56 个省政府部门的部门职责、职责边界、公共服务和部门职责对应的权力事项，行政权力运行流程图，权力运行所涉及的中介盖章收费和事中事后监管制度进行公示。此外，在江苏政务服务网上，还公示了“不见面审批(服务)”事项清单，共 1000 项审批(服务)可以在网站上进行申办、缴费、物流快递等服务。

二、山东省

山东省推出了建立完善“三张清单、两个机制”措施，从省、市、县三级全面展开编制工作，42 个部门清单已在省政府门户网站公布，取得了初步成效。

职责任务清单管“内部”，主要是将部门“三定”规定中的主要职责进行细化分解。截至 2020 年 8 月底，省政府部门职责任务清单编制、公布、备案工作已全部完成，42 个部门共将“三定”规定确定的 3352 项职责分解细化为 11260 项具体工作任务，编制流程图 7710 张、工作规范 7634 项。目前，除涉密内容外，42 个部门清单已在其门户网站公布。

权责清单管“外部”，主要是与“放管服”改革搞好衔接，逐一梳理政府部门对外行使的行政权力、公共服务和具体责任事项。2020 年以来，重点编制了涉企权责清单，其中省级政府部门涉企权责清单共纳入事项 2355 项，省、市、县部门涉企权责清单通用目录共纳入事项 5219 项。

职责边界清单管“边界”，主要是针对部门间职责交叉、边界不清、推诿扯皮等问题，明确职责分工，厘清履职边界，衔接好重点领域的责任链条。2020 年 5 月，省级政府部门职责边界清单全面公布，涵盖了 61 个省直部门、单位及中央驻鲁机构的 136 项边界事项，涉及重点领域。目前，省直有关部门已将职责边界事项在其门户网站向社会公开。

同时，对部门职能运行情况进行常态化监管。依据“三张清单、两个机制”，定期评估分析清单实施情况，坚持机构编制“瘦身”和“健身”相结合，统筹优化调整有关职责配置、机构编制。

第四章　政务服务事项管理

第一节　政务服务事项的基本内涵

一、工作背景与要求

近年来，按照中央部署要求，各级政务服务部门编制和公布了各级政务服务事项目录清单等，全面晒出了家底，强化了权力运行的监督制约，对推进政府职能转变、深化全国“一网通办”改革等发挥了重要作用。随着审批服务便民化改革的深入推进，政务服务事项网上运行、一体化平台建设、“互联网＋监管”等工作对政务服务事项清单提出了新的、更高的要求。

国务院印发的《国务院关于加快推进“互联网＋政务服务”工作的指导意见》(国发[2016]55号)中指出，各个部门、各个地区要做好优化再造服务，包括规范网上服务事项、优化网上服务流程、推进服务事项网上办理、创新网上服务模式、全面公开服务信息。其中，规范网上服务事项要求各个部门、各个地区要通过本级政府门户网站集中公开发布服务事项，并实现实时更新和动态管理。实行政务服务事项编码管理，规范事项名称、条件、材料、流程、时限等，逐步做到“同一事项、同一标准、同一编码”，为实现信息共享和业务协同，提供无差异、均等化政务服务奠定基础。

《国务院关于加快推进全国一体化在线政务服务平台建设的指导意见》(国发[2018]27号)指出，要编制全国标准统一的行政权力事项目录清单，按照统一规划、试点先行、突出重点、逐步完善的实施路径，以依申请办理的行政权力事项为重点，推动实现同一事项名称、编码、依据、类型等基本要素在国家、省、市、县四级统一。全面梳理教育、医疗、住房、社保、民政、扶贫、公共法律服务等与群众日常生产生活密切相关的公共服务事项，编制公共服务事项清单及办事指南，逐步推进公共服务事项规范化。完善政务服务事项受理条件、申请材料、中介服务、办理流程等信息要素，实现办事要件和办事指南标准化、规范化。建设国家政务服务平台事项库，与各地区和国务院有关部门政务服务事项库联通，推动实现一库汇聚、应上尽上。建立全国联动的政务服务事项动态管理机制，逐步实现各区域、各层级、各渠道发布的政务服务事项数据同源、同步更新，推动实现同一事项无差别受理、办理流程和评价标准统一。

二、基本概念

（一）政务服务事项

政务服务是指各级政府、各相关部门及事业单位，根据法律法规，为社会团体、企事业单位和个人提供的许可、确认、裁决、奖励、处罚等行政服务。政务服务事项包括行政权力事项和公共服务事项，包含行政许可、行政裁决、行政给付、行政征收和依申请办理的行政奖励、行政确认、其他行政权力等七类行政权力事项以及公共服务事项。政务服务事项不仅是政府向群众提供服务的基本内容，而且是“互联网＋政务服务”上网运行的关键和基本对象。

（二）政务服务事项清单

以权责清单作为事项基本目录，对政府全部对外服务以清单方式进行梳理汇总，以推进政务服务实施和服务指南标准化，为事项办理跨部门、跨区域、跨层级顺序衔接提供支撑，切实提高政务服务水平。政务服务事项清单包括目录清单和实施清单。

1.目录清单

编制、法制等有关职能部门牵头编制政务服务事项基本清单，清单要素包含事项名称、基本编码、设定依据、事项类型等要素。目录清单分为国家级、省级、市级等层次。国家级目录清单全国范围通用，省级目录清单全省（自治区、直辖市）范围通用，市级目录清单全市范围通用。国家基本目录是国务院部门依据国家法律、行政法规、部门规章及政策编制的政务服务事项的基本目录。地方基本目录是国家法律、行政法规、部门规章及政策未设定的，地方通过地方性法规、自治条例、单行条例或地方政府规章创设的政务服务事项的基本目录。

2.实施清单

政务服务实施机构依据“三定”规定确定的职责分工，对目录清单中本机构的政务服务事项进行细化完善形成清单，清单要素包含事项名称、基本编码、设定依据、事项类型、实施编码、行使内容等要素。实施清单是编制政务服务指南，进行政务服务事项管理和运行管理的基础。实施清单分为国家、省、地市、区县、乡镇等不同层级。

第二节　事项清单的主要内容

各地区在建立政府部门行政权责清单制度的基础上，进一步编制政务服务事项清单,依托本级政府门户网站发布,并纳入政务服务事项管理系统进行动态管理。国务院各部门参照指南,推动本部门本系统政务服务事项清单编制,并依托中央政府门户网站发布。

一、基本目录要素

政务服务事项基本目录要素包括事项名称、基本编码、事项类型、设定依据、行使层级、事项状态、事项版本、计划生效日期、计划取消日期等,具体如表 4-1 所示。

表 4-1　政务服务事项基本目录要素

名称	值域	是否必要	说明与要求
事项名称	自由文本	是	按照国家法律、行政法规、部门规章及政策梳理事项名称。名称中不应加入实施机关或实施主体的名称、地名和数字;国家、省、市、县四级不同级别或同级别间相同事项名称应保持一致
基本编码	自由文本	是	应符合 GB/T 39554.1—2020 的要求
事项类型	代码"事项类型"	是	用两位数字表示,用于标识事项类型,代码应符合 GB/T 39554.1—2020 的要求
设定依据	自由文本	是	填写依据需加入制定机关的全称和发布文号、令号,如有修改,还需填写修正令号,具体内容需定位到事项设定相关的条、款、项,避免全文引用,国家、省、市、县四级同级别间相同事项设定依据应保持一致
行使层级	代码"行使层级"	是	基本目录行使层级有国家级、省级、市级、县级,可以多个层级组合,用符号"-"隔开,行使层级代码应符合 GB/T 39554.1—2020 的要求
事项状态	代码"事项状态"	是	在用、暂停、取消
事项版本	自由文本	是	
计划生效日期	自由文本	否	
计划取消日期	自由文本	否	

二、实施清单要素

政务服务事项实施清单要素按照事项类型分为依申请类政务服务事项要素和公共服务类事项要素。每类要素分为:基本信息要素、扩展信息要素、材料目录信息要素、收费项目信息要素以及常见问题解答要素五个部分，两类要素基本一致，但又稍微不同。

下面以依申请类政务服务事项要素为例，对各要素情况进行说明。

(一)基本信息要素

基本信息要素如表 4-2 所示。

表 4-2　依申请类政务服务事项基本信息

名称	值域	是否必要	说明与要求
事项名称	自由文本	是	按照国家法律、行政法规、部门规章及政策梳理事项名称。名称中不应加入实施机关或实施主体的名称、地名和数字；国家、省、市、县四级不同级别或同级别间相同事项名称应保持一致
基本编码	自由文本	是	应符合 GB/T 39554.1—2020 的要求
事项类型	代码“事项类型”	是	用两位数字表示，用于标识事项类型，代码应符合 GB/T 39554.1—2020 的要求
设定依据	自由文本	是	填写依据需加入制定机关的全称和发布文号、令号，如有修改，还需填写修正令号，具体内容需定位到事项设定相关的条、款、项，避免全文引用，国家、省、市、县四级同级别间相同事项设定依据应保持一致
权力来源	代码“权力来源”	是	
行使层级	代码“行使层级”	是	基本目录行使层级有国家级、省级、市级、县级，可以多个层级组合，用符号“^”隔开，行使层级代码应符合 GB/T 39554.1—2020 的要求
实施编码	自由文本	是	应符合 GB/T 39554.1—2020 的要求
业务办理项编码	自由文本	否	有业务办理项时该项必填，应符合 GB/T 39554.1—2020 的要求
业务办理扩展项编码	自由文本	否	应符合 GB/T 39554.1—2020 的要求
事项状态	代码“事项状态”	是	在用、暂停、取消
事项版本	自由文本	是	
实施主体	自由文本	是	办理具体政务服务事项的机构名称
实施主体性质	代码“实施主体性质”	是	法定机关、授权组织、受委托组织
实施主体编码	自由文本	是	统一社会信用代码
委托部门	自由文本	否	当实施主体性质为受委托组织时，该项必填

续表

名称	值域	是否必要	说明与要求
法定办结时限	自由文本	是	
法定办结时限单位	代码"时限单位"	是	当场或工作日
法定办结时限说明	自由文本	否	
承诺办结时限	自由文本	是	对外承诺办结时限,无承诺办结时限的应与法定办结时限一致
承诺办结时限单位	代码"时限单位"	是	当场或工作日
承诺办结时限说明	自由文本	否	
受理条件	自由文本	是	法规和文件列明的具体条件
办理流程	自由文本	是	描述所涉及的法定程序和环节要求(如申请、受理、审查、决定、制证等),并附以相应的文字说明。可以是文字说明、流程图等形式
是否收费	代码"是否"	是	
收费依据	自由文本	否	若本要素有值,将忽略收费项目信息表中的收费依据内容
服务对象	代码"服务对象"	是	自然人、营利法人、非营利法人、非法人组织、特别法人
办件类型	代码"办件类型"	是	即办件、承诺件
办理形式	代码"办理形式"	否	窗口办理、网上办理、快递申请
到办事现场次数	自由文本	是	
特别程序	自由文本	是	无特别程序的,填写无
移动端是否对接单点登录	代码"是否"	是	
移动端办理地址	自由文本	否	
计算机端是否对接单点登录	代码"是否"	是	
计算机端在线办理跳转地址	自由文本	否	
办理时间	自由文本	是	
办理地点	自由文本	是	具体承办单位所在地点
咨询方式	自由文本	是	包括电话、信件、邮件等多种咨询方式
监督投诉方式	自由文本	是	包括电话、信件、邮件等多种咨询方式
计划生效日期	自由文本	否	

续表

名称	值域	是否必要	说明与要求
计划取消日期	自由文本	否	

(二)扩展信息要素

扩展信息要素如表 4-3 所示。

表 4-3　依申请类政务服务事项扩展信息

名称	值域	是否必要	说明与要求
实施编码	自由文本	是	应符合 GB/T 39554.1—2020 的要求
业务办理项编码	自由文本	否	有业务办理项时该项必填，应符合 GB/T 39554.1—2020 的要求
业务办理扩展项编码	自由文本	否	应符合 GB/T 39554.1—2020 的要求
是否进驻政务大厅	代码“是否”	是	
服务渠道	代码“服务渠道”	否	服务渠道，可以多个对象组合，用符号“^”隔开
通办范围	代码“通办范围”	否	事项通办范围有：全国、全省、全市、全县、全乡(镇、街道)
联办机构		否	同一事项有两个以上实施主体，可以填写多个联办机构，用符号“^”隔开
行政许可事项类型	代码“行政许可事项类型”	否	适用于行政许可事项，该项不对外公开
准予行政许可的条件	自由文本	否	适用于行政许可事项
规定行政许可条件的依据	自由文本	否	适用于行政许可事项，该项不对外公开
承诺受理时限	自由文本	否	适用于行政许可事项
承诺受理时限单位	代码“时限单位”	否	适用于行政许可事项，承诺受理时限单位只能选择“当场”“工作日”
规定法定办结时限依据	自由文本	否	适用于行政许可事项
规定收费标准的依据	自由文本	否	适用于行政许可事项
规定行政许可程序的依据	自由文本	否	适用于行政许可事项，该项不对外公开
有无中介服务事项	自由文本	否	适用于行政许可事项
中介服务事项名称	自由文本	否	适用于行政许可事项
设定中介服务事项的依据	自由文本	否	适用于行政许可事项
设定中介服务事项的机构	自由文本	否	适用于行政许可事项

续表

名称	值域	是否必要	说明与要求
中介服务事项收费性质	代码"中介服务事项收费性质"	否	适用于行政许可事项
数量限制	自由文本	否	有数量限制的行政许可是指由于客观条件的限制,一个地区、在一段时期内,对于从事某种活动只能发放一定数量的行政许可。如果许可证申请人取得该项许可后限额即满,那么其他的申请人就不能再申请此项许可
审批结果类型	代码"审批结果类型"	是	可以多个组合,用符号"^"隔开
审批结果名称	自由文本	否	
审批结果样本	自由文本	否	
是否支持预约办理	代码"是否"	否	
是否支持网上支付	代码"是否"	是	
是否支持物流快递	代码"是否"	是	
是否支持自助终端办理	代码"是否"	否	
面向自然人事项主题分类	代码"面向自然人事项主题分类"	否	服务对象为自然人时,该项必填,面向自然人事项主题分类可以多个组合,用符号"^"隔开
面向自然人地方特色主题分类	自由文本	否	面向自然人事项主题分类代码选择"地方特色分类"时,填报特色主题分类的中文名称,可以多个组合,用符号"^"隔开
面向法人事项主题分类	自由文本	否	服务对象为营利法人、非营利法人、特别法人、非法人组织时,该项必填,面向法人事项主题分类可以多个组合,用符号"^"隔开
面向法人地方特色主题分类	自由文本	否	面向法人事项主题分类代码选择"地方特色分类"时,填报特色主题分类的中文名称,可以多个组合,用符号"^"隔开
是否网办	自由文本	否	
网上办理深度	代码"网上办理深度"	否	是否网办为"是"时该项必填,可以多个组合,用符号"^"隔开
必须现场办理原因说明	自由文本	否	办事人必须到现场办理的情况进行说明
是否实行告知承诺办理	代码"是否"	否	适用于行政许可事项
是否需要现场勘验	代码"是否"	否	适用于行政许可事项

续表

名称	值域	是否必要	说明与要求
是否需要组织听证	代码“是否”	否	适用于行政许可事项
是否需要招标、拍卖、挂牌交易	代码“是否”	否	适用于行政许可事项
是否需要检验、检测、检疫	代码“是否”	否	适用于行政许可事项
是否需要鉴定	代码“是否”	否	适用于行政许可事项
是否需要专家评审	代码“是否”	否	适用于行政许可事项
是否需要社会公示	代码“是否”	否	适用于行政许可事项
行政许可证件名称	自由文本	否	适用于行政许可事项，如颁发证件，填写该证件的全称
行政许可证件的有效期限	自由文本	否	适用于行政许可事项
行政许可证件的有效期限单位	代码“有效期限单位”	否	适用于行政许可事项
规定行政许可证件有效期限的依据	自由文本	否	适用于行政许可事项，对外不公开
办理行政许可证件延续手续的要求	自由文本	否	适用于行政许可事项，例如“该许可证件有效期届满 30 日前提出延续申请”
行政许可证件的有效地域范围	代码“有效地域范围”	否	适用于行政许可事项
行政许可证件的有效地域范围其他说明	自由文本	否	适用于行政许可事项，行政许可证件的有效地域范围为“其他”时，该项必填
规定行政许可证件有效地域范围的依据	自由文本	否	适用于行政许可事项，该项不对外公开
有无行政许可数量限制	代码“有无”	否	适用于行政许可事项
公布数量限制的方式	代码“限制方式”	否	适用于行政许可事项
公布数量限制的其他方式说明	自由文本	否	适用于行政许可事项，公布数量限制的方式为“其他”时，该项必填
公布数量限制的周期	自由文本	否	适用于行政许可事项，公布数量限制的周期可填写“不定期”或者“每×××一次”等
公布数量限制的周期单位	自由文本	否	适用于行政许可事项
在数量限制条件下实施行政许可的方式	代码“实施行政许可的方式”	否	适用于行政许可事项

续表

名称	值域	是否必要	说明与要求
在数量限制条件下实施行政许可的其他方式说明	自由文本	否	适用于行政许可事项，在数量限制条件下实施行政许可的方式为“其他”时，该项必填
规定在数量限制条件下实施行政许可方式的依据	自由文本	否	适用于行政事项，该项不对外公开
有无年检要求	代码“是否”	否	适用于行政许可事项
设定年检要求的依据	自由文本	否	适用于行政许可事项
年检周期	代码“周期类型”	否	适用于行政许可事项
年检周期其他说明	自由文本	否	适用于行政许可事项，年检周期的周期类型为“其他”时，该项为必填
年检是否需要报送材料	代码“是否”	否	适用于行政许可事项
年检是否收费	代码“是否”	否	适用于行政许可事项
通过年检的标志或证明	自由文本	否	适用于行政许可事项，例如“检验合格标志”等适用于行政许可事项
有无年报要求	自由文本	否	适用于行政许可事项
设定年报要求的依据	自由文本	否	适用于行政许可事项
年报周期	代码“周期类型”	否	适用于行政许可事项，年报周期的周期类型为“其他”时，该项为必填
年报周期其他说明	自由文本	否	适用于行政许可事项
年报报送材料名称	自由文本	否	
乡镇街道名称	自由文本	否	统一社会信用代码
乡镇街道代码	自由文本	否	
村居社区名称	自由文本	否	统一社会信用代码
村居社区代码	自由文本	否	
扩展字段	自由文本	否	未来扩展使用

（三）材料目录信息要素

材料目录信息要素如表 4-4 所示。

表 4-4　依申请类政务服务事项材料目录信息

名称	值域	是否必要	说明与要求
实施编码	自由文本	是	应符合 GB/T 39554.1—2020 第 5 章的要求
业务办理项编码	自由文本	否	有业务办理项时该项必填，应符合 GB/T 39554.1—2020 第 6 章的要求

续表

名称	值域	是否必要	说明与要求
业务办理项扩展码	自由文本	否	应符合 GB/T 39554.1—2020 第 7 章的要求
材料名称	自由文本	是	
材料类型	代码“材料类型”	否	
材料形式	代码“材料形式”	否	
材料必要性	代码“材料必要性”	是	
空白表格	自由文本	否	
示例样表	自由文本	否	
来源渠道	代码“来源渠道”	否	
来源渠道说明	自由文本	否	如果来源渠道是政府部门核发，请说明部门
纸质材料份数	自由文本	否	
纸质材料规格	自由文本	否	
填报须知	自由文本	否	
受理标准	自由文本	否	
要求提供材料的依据	自由文本	否	要求提供申请材料，须有相应的法律法规、规章及规范性文件作为依据，该项不对外公开
备注	自由文本	否	
排序	自由文本	是	

(四)收费项目信息要素

收费项目信息要素如表 4-5 所示。

表 4-5　依申请类政务服务事项收费项目信息

名称	值域	是否必要	说明与要求
实施编码	自由文本	是	应符合 GB/T 39554.1—2020 第 5 章的要求
业务办理项编码	自由文本	否	有业务办理项时该项必填，应符合 GB/T 39554.1—2020 第 6 章的要求
业务办理项扩展码	自由文本	否	应符合 GB/T 39554.1—2020 第 7 章的要求
收费项目名称	自由文本	是	请根据法律、行政法规规定概括提炼收费项目名称，名称原则上不超过 25 个汉字
收费标准	自由文本	是	
收费依据	自由文本	否	在此处填写或在基本信息表填写

续表

名称	值域	是否必要	说明与要求
是否允许减免	代码“是否”	否	
允许减免依据	自由文本	否	
备注	自由文本	否	

（五）常见问题解答要素

常见问题解答要素如表 4-6 所示。

表 4-6　依申请类政务服务事项常见问题解答

名称	值域	是否必要	说明与要求
实施编码	自由文本	是	应符合 GB/T 39554.1—2020 的要求
业务办理项编码	自由文本	否	有业务办理项时该项必填，应符合 GB/T 39554.1—2020 的要求
业务办理项扩展码	自由文本	否	应符合 GB/T 39554.1—2020 的要求
问题	自由文本	是	
解答	自由文本	是	
排序	自由文本	是	

三、编制及管理原则

根据国家政务服务相关的规范化以及标准化规定，一次性把事项进行合理的拆分，对于同一事项而言，其主项名称、子项名称、编码、类型、设定依据、申请材料等各种要素都应该做到全国或省、市范围内的统一规范，从而实现清单和办事指南标准化，进一步促进事项办理时，业务间、部门间、层级间有秩序的交接以及有逻辑的联系。与“一网通办”改革相结合，对公众和企业经常遇到的“难点”“堵点”“痛点”，如反复跑、排长队等困难进行解决，始终以人民和企业的便利为依据，以通俗易懂为原则，尽可能地对办事申请材料进行简化，同时对事项要素进行统一，最终实现办理流程的最优化。对政务服务事项管理机制进行改进和完善，结合多种信息技术方法，对实施清单和办事指南信息要素进行统一和标准化。对各级各部门具有的工作权限进行规定，最终完成全国、省级、市级政务服务事项实施清单以及办事指南的相对一致，以及数据的共享公开和动态更新。

（一）整体原则

（1）政务服务事项动态管理，应当遵循依法行政、公开公正、惠企利民、廉洁高效、开放共享的原则。

(2)除法律法规另有规定或者涉及国家机密等情形外，政务服务事项应当全部纳入政务服务平台全程办理。

(3)除下列情形外，政务服务事项应当纳入政务服务大厅集中办理：

①对场地具有特殊要求、不宜纳入政务服务大厅集中办理的事项。

②涉及国家秘密和公共安全，经省级人民政府批准，由政务服务部门设立相应场所办理的政务服务事项。

③确有依据的，无需到政务服务大厅集中办理的事项。

企事业单位的公共服务事项由所在地政务服务管理机构根据本地实际决定是否纳入政务服务大厅集中办理。

(二)政务服务事项动态管理

(1)政务服务事项实行目录管理。一般由省级政务服务管理部门负责组织编制全省统一的政务服务事项目录清单，并向社会公布。因承接、下放、取消、调整等需变动政务服务事项目录的，应当及时更新目录清单。

已经取消或者停止执行的政务服务事项，政务服务部门应当停止受理。政务服务部门不得自行设置或者变相设置行政许可等行政权力事项。

(2)政务服务部门应当编制政务服务事项办事指南，并向社会公布。政务服务事项办事指南应当确保线上与线下标准统一，消除“其他材料”或“有关部门”等模糊表述，实现同一事项无差别受理、同标准办理。

政务服务事项的法定依据、申请条件、办理程序等依法变更的，政务服务部门应当在省级统筹建设的政务服务事项管理系统及时更新并向社会公布。

(3)各级政务服务管理机构对政务服务事项实行动态管理，应当以本部门权责清单为依据。

(4)各级政务服务管理机构对政务服务事项实行动态管理：

具有下列情形之一的，政务服务管理机构应当按照操作要求在政务服务事项管理系统中新增事项目录和实施清单。

①因法律法规或规范性文件颁布、修订需增加政务服务事项的。

②因上级政府依照程序下放政务服务事项管理，依法承接的。

③因行政主体按程序职能调整，相应增加政务服务事项的。

④因上级或同级政府依照程序委托政务服务事项管理，依法承接的。

⑤因上级或同级政府授权依照程序委托政务服务事项管理，依法承接的。

⑥因改变管理方式需要调整事项类别的，需要删除原录入事项目录及实施清单，并重新新增该事项的事项目录和实施清单的。

⑦按照最小颗粒度要求，需要进一步细化事项颗粒度的，需在原录入事项下新增子

项的事项目录和实施清单的。

⑧事项存在多个办理情形的，需对事项进行办理项的新增的。

⑨多个事项合并为一个事项的，需要保留其中一个事项，删除其余合并事项的。涉及下级部门认领的，应当同步通知认领部门修改情况。

具有下列情形之一的，政务服务管理机构应当予以清理，向省级人民政府提出取消政务服务事项的建议，并按照操作要求在政务服务事项管理系统中同步删除事项目录和实施清单（省级部门需要列明取消原因，汇总取消事项交由系统管理团队删除对应事项目录和实施清单，并告知下级部门；存在认领关系的，市县级部门在系统中直接同步删除事项目录和实施清单）：

①上级政府予以取消的。

②设定依据已经被废止或修改的，或者省政府规章设定的临时性行政许可实施满1年后未制定地方性法规的。

③通过改变管理方式可以达到目的的。

④政务服务部门因机构撤销、合并、分设的。

⑤除法律法规另有规定外，有额度和指标限制或涉及公共资源配置、有限自然资源开发利用等事项，可利用公开招标、拍卖、挂牌、专营权转让、租赁、承包等市场机制和其他方式进行管理的。

⑥因改变管理方式需要调整事项类别的，需要删除原录入事项目录及实时清单，并在修改事项类别后重新新增的。

⑦因事项颗粒度发生变化需要删除部分子项的，需删除原录入子项的事项目录和实施清单的。

⑧因事项办理情形发生变化需要删除部分办理项的，需删除原录入办理项的实施清单的。

⑨多个事项合并为一个事项的，需要保留其中一个事项，删除其余合并事项的。涉及下级部门认领的，应当同步通知认领部门修改情况。

具有下列情形之一的，政务服务管理机构应当对事项拆分子项或办理项：

①按照最小颗粒度要求需将事项最小颗粒化的，需按照事项实际办理情况在系统内将事项拆分成多个子项。

②事项存在多个办理情形的，需在政务服务事项管理系统内，对事项拆分办理项。

具有下列情形之一的，政务服务管理机构应当予以调整要素内容：

①修改非同源要素，需在政务服务事项管理系统内取消发布事项，修改要素后重新发布。

②修改存在认领关系的同源要素，需由自建事项部门修改要素内容，并同步通知认

领部门要素修改情况。

③修改事项类别要素，需要删除原事项的事项目录和实施清单，并重新新增该事项。

政务服务管理机构负责事项要素的动态调整。在政务服务事项管理系统中设置登记员、审核员、管理员账号，对政务服务事项的动态变更进行规范化、流程化管理。

①登记员负责本部门政务服务事项基础数据的录入与更新。

②审核员负责对登记员报送的新增、变更、删除等数据进行审核。

③管理员负责本部门事项标准化所涉及的所有系统权限、监督管理政务服务事项标准化录入、审核、发布等全流程工作。

（三）监督评价

（1）一般由省级政务服务管理部门负责组织制定全省政务服务事项标准化管理考核办法，建立常态化联合监督检查机制，采取现场督查、随机抽查、群众监督等方式对政务服务事项管理工作进行综合考评。

（2）政务服务管理机构对本级政务服务部门和下级人民政府政务服务工作进行考核，并将考核结果纳入政府年度目标考核。

第三节　建立统一的政务服务事项库

统一政务服务事项库是政务服务标准化的基础。政务服务事项库的建设须实现服务清单标准化、办理情形精细化、事项管理动态化、业务支撑特色化。其建设的关键路径包括四条。

一、服务清单标准化

梳理政务服务事项、优化服务办理流程，是各级政府提供优质网上政务服务的根本前提。服务清单包括目录清单和实施清单。目录清单应至少在省级层面实现统一，由省级政务服务管理部门进行统一赋码管理。实施清单由各级政务服务实施机关依据本部门的法定权限在目录清单基础上进行编制，梳理办事指南、办理流程等要素。实施清单是政务服务平台运行的基础。

浙江省在政务服务网的建设过程中，将建成全省统一政务服务事项清单库作为核心任务来抓，全面梳理了各级政府部门的 10 类权力事项和公共服务事项，统一事项编码、事项名称、设定依据、事项类型，建立了全省统一的目录清单。各地各部门从目录清单库选取服务事项，根据统一规范编制本级实施清单。通过对清单库的建设，给每个服务事项编发“身份证”、建立“跟踪卡”，做到了行政权力事项可见可控，力促“清单之外无权力”，实现了省、市、县三级 4000 余个政府部门行政权力事项的集中规范化管理，支撑了全省政务服务线上、线下的规范化运行。

二、办理情形精细化

由于政务服务业务内生的复杂性，服务事项在办理过程中可能会遇到多种复杂的情形，在不同的情形下，申请人所需填写的表单、提交的材料有所不同，部门的审查要求也不同。所以，有必要对办事指南中的办理情形进行精细化，实现办理情形与申请材料的关联，建立针对不同办理情形的审查要点知识库，从而为申办人提供更智能的操作提示，同时降低窗口受理、后端审查办理人员的业务技能要求，提高办理的精准度和规范度，更好地支撑服务办理向基层延伸。

深圳市龙岗区对389项行政审批和公共服务事项进行了精细化梳理，累计梳理受理情形20000多种，审查要点知识8000多条，通过智能知识库实现统一管理，实现服务的快速受理、智能提醒、自动告知，同时依托该知识库，成功地将各类标准化审批事项和公共服务事项下放到街道、社区，提供标准化窗口服务，实现事项通办，方便居民就近办理。

三、事项管理动态化

政务服务事项应随着法律法规的变化而动态调整。通过建设统一的政务服务事项管理系统，实现服务事项的统一编号、统一规范、分类存储、集中管理，固化服务事项的动态管理流程，支持服务事项设立、变更、取消、下放的网上审核和动态管理，并满足事项版本管理、历史比对、质量分析、统计分析等管理要求，为服务优化、事项精简提供决策依据。

甘肃省通过全省统一的权力事项库管理系统，建立了覆盖三级的权力事项网上动态管理机制，实现了事项的登记、审核、变更、下放、拆分、取消、汇总等动态流程化管理，很好地支撑了行政权力事项的实时更新、同源发布、动态运行和阳光透明。

四、业务支撑特色化

业务支撑特色化是指从企业和公众办事的视角出发，在事项标准化的基础上进一步提供更具个性化的特色服务，优化办理过程，提高办事效率，改进服务体验。例如：梳理服务事项相关的办理证明，提供网上证明服务；梳理“不见面清单”“见一次面清单”，扩大全程网办的覆盖面；梳理套餐服务，优化服务流程，提高服务实用性。

在这一方面，各地都有很好的参考案例。例如：浙江省持续深化政务服务网建设，梳理“最多跑一次”事项清单，深化行政审批制度改革；江苏省政务服务网推出旗舰店服务，各地各部门针对群众最关心、改革最迫切的服务事项，提供快捷入口、简化流程；郑州市要求基层梳理并列出证明事项清单，实行“证明清单”之外无证明，业务受理时不得随意要求提供清单之外的证明。

第五章　一体化政务服务门户

政府网站是信息化条件下政府密切联系人民群众的重要桥梁，也是网络时代政府履行职责的重要平台。近年来，各级政府积极适应信息技术发展、传播方式变革，运用互联网转变政府职能、创新管理服务、提升治理能力，使政府网站成为信息公开、回应关切、提供服务的重要载体。但一些政府网站也存在内容更新不及时、信息发布不准确、意见建议不及时回应等问题，在一定程度上影响了政府公信力。

第一节　一体化政务服务门户的需求内涵

一、工作背景

随着互联网的发展应用，近年来各级政府网站发展迅猛、成效明显，逐渐成为转变政府职能、提高行政效率、推进政务公开的有效手段。国务院办公厅印发《国务院办公厅关于加强政府网站信息内容建设的意见》(国办发[2014]57号)指出，推进集约化建设，在确保安全的前提下，各省(自治区、直辖市)要建设本地区统一的政府网站技术平台，为保障技术安全，加强信息资源整合，避免重复投资。对此，各地纷纷响应号召，按照“整体设计、统一标准、统一部署、集中资源梳理，强化服务、注重实效，分步实施、试点先行，全面推广、绩效管理”的行动路径稳步推进政府网站集约化建设。2016年2月，《中共中央办公厅、国务院办公厅印发〈关于全面推进政务公开工作的意见〉的通知》指出：“将政府网站打造成更加全面的信息公开平台、更加权威的政策发布解读和舆论引导平台、更加及时的回应关切和便民服务平台”，这标志着政府网站融合建设迈入新台阶。2017年，国务院办公厅下发《国务院办公厅关于印发政府网站发展指引的通知》(国办发[2017]47号)，针对政府网站功能明确包括信息发布、解读回应和互动交流，政府门户网站和具有对外服务职能的部门网站还要提供办事服务功能。同时，还要求各省(自治区、直辖市)人民政府、国务院有关部门要依托政府门户网站，整合本地区、本部门政务服务资源与数据，加快构建权威、便捷的一体化互联网政务服务平台。政府网站要设置统一的办事服务入口,发布本地区、本部门政务服务事项目录,集中提供在线服务。这标志着国家层面针对政府网站功能的设置作出规范要求,即政府网站是信息发布、政务公开、政策解读、政务服务的总入口。

在国家政府网站集约化试点的要求下,试点省份近年来针对门户网站集约化和"互联网+政务服务"建设已经取得了初步成效,构建了省级网站的主题资源库、网站统一技术平台和全省统一用户身份认证体系。新的技术蓬勃发展和完善,为政府网站发布信息、建设新应用、提升服务质量以及推进政府转型升级带来了新的机遇,特别是大数据的深度应用,可以分析识别网站用户的访问动机、访问需求、访问行为模式等,从而真正把握用户的真实需求,实现政务数据价值。

随着电子商务的普及发展,用户的使用习惯和服务的场景发生了很大的变化,用户对政府网站服务的个性化、功能性、便捷性和互动性表现出强烈期望。政府需不断创新在线服务模式,增强服务能力,以满足用户日益攀升的网络化、多元化及个性化需求。在服务的核心价值上,提倡以公民用户为中心;在服务内容上,呈现出多样化、个性化的特征;在服务对象上,强调电子公共服务的无差别及普及性;在服务质量上,强调用户体验和易用性;在服务的提供方式上,通过多渠道打破服务的时空限制。

二、业务驱动因素

(一)分散网站弊端多

(1)资源浪费:一个部门中多个行政单位都建立互不相通的独立网站,其所造成的资源浪费是显而易见的。

(2)效率低下:分散的网站结构体系,使得各部门间缺乏统一的领导,各自为战,往往只着重于体现各部门本身的特点而忽略全局。

(3)不能发挥网站便利、高效、服务人民的作用:在用户看来,只能了解单一方面的内容,网站缺乏专业性和权威性,也很难实现为人民服务的目的。

(二)政府网站群碎片化现象严重

(1)决策碎片化:缺乏顶层设计和服务意识,资源成果互不共享。

(2)服务碎片化:服务方式标准不一,服务流程繁琐不均。

(3)信息碎片化:信息孤岛层出不穷,技术数据壁垒严重。

(三)现实工作需要

1.政务服务统筹管理

在国家统一部署下,各省份基本完成网站统一技术平台的建设,针对省直部门网站也进行了整合迁移,但是对于政务服务和政务公开,基本仍然处于"分散管理、分散规划、分散投资、分散建设、分散应用"的各自成体系阶段,部门间不能进行有效的信息共享,实质上依然存在“信息孤岛”的实情，没有形成统一管理，影响网站转型升级进程，可持续发展面临挑战。

2.政务数据资源共享

政府网站数据资源较为丰富，但共享不足，需持续整合。长期以来，多个门户网站、政务服务网、政务公开平台沉淀的数据基数大、种类杂，数据结构分散，数据分类不合理，目录结构体系不科学，无法对数据统一配置、统一管理，导致数据调用困难，存在重合的栏目无法进行直接推送等问题。同时，针对地市缺乏自上而下的统一的数据规范标准，数据交换信息报送不及时，造成政府门户网站信息不准确和数据丢失，导致信息资源多向采集和重复输入，影响数据一致性和正确性，使得大量数据信息不能充分发挥其应有的作用，影响集约化建设。

3.用户体验欠佳、公众满意度不高

门户网站、信息公开平台、政务服务平台在页面风格、服务内容及信息内容等方面存在较大差异，割裂感尤为强烈。从设计角度来看，栏目数量较多，能够按照一定逻辑分类，但部分栏目过度追求细分，导致信息层级过深、隐藏而不易获取。从内容角度来看，网站提供服务信息丰富，能够基本满足用户需求，但网站提供信息种类单一，关联程度较低，重点不够突出，信息价值不够深入，无法真正吸引用户。从服务角度来看，忽视网站服务需要实现良好循环和体验，没有实现一站式服务，同时也忽略了对网站历史数据的分析和挖掘，还不能够利用大数据等先进技术和沉淀数据实现主动推送服务的效果。

4.政府部门间存在多个后台、重复录入现象

以信息公开为例存在多个后台、多部门管理、信息重复录入等现象，一定程度上造成运维者后台管理的混乱。门户网站维护人员上传同一条公开信息时，既要对应本部门的政务公开目录又要登录省级政府政务公开平台进行信息的录入，难以选择正确的分类进行推送，造成信息公开内容显示不准确，用户无法快速找到对应的信息，对网站正常运营造成一定影响。

三、基本概念和内涵

（一）网站集约化

集约化的内涵是通过云模式的技术架构和“互联网＋”思维，挖掘政府网站的资源价值，提升跨部门管理的效率，满足用户对整合政府的需求；强调用集约化思路进一步建立健全统筹管理政府网站群，管理要集约化，如技术要集约建设、资源要集约管理、服务要集约管控、品牌要集约塑造等。

立足于政府政务工作和人民群众办事两方面建设角度，网站集约化建设就是不仅要将政府及各部门各辖区的网站集中融合、统一管理，强化数据资源整合，建立信息一体化

支撑体系,便捷群众,避免重复投资,同时也需要考虑服务人民的便捷性和有效性。无论是"先分后总"的建设模式还是"先总后分"的建设模式,其目的都是通过建设本地区统一的政府网站平台,实现对内外信息服务的标准规范化建设,以实现政府网站高效、精准、便捷的政府信息发布、办事交流和公共服务平台,有效地发挥政府效能和提高公信力。

政府网站集约化平台在融合人工智能、云计算、大数据、移动互联网、新媒体等新技术的基础上,结合当前新形势下政府网站建设发展理念,通过顶层设计、统一规划和系统设计,在数据标准、技术平台和运维管理一体化标准的前提下,面向多种服务对象、内容来源和访问渠道提供多层级、多部门、高保证的信息安全的政府门户网站集群平台,具有集设施、资源、内容、服务、管理等于一体的特点。

(二)一体化政务服务门户

一体化政务服务门户实现统一访问入口和集中展现,支持用户通过多种访问渠道获取服务。利用地方和部门已有政务服务平台资源,通过网上政务服务资源汇聚整合、政务服务信息交换共享服务、地方部门政务服务平台公共支撑等功能,扩展和增强跨地区、跨部门、跨层级政务服务能力,提供共性和个性服务。

第二节　一体化政务服务门户的发展目标

一体化政务服务门户统一展示、发布政务服务信息,接受自然人、法人的政务服务申请信息,经与政务服务数据共享平台进行数据验证、比对和完善后,发送至政务服务管理平台进行处理,将相关受理、办理和结果信息反馈给申请人。通过一体化政务服务门户建设,改变政府网站从松散管理到高效协同、从信息不对称到全面开放、从提升服务到整合优化,拓展跨部门的合作、用户的界面、服务的深度、治理的手段。政务服务一体化服务门户就是建设满足社会、企业、公众服务需求的统一的电子政务服务界面。根据服务项目和服务内容,直接面向社会企业大众各阶层,打破部门的边界,提供统一的服务通道及界面。整合服务就是对后台的电子政务业务协同、资源共享的建设,做到公共服务业务集成及服务集成。打破政府部门物理壁垒,提供面向社会、企业、公众的"一站式"公共服务。

——围绕中心,服务大局。紧密结合"互联网+政务服务"工作主要目标和重点任务,充分展现政务服务活动和办事指南内容,解读重大政策,使公众理解和支持政府工作。

——以人为本,心系群众。坚持执政为民,把满足社会公众对政府信息的需求作为出发点和落脚点,密切政府同人民群众的关系,增强政府的公信力和凝聚力。

——公开透明,加强互动。及时准确发布政府信息,开展交流互动,倾听公众意见,回应社会关切,接受社会监督,使政府网站成为公众获取政府信息的第一来源、互动交流的重要渠道。

——改革创新，注重实效。把握互联网传播规律，适应公众需求，理顺管理体制，完善协调机制，创新表现形式，提高保障能力，加强协同联动，打造政务服务“一网通办”总门户和总入口。

第三节　门户的基本功能及要求

随着信息技术的不断发展和逐渐成熟，政府网站的发展逐渐多元化。政府网站建设由于建设时间、建设标准的不一致而存在数据问题；与此同时，各个部门和单位由于数据和资源更新迟滞，造成信息难以及时整合问题显著。这便需要完善政府网站群管理办法、制度措施和标准规范，按照统一标准，规范化政府网站建设，全面提升政府网站建设标准，及时更新数据，快速提高服务能力，让企业和群众更方便、更快捷、更高效地获取政府公共服务。

服务门户实现统一访问入口和集中展现，支持用户通过多种访问渠道获取服务。一体化政务服务门户网站建设内容包括用户注册、登录认证、事项发布、事项办理、办件查询、咨询与投诉、办件评价、服务搜索，应建设面向自然人、法人和其他组织的用户中心，并在国家政务服务平台的政务服务门户统一技术平台上建设地方和部门政务服务站点。

一、基本功能

(一)用户注册和登录

为保证国家政务服务平台政务服务门户用户信息的真实、合法和有效，自然人、法人和其他组织用户注册采用实名制。用户注册包括国家节点注册、地方和部门节点注册。具体见第八章有关统一用户身份认证内容。

(二)事项发布和服务导航

1.事项发布

依托一体化政务服务门户对实施清单重点要素发布展示。实施清单重点要素展示内容应包括实施编码、事项名称、受理条件、材料目录信息、办理流程、法定办结时限、承诺办结时限、到办事现场次数、实施主体、是否收费、收费标准、办理地点、办理时间、咨询方式、监督投诉方式等要素。

同时，具备实施清单全部要素发布展示的功能。实施清单全部要素展示内容应包括实施编码、事项名称、事项类型、设定依据、行使层级、实施主体、法定办结时限、承诺办结时限、到办事现场次数、受理条件、材料目录信息、办理流程、是否收费、收费标准、收费项目名称、办件类型、办理地点、办理时间、咨询方式、常见问题、监督投诉方式等要素。

2.服务导航

1)按事项性质

政务服务事项分为行政权力事项和公共服务事项。

行政权力事项包括行政许可、行政处罚、行政强制、行政征收、行政给付、行政检查、行政确认、行政奖励、行政裁决、其他行政权力。

2)按服务对象

政务服务事项分为面向自然人的政务服务事项与面向法人和其他组织的政务服务事项。

3)按实施主体

按事项的管理归属部门进行导航。

4)按服务主题

按面向自然人、法人和其他组织的不同主题进行导航。

5)按服务层级

政务服务事项分为国家级、省级、市级、县级、乡(镇、街道)级、村(社区)级政务服务事项。

6)按服务形式

政务服务事项分为线上办理、线下办理、线上线下一体化办理的政务服务事项。

7)按行政管辖

政务服务事项分为定点办理、跨地区办理的政务服务事项。

(三)事项办理

事项办理是为自然人、法人和其他组织提供事项在线办理导引。自然人、法人和其他组织经过国家、地方或部门政务服务门户用户注册和登录认证后直接进入地方和部门政务服务门户的事项办理页面。

(四)办件查询

办件查询是为自然人、法人和其他组织提供线上办件进度查询服务,用户可在用户中心直接查看该用户所有的办件信息。办件查询结果应包括办件进度、办件基本信息、材料信息、快递信息等。

(五)咨询与投诉

1.咨询

国家政务服务平台政务服务门户开设咨询功能,直接关联到事项。用户完成注册后,可针对某一事项进行咨询。提交的咨询内容应包括事项名称、事项所在地区或部门、咨询人姓名、咨询人联系电话、咨询人电子邮箱、咨询人邮政编码、咨询人联系地址、咨询标题、咨询内容。地方和部门政务服务管理机构按权限受理咨询,可公开的咨询结果直接发布在国家政务服务平台政务服务门户上，咨询结果应包括咨询内容、咨询人、提交时间、受理单位、回复单位、回复内容和回复时间。不可公开的咨询结果，咨询人通过登录用户中心查询咨询结果。

2.投诉

国家政务服务平台政务服务门户开设投诉功能，用户可对办件结果进行投诉。用户投诉应实名登录，选择部门、事项类别、是否愿意公开，填写投诉内容并提交，地方和部门政务服务管理机构按权限受理投诉，投诉应在合理时限内予以答复。对投诉答复不服时，按照现行法律法规可依法提起行政复议或诉讼的办件，有关主管单位应明确此“投诉答复”的法律性质和办理流程。可公开的投诉事项及处理结果在国家政务服务平台政务服务门户上予以公开。投诉功能是在实名认证用户完成事项办理后对办件进行投诉，投诉功能的实名认证等级与所办理事项要求的实名认证等级保持一致。

（六）办件评价

国家政务服务平台政务服务门户建设统一办件评价系统，对线上事项办件的满意度进行评价。地方和部门政务服务门户应统一使用国家政务服务平台政务服务门户统一评价系统，用户在对每个办件进行评价时，直接调用国家政务服务平台政务服务门户统一评价系统。国家政务服务平台上线之前的地方和部门办件评价信息不再进行对接上传。办件评价说明如表 5-1 所示。

表 5-1　办件评价说明

指标名称	指标星级	说明
整体评价	☆☆☆☆☆	很满意　☆☆☆☆☆ 满意　☆☆☆☆ 基本满意　☆☆☆ 不满意　☆☆ 很不满意　☆
去现场次数满意度	☆☆☆☆☆	是办理人对去现场次数满意程度的评价
办事指南符合度	☆☆☆☆☆	实际办事材料要求和流程与公开的办事指南的符合度
办事效率	☆☆☆☆☆	实际办结时间与承诺办结时间的符合度
服务质量	☆☆☆☆☆	对在线咨询、现场办理、电话咨询等服务质量进行评价
网上体验	☆☆☆☆☆	对网上办事的体验进行评价
评价内容	无	办理人对办件的文字评价

(七)服务搜索

在国家政务服务平台政务服务门户首页、频道页和主要页面提供搜索功能。服务搜索功能实现政务服务事项分类搜索、站点搜索、多条件搜索、多维度筛选、搜索词辅助、智能推荐和地区匹配的搜索功能。搜索结果按应用服务、办事服务、政策法规进行分类。

(八)用户中心

用户中心是面向自然人、法人和其他组织提供以"我"为中心的个性化服务,包括办事进度全流程查询、我的办件、我的咨询、我的投诉、我的收藏、我的足迹、我的消息和我的证照,实现用户一次登录,可在用户中心查询用户在地方和部门政务服务平台各项办件所产生的过程信息和历史信息,可自行设定和维护自然人、法人和其他组织用户信息。

(九)政务服务站点建设

地方和部门政务服务站点应基于国家政务服务平台政务服务门户统一技术平台进行建设,采用"四统一分"的模式进行建设,以确保地方和部门政务服务站点在拥有各自政务服务特色的同时,具备统一用户体验。"四统"是指地方和部门统一在国家政务服务平台政务服务门户上按要求对各自政务服务站点的内容进行维护,包括统一栏目导航、统一栏目名称、统一页面模板、统一评价;"一分"是指地方和部门政务服务应用的个性化接入。

建立国家政务服务平台政务服务门户上的"部门站点",体现各部门特色创新服务,帮助部门宣传推广创新服务,通过"部门站点"完成对国家政务服务平台的应用聚合,形成一体化服务能力。

建立国家政务服务平台政务服务门户上的"地方站点",体现各地方特色创新服务,帮助地方宣传推广创新服务,通过"地方站点"完成对国家政务服务平台的应用聚合,形成一体化服务能力。地方是指32个省级政府(不含台、港、澳和国家本级)。

地方和部门政务服务站点的建设内容主要包括:

(1)服务动态。及时发布地方和部门"互联网+政务服务"工作动态和成果。

(2)政策及解读。地方和部门与"互联网+政务服务"相关的最新政策及对政策的解读,包括国家相关政策在地方和部门的相关政策解读。

(3)政务服务专题。地方和部门围绕政务服务专项工作开设的特定栏目。

(4)政务服务事项。地方和部门汇聚到国家政务服务平台政务服务事项。

(5)政务服务应用。地方和部门除汇聚到国家政务服务平台政务服务事项以外的政务服务应用,如商事登记、信息查询、中介服务等具有地方和部门特色的政务服务应用。

(6)服务搜索。对地方和部门政务服务站点的服务内容进行分类搜索,符合国家政务服务平台政务服务门户搜索要求。

（十）无障碍浏览

国家政务服务平台政务服务门户所有页面应实现无障碍浏览。

无障碍浏览功能包括纯文本通道、视觉辅助和在线语音功能。

二、与地方和部门政务服务门户对接

（一）政务服务应用接入方式

地方和部门政务服务应用接入国家政务服务平台政务服务门户时，相关接口应在接口管理平台注册，接入单位按标准要求开发政务服务应用的页面和交互功能，由应用入驻平台负责政务服务应用统一审核和上下线。

接入单位应指定专业技术人员协助国家政务服务平台政务服务门户做好接口对接工作，包括压力测试、安全测试、后台处理与保障等工作。

（二）应用接入流程

应用接入国家政务服务平台政务服务门户分为应用接入申请，接口注册和应用开发，应用上传、审核与发布三个步骤。应用接入流程如图 5-1 所示。

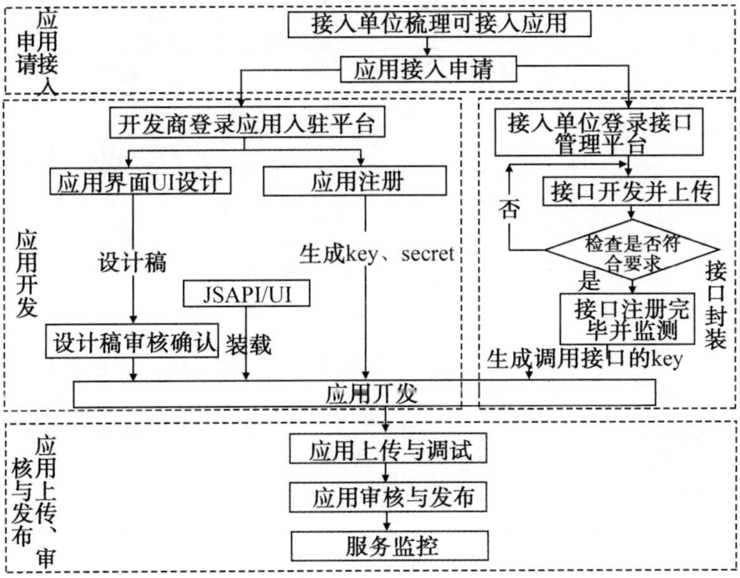

图 5-1　应用接入流程图

（三）应用接口管理

1.应用接口管理

接入单位到接口管理平台进行接口注册和管理。完成接口注册后，接口管理平台管理员进行检测与审核。审核通过的接口由接口管理平台进行统一监管。

2.接口参数

接口注册时，应用接入单位应提供接入应用的源接口地址，以及相关请求参数与返回参数文件。文件中填写的接口主要参数和模式如表 5-2 所示。

表 5-2　接口参数表(示例)

接口地址	https://×××/query
返回格式	JSON
请求方式	get 或 post
接口协议	https
接口备注	×××查询接口

请求参数

名称	必须	类型	说明
region	是	string	行政区划代码,见 C 0109.1—2018 的 4.3
pf	是	string	可兼容的访问渠道 如:gov—中国政务服务平台　all—全端支持
auth_code	是	string	业务代码,作为请求唯一标识
name	是	string	用户姓名
code	是	string	×××编码

返回参数

名称	必须	类型	说明
result_code	是	string	结果状态码 如:100—处理成功　102—处理失败 103—处理中
error_code	是	string	结果状态码为 102 时,接入单位接口返回自定义的错误码
error_msg	是	string	结果状态码为 102 时,接入单位接口返回自定义的错误信息
date	是	string	当前操作日期 YYYY—MM—DD

JSON 返回


```
{
    "process_response":{
    "result_code": "100",
    "date": "2018—04—25",
    "items": [
                {
                    "id": "15485"
                    "name": "＊＊丹",
                    "ctime": "2018—04—25 12:04:23"
                    "desc": "＊＊＊＊＊＊＊＊＊"
                }
        ]
}
```

3.接口检测

应用接口注册到接口管理平台后，对接口进行数据维护，通过接口管理平台对接入应用源接口进行检查和测试。

接口检测要点如下：

(1)应用接口是否正常接通，确定接口返回数据格式。

(2)入参与返回数据中有无敏感词汇，如有异常及时提醒管理员，并反馈给接口提供方。

(3)定期检查应用接口的健康状况，如发生接口响应慢、接口报错、接口请求超时等情况，及时预警。

4.接口鉴权

通过国家政务服务平台政务服务门户进行互联网交互的应用接口访问鉴权。支持两种鉴权模式。

(1)安全鉴权。请求签名机制，签名算法采用SM2，双方以安全方式存储接口鉴权密钥。

(2)白名单鉴权。接口白名单是对加入国家政务服务平台政务服务门户白名单的接口开放。

应用接口请求所需的接口鉴权密钥需加密存储，并且不可在前端页面进行调用。接口鉴权密钥是在接口管理平台与业务接口交互时进行鉴权使用。

5.数据脱敏

接入应用中对外显示的个人信息，应按有关标准规范要求进行数据脱敏处理后向用户展示。

(四)应用上下线管理

应用上下线管理包含政务服务应用兼容性、可用性、安全性及压力测试，审核通过后上线到地方和部门政务服务站点，并对上线的应用进行统一监控，对政务服务应用不稳定、安全风险大、并发性能差的应用予以下线，由应用接入单位进行整改并经过重新审核后上线。

第四节　一体化政务服务门户建设指引

一、建设原则

(1)整合协同：做强“一体化政务服务”门户网，实现规划、设计、建设、推广、运营标准和品牌多方融合。

(2)优化团队:用户至上,扁平管理,打造全能型运营团队,实现队伍融合,提升服务效率。

(3)社会参与:优化管理和运维体系,实现多方参与融合,鼓励群众参与。

(4)开放共享:充分利用政府掌握的信息资源,开发实现共享的技术融合平台。

二、主要活动

(1)统一部署、分级管理。统筹管理,各级单位或部门负责各自网站内容维护,发挥集中优势,提高运维效率。

(2)强化服务、注重实效。网站技术平台要能有效支撑政府的服务和管理工作,技术平台要灵活易用,具备一定可扩展性,同时在推广上具有可复制性。

(3)分步实施、试点先行。选取适合部门或区域开展试点工作,分阶段、分步骤组织实施整体规划建设。

(4)整体设计、统一标准。由专业机构梳理政府门户网站信息资源,对政府门户网站集约化建设进行整体规划,统一制定标准规范体系。

(5)全面推广、绩效考核。全面推广试点门户网站集约化建设,开展绩效评估,检验门户网站建设成效,促进门户网站健康可持续发展。

图 5-2 为建设指引框架。

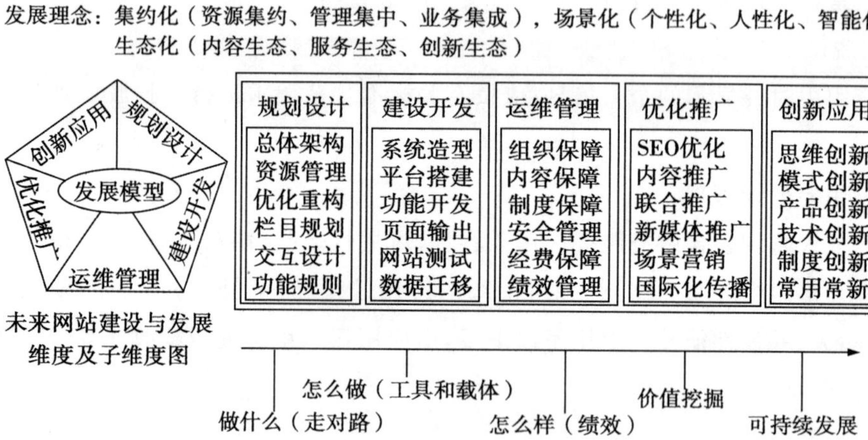

图 5-2　建设指引框架

三、构建“互联网＋政务服务”门户要点

互联网政务服务门户汇聚、发布政务服务信息,是政务服务事项网上办理、互动交流的平台。互联网政务服务门户与实体大厅线上、线下整合,在服务引导、信息发布环节充分互联、集成,实现了政务服务资源的高度聚合。其关键要点有六点。

(一)空间式用户中心

在实名制的基础上，建立以用户为中心的网上专属“个人空间”，归集用户个人信息、证照信息、办件资料等，方便用户在事项办理过程中对个人资料的重复利用，避免重复录入，同时通过该空间实现政务服务过程中的信息精准推送、个性化服务，并可针对企业、个人用户的不同需求提供更便捷的服务。

南京市政务服务网充分利用“我的南京”APP，快速接入全市800万社保卡实名用户，并面向企业用户提供了法人代表、管理者、经办人三级用户授权体系，为企业内多人协作分工参与服务事项办理提供了方便，贴合了企业的实际需求，增强了企业网上办事的黏性。

(二)全流程网上办理

全流程网上办理是“互联网＋政务服务”的核心目标之一。从用户的视角来看，全流程网上办理至少应该包括网上可申报、网上可受理、网上可办理、网上可互动、网上可支付、物流可对接、网上可评价。要实现全流程网上办理，材料的电子化提交和跨部门流转是基础。针对每一个事项，应提供尽可能方便的表单录入和证照证明材料提交方式。凡是能够从共享资源库中获得的数据、电子证照和证明材料，都应该允许用户直接选择，避免二次录入和上传。网上提交的电子材料应该可以流转到相关的业务审批系统中，方便后台工作人员审批办理。另外，随着移动互联网的发展，加快移动客户端的建设，推动更多审批事项和便民服务通过移动终端来办理也是一个令人瞩目的趋势。

南京市开通“网上开具电子购房资格证明”，系统自动比对识别民政、国土、房产数据信息，办事人直接通过手机APP即可开具购房证明，解决市民耗费大量时间排队开具纸质购房证明的问题，成为全国首个可以出具电子购房资格证明的城市，日均办理1800余件。同时，南京市建设了房产交易登记一体化办理平台，实现“一次取号、一窗受理、集成办理、网上缴费、快递送达”一条龙办理，为各类事项“网上办、快递送、不见面”提供高标准的示范样本。

(三)套餐式主题服务

套餐式主题服务是指选择企业和公众关注的特色和重点业务事件，对相关服务事项的办理材料和流程进行整合优化，进一步提高政务服务的办事效率和服务水平。套餐式服务一般基于主题和场景来设立，通过梳理主题和场景，关联相关部门事项，进行重组编排，建立服务主题库，提供网上套餐服务导航，实现“套餐申请、一口受理、网上运行、并行办理、限时办结”的套餐式服务网上办理。

江苏政务服务网开设“服务一站通”，提供开设企业套餐式服务，各地梳理不同类型企业的开办流程，提供企业开设引导式服务，用户提交的套餐事项申请被自动分发到各部门窗口进行办理，各部门自行反馈办理结果，对套餐办理进行监控。

(四)多渠道服务融合

多渠道融合是“互联网+政务服务”发展过程中的必然趋势。实体政务大厅、基层服务网点、网上服务大厅、手机 APP 自助服务终端、政务服务微信、“12345”热线等服务渠道应实现融合,信息同源发布、办理过程互通、服务功能互补,从而形成线上线下一体、相辅相成的政务服务新模式。

湖南省宁乡市“市民之家”实现了政务服务“大一统”和“一站式”,用户可通过移动APP、微信、短信、智能查询终端、二维码等多种渠道获得办事查询、办事申报、自助服务、短信告知等集成化服务。

(五)支付和物流

建立公共支付平台,具备非税收收入电子缴款功能,并与国库收款银行系统、财政部门非税系统对接,实现非税收入开票、银行代收信息、第三方支付信息和票据信息的交换和共享,满足政务服务过程中的在线支付、转账、验证、对账等需求。与第三方物流平台对接,实现申请材料和办理结果的快递送达。网上支付和物流服务很好地打通了政务服务的最后一公里,让服务对象足不出户就能完成事项办理。

江苏省建立了统一的公共支付平台,将行政事业性收费、经营服务性收费、政府性基金收费接入统一公共支付平台,向政务服务门户和移动客户端提供全渠道的在线支付服务,实现政务服务办事、缴费的无缝衔接。徐州市政务服务中心融合邮政 EMS 快递业务,通过“审批办理结果专递送达”服务、“网上申报、专递收送”的全流程网上审批服务、智能快递柜24 小时自助取证服务三种服务模式,有效地解决了办事群众多次往返的问题。

(六)广泛沟通参与

用户的知情权和参与感非常重要。网上政务服务办理可实现“零”距离交流,用户可通过政务服务门户进行网上咨询、建议、投诉。在线交流、智能问答等方式方便了公众咨询,提高了咨询效率。

江苏省将全省各地“12345”政务热线纳入政务服务“一张网”体系。作为统一的咨询服务平台,政务热线整合了门户网、“12345”热线电话、微博、微信、APP 等全媒体服务渠道,助力服务事项快速响应、协同办理,大大提高了服务效率和公众参与度。

第五节 典型案例

一、上海市政务“一网通办”总门户

2018 年 10 月,上海政务“一网通办”总门户正式上线。这标志着上海的“一网通办”建设迈出关键一步,进入全面打响上海高效政务服务金字招牌的新阶段。作为全国率先

推进“一网通办”的区域，2018 年 7 月上海“一网通办”总门户在“中国上海”网站上线试运行。3 个月下来，上海已有 38 个市级部门、16 个区、220 个镇（街）的网上办事服务接入“一网通办”总门户，共有 1008 项事项实现网上办理，90% 以上的审批及服务事项实现“只跑一次、一次办成”。

上海强化统筹协调，以流程优化再造为着力点，不断加大简政放权力度，加快推动数据整合共享，让应接入的审批和服务事项加快做到全部接入，让企业和群众办事能像“网购”一样便捷。点击新版的上海“一网通办”总门户，首页重点突出了个人办事、法人办事、事项清单等热门主题和常用服务查询索引。通过这个总门户，企业和群众可以查询到十大类行政权力事项清单、公共服务事项清单、中介服务事项清单、收费目录清单和跑动次数事项清单。

负责“一网通办”总门户建设的上海市大数据中心主任朱宗尧介绍，上海“一网通办”政务服务的特点是“四个统一”：统一身份认证，用户可以通过“市民云”APP、支付宝、微信、“法人一证通”等方式，实现“一次登录、全网通办”；统一支付服务，用户可以自主选择支付宝、微信、银联等支付渠道，快速完成办事缴费；统一快递物流服务，提供安全、便捷的材料寄递服务，让用户少跑腿、办好事；统一客服，用户可以拨打“12345”市民服务热线，对政务服务提出咨询、投诉和建议。

“四个统一”的落脚点，就是从以往的“以部门为中心”转向“以用户为中心”。每个实名注册的用户，都在“一网通办”总门户有自己的专属主页。页面上不但汇聚了用户的公积金、医保等常用信息，还根据用户情况提供主动、精准的主题办事服务。例如本地居民去港澳旅游，首先在“我的材料库”中有证照情况提醒功能，提示证照是否过期。如需要在线办理，点击“一表受理”。提交成功后，可在“我的办件本”中实时查看办理进度。

做好“一网通办”政务服务，基础是政务数据的整合共享。时任上海市市长应勇表示，要尽快落实公共数据和“一网通办”管理办法、电子证照应用实施方案等制度规范，确保实现政务数据按需共享。围绕业务流程革命性再造这个关键环节，大刀阔斧减环节、减证明、减时间、减跑动次数。抓住广泛深度应用这条生命线，持续推出更多的个性化服务事项和特色应用，让所有面向市场主体和人民群众的政务服务“进一网、能通办”。

二、山东省“政务服务一网通办”总门户

为加快政府职能转变，提升政府服务效能，深入推进“一窗受理、一次办好”改革，打造“审批事项少、办事效率高、服务质量优、群众获得感强”的一流营商环境，2019 年 11 月，山东省政府网站发布公告：新版省政府网站试运行、山东“政务服务一网通办”总门户试运行。新版省政府网站在保持现版网站风格的基础上，对频道和栏目设置进行了简化合并，主要由“要闻动态”“政务公开”“政务服务”“政民互动”“走进山东”五个频道组成。

新版网站以全省一体化政务服务平台为支撑，重点加强网站政务服务能力建设，按照内容、层级、服务全贯通的要求，着力打造山东省“政务服务一网通办”总门户。

山东“政务服务一网通办”总门户围绕便利企业群众办事这一核心，以政务服务事项标准化和流程优化再造为基础，整合服务资源，推动实现企业群众办事线上“进一张网，办全省事”、线下“只进一扇门，最多跑一次”。

在组织建设上，成立联合协调小组，由省政府办公厅牵头，省大数据局、省政府各部门和各市参与，引入中国建设银行山东省分行等外部单位，创新合作模式，按照试点先行、分期分批推进的工作思路，注重科学管理、联合统筹推进。

在整体工作框架上，围绕核心、突出重点，建成“123N”整体框架。总门户围绕便利企业群众办事这一核心，以政务服务事项标准化和流程优化再造为基础，整合服务资源，推动实现企业群众办事线上“进一张网，办全省事”，线下“只进一扇门，最多跑一次”，按照“123N”总体思路建设，即集成一个总门户，供给需求两端发力，建立政务服务标准、评估、决策三项支撑，助力提升 N 种服务能力。

(1)集成一个总门户。总门户有效整合全省各级政务公开、政务服务内容，组织向全省总门户集中，形成全省政务服务总供给、业务总支撑、运行总枢纽。坚持服务贯通，实施政务服务事项办理出入口向统一平台集中，实现“数据同源、业务统一、服务一体”，支撑全流程在线办理。已完成省政府 41 个部门政务公开建设，6357 个省级实施事项全部上网，109 项“全省通办”事项可办，全省 195 个政务服务大厅、省和 16 市政务服务热线全部接入，目前正在推动市县乡村 110 万个事项上网。

(2)供给需求两端发力。一是在供给端，推动政务服务规范化、标准化、网络化。依托总门户，完成全省政务服务事项标准化梳理发布，实现事项要素省、市、县“三级十同”，共发布事项目录 111.2 万项。围绕“高效办成群众一件事”，持续开展流程优化再造，首批推出 21 个高频民生服务和 7 类主题服务，办结时间平均压缩 11%，材料平均压减 38%。全省上线事项由行政许可等 2 类扩展到“10＋1”类全覆盖，其中依申请事项达 2473 项，是原来的 2.6 倍；全程网办事项达 748 项，是原来的 1.8 倍；“最多跑一次”事项达 2364 项，是原来的 2.1 倍。二是在需求端，围绕“我要看”“我要查”“我要办”“我要评”等“我”的各类需求，全面优化门户网站，变“政府网”为“政务网”“办事网”“便民网”。打造用户专属空间，建立“一人一档、一企一档”，为企业群众精准推送定制化服务。

(3)建立三项支撑。一是建立政务服务标准支撑，推动申报材料规范化、服务清单标准化、事项管理动态化、办事指南可视化。二是建立政务服务评估支撑，首推总门户政务服务评估系统，建立政务服务评估业务标准、评价体系和管理机制等，实时分析省直部门和 16 市政务服务数据，进行多维度内容展现和评估对比。三是建立政务服务决策支撑，建成全国领先的“12345”数据分析平台，挖掘分析全省热线大数据；建设政务服务大数据平台,深度挖掘政务服务数据价值,剖析民意舆情,聚焦服务热点,提高政府治理水平。

(4)助力提升 N 种服务能力。一是提升政策服务能力,全国首创政策服务"中央厨房",对用户精准"画像",将政策标签分类,与用户匹配后实现精准推送。二是提升线上服务能力,通过建设统一支付、统一物流等平台,进一步完善总门户信息支撑。三是提升就近服务能力,与中国建设银行山东省分行合作,建成"金融+政务"智慧政务服务大厅,推行政务服务进基层,实现政务服务"就近办"。四是提升掌上服务能力,67 类重点应用和 30 类高频服务接入"爱山东"APP,16 市、243 项政务新媒体开展特色服务。五是提升精准服务能力,利用"12345"热线数据、用户访问行为数据,提供"千人千面"精准用户画像,主动推送"个性化、定制化,保姆式、管家式"服务。

三、政府门户的样本——宁波的经验与出路

(一)打造便民服务平台

细分用户、以用户为中心,提供电子政务公共服务的做法,首先出现在美国、加拿大等西方政府门户网站中,近年来这种思路逐步被我国电子政务建设所认同并予以创新。宁波政府门户网站不仅充实了政府面向社会公开信息和公共服务的内容,更重要的是改变了政府人员的服务意识,使得政府能够主动去寻求和迎合公众需求。

宁波政府门户网站已经改变了它最初的单纯"网上政府形象"的概念,不仅极大地提升了政府单位的办公效率,而且在集合政务应用、政府服务社会、完善政务流程方面也开始发挥越来越重要的作用。可以说,宁波政府门户成为政府门户网站的代表。我国的电子政务已经从最初的以信息发布为主的形象工程阶段,向服务于社会、提供更多便民服务的应用阶段发展。

(二)特色服务见功大

顺应国际贸易平台的需要,促进国际港口城市的发展。为了符合国内外进出口商的愿望和利益,作为中国的第二大港口城市和对外贸易大市,宁波政府门户率先考虑在最醒目的位置开设多语种栏目,如英语、德语、法语、日语、韩语加中文,包含六国语种,这在全国首例,也为宁波构筑国际贸易平台、顺应经济国际一体化和国内外贸易集聚发展起到了积极的作用。

联系政府更快捷。市民能够第一时间找到自己的需求,如政府文件、法律法规、政府办事指南、政务公开等信息内容利用专业的搜索引擎进行快速游览;还有动态的交流,如与市长信箱的沟通和及时的反馈效率,公民都可以用电子邮件、电话、新闻发布会、投诉、BBS、邮件互动、日常的答复等进行一一沟通。

业务处理更容易。市民与企业可以通过多种方式进入各种编辑好的目录系统,如数据查询,即交水电费、企业注册、申请批复、社保情况、网上纳税、投诉上访等各种应用,并

在处理层次的电子服务过程中，能使公众对政府部门之间交互接触不受时间和空间限制，逐步做到第一界面的呈现。

个性化定制信息更具特色。也就是说，宁波门户网站可以使政府在服务提供前，准确有效地了解公众的需求偏好以及期望的服务方式和服务内容。特别是通过个性化定制，可以灵活、方便、快捷地获取需求信息，并通过信息的快捷性、网络的交互性、过程的透明性和服务形式的多样性等，使服务更具特色。

（三）宁波网站的领先优势

（1）电子政务水平在国内处于领先水平，电子政务处于良性发展之中，对全国起到了示范作用。

（2）电子政务公共服务功能突出，政府门户网站做到“以公众和企业为对象，以服务为中心”。

（3）门户网站充分整合了相关部门资源和电子政务应用系统，“一站式”服务功能较为完善。

（4）完全以用户为中心建设政府门户网站，政府门户网站绩效以用户满意度作为主要衡量标准。

宁波市政府门户网站是在各政府部门的信息化建设基础之上，提供一个跨部门的、综合的业务应用系统入口，使公民、投资者、旅游者、企业都能快速便捷地接入所有相关政府部门的业务应用、组织内容与信息，并获得个性化的服务，使合适的人能够在恰当的时间获得恰当的服务。简单地说，就是政府与政府、政府与公众、政府与企业的统一接口，是政府信息集成及协同作业的统一入口。它依赖于各政府部门已有的信息化基础条件，不仅是政务信息发布平台和业务处理平台，而且也是知识加工平台、知识决策平台、知识获取平台。

第六章　政务服务移动 APP

第一节　移动政务服务的建设发展现状

一、用户习惯倒逼政务服务移动化需求建设

在当今时代，人们的行为习惯、生活方式都已经发生巨大变化，大家更多地利用碎片时间、移动应用进行购物和接受各种各样的社会服务；社会信息的传播方式发生了巨大变化，信息传递、商务交流、社交活动等越来越多地通过移动方式来进行；信息载体也在发生变化，如微信、微博、新闻客户端，信息不仅仅通过网站，还通过多端、多屏、多渠道进行传播。信息从单点传播向多点链式传播发展，以裂变的方式在人和人群之间传递，速度更快、空间更广、交流互动更多。

目前，更多的社会公众通过手机和移动终端来接受服务，这势必对政务服务也产生了倒逼作用，更多的公众希望“少跑腿、办成事”，通过手机和移动端获取各种各样的查询、办事、预约等政务服务。通过手机端联结政务服务网、政务大厅以及后台的各部门委办局，从办件提交到受理反馈，都是通过移动的通道来完成，这个过程叫作“移动互联网化的逆向倒逼”。

图 6-1 为公众使用习惯与政务服务提供方式的关系。

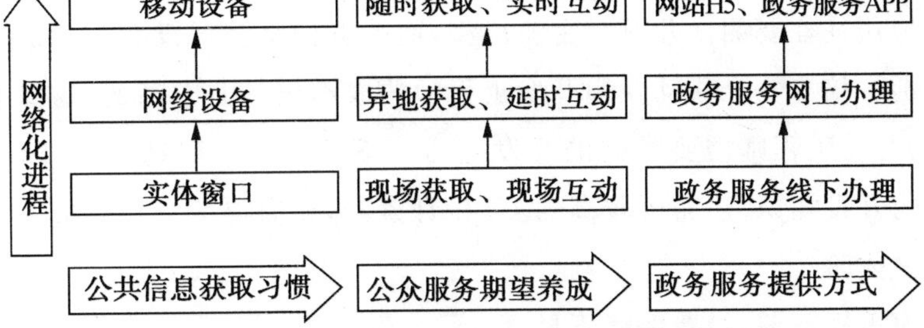

图 6-1　公众使用习惯与政务服务提供方式的关系

二、政务服务移动APP建设问题

政务服务也存在最后一公里的问题，公众更希望得到随时的贴身服务，通过网络和EMS快递服务就可以足不出户完成办证、补证等服务。和电商一样，政务服务也在逐步向移动化发展。政务服务的移动应用如何实现多端协同开发，如何实现资源复用和共享，开发的架构如何更加合理以及怎样降低开发成本，这些都是政府在开发移动应用时常碰到的问题。

（一）国家对政务APP缺乏必要的监管

国家对政务APP没有官方认证机构，也没有专门的政务APP市场。一方面，对政务APP缺乏有效的监督；另一方面，对政务APP的质量和安全性缺乏必要的监管。任何个人都可以开发一个图标和名称一模一样的"钓鱼"政务APP，上载到APP软件市场混淆视听，破坏政府的公信力。没有专门的政务服务分类，如苹果公司的"APP STORE"中的APP软件有游戏分类、办公分类，就没有专门政务服务分类。

（二）移动政务APP缺乏国家标准

各地区、各级政府部门建设政务APP的水平参差不齐，技术路线也各不相同，造成应用无法汇聚、形成合力，因无法监管而孤岛林立、服务分散，用户体系和数据不能互联互通等。

（三）移动政务APP开发难度大

开发难度之所以大，是因为普通的个人计算机互联网开发只需要开发一个应用，要么用Java开发，要么用PHP开发，但是移动应用开发会涉及服务器端的开发、苹果iOS客户端的开发、安卓客户端的开发，开发的语言各不相同，而且目前国内的安卓手机大屏小屏以及各类的安卓操作系统大概有5000种，这就给开发者带来了巨大的开发难度；同时，苹果的iOS也有各种屏幕的大小，以及不同的版本，而且iOS的操作系统升级也非常快。因此在开发时，要考虑的问题就比较多。

（四）移动应用的开发成本高

移动应用由于机型种类繁多，需要大量的测试保障，在安全性测试后才能如期上线。一款过硬的应用往往要测试几百个主流机型，而一般的小公司没有自动测试生产线是保障不了质量的。培养一个移动应用开发工程师的成本也是非常高的，这除了市场原因之外，还跟移动开发工程师需要掌握的开发能力分不开。作为移动开发工程师，不但需要掌握移动端的开发知识，还需要较高的UI设计素养，要懂得一个移动应用如何开发才能有更好的用户体验。

（五）政府重视不够，经费保障不足

因为移动政务应用刚刚起步，政府的投入是尝试性的，对移动应用的经验少、定位思

考不足，往往是先发布一些信息，率先解决有没有的问题，投入的力量和保障都不到位，经常出现网站错链、死链、打不开、闪退、服务不可用等各类低级错误。

（六）传统政府招标和项目制，无法适应移动开发的迭代思维

由于移动应用往往采用的是迭代渐进式开发，也就是以快速更新、小步快跑来适应手机以及操作系统平台的升级换代，但往往因为政府项目招标制的传统，后期没有迭代和运维经费的保障。也由于没有后期运维团队的跟进，开发好的移动应用结项后，自然因手机平台升级的不兼容性而错误频出。

（七）政府对移动政务的运营推广力不从心

政务服务的品牌很重要，我们自然只能把微信、支付宝城市服务的平台作为引流入口，而不能作为政务服务的主入口，政务服务的品牌当然要靠政府自己打造。但是，当前各级政府部门以及各委办厅局都纷纷建立自己的政务 APP，没有技术能力保障，没有精力运营，更没有能力推广，如果政务 APP 没人推广，又有谁会去下载？而要花精力去推广一个有品牌的 APP 应用，又谈何容易？

（八）移动政务应用开发缺乏引导，政府普遍对移动政务应用的研究不足

移动应用有它特定的场景，很多个人计算机上办理的事情并不适合在手机上办理。当前政府移动应用开发由于对应用黏度和获客成本缺乏认识，因此开发的应用不好用、没人用，从而变成了形象工程、花架子。

第二节　构建移动政务服务应用生态

一、移动政务应用开放生态的架构

所谓“移动政务应用的开放生态”是指通过统一的技术架构体系，把分散在网站、移动 APP、微信、支付宝、微博的各类移动政务应用汇聚起来，形成一个整合的移动应用生态系统，实现用户统一、功能统一、体验统一、运维统一、推广统一，整体对外提供服务。

在这样一个生态体系当中，包括平台的开放、组件的扩展、标准的统一以及应用的即刻升级和多端的对接问题，都由统一的一个平台综合进行考虑。如图 6-2 所示，工商、税务、公安、人社等各级政府部门，包括一些垂管的政府部门都可以基于统一的架构体系平台进行移动应用的开发。

完整的移动应用开发往往是指 APP 应用、微信应用、支付宝城市服务应用的一体化开发，即不需要考虑微信开发和支付宝应用开发的特殊性，在统一的移动开放的生态体系平台上就可以完成 APP、支付宝、微信城市应用、微信小程序等的对接，不必去考虑众多类似于开发上的适配、兼容以及特殊接口等问题，实现一次开发、多端运行。这样就可以节省大量的开发和后期运维成本，提高代码的复用度。

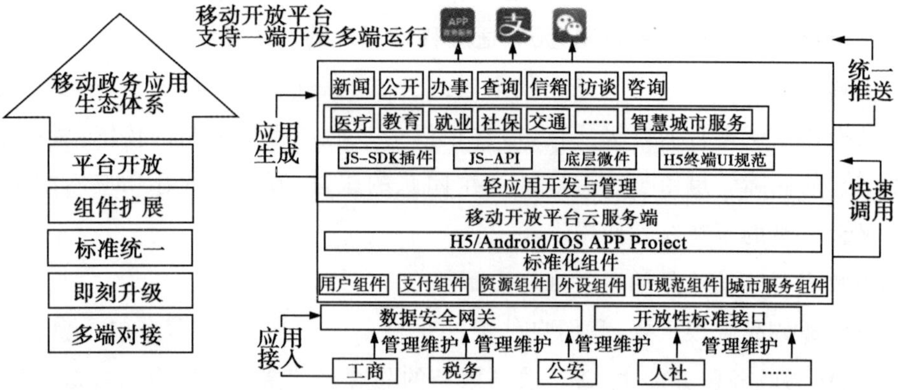

图 6-2　移动政务服务应用生态体系

移动开放平台具有两种能力：一是把分散的移动应用集成进来，形成服务能力的汇聚；二是把平台封装好的、集成好的应用对外输出，形成服务能力的供给。

（一）移动服务能力的汇聚

系统基于底层进行统一架构体系的封装，把很多复杂的原生开发应用都封装好，避免不同平台、不同手机的兼容性和适配问题。当整个平台封装好以后，各级政府部门和各个委办厅局可通过简单的 JS-SDK 调用、HTML5 的网页脚本，就能够完成复杂的移动 APP 应用开发，实现对原有网站功能的快速移动化改造，并对大量其他单位开发过的应用场景进行复用，大大降低了开发的成本和开发的门槛，可实现"互联网＋政务服务"移动应用的快速上线，使得整个移动应用变得更加丰富。

这样一种开放式的生态体系也有助于我们各级政府部门发挥自身的主观能动性，建立一种标准体系。由于它在统一推送、统一生成、统一调度数据以及统一的 UI 界面上都作了周全的考虑，所以使整个应用的体验、完整性都具有很好的表现。

（二）移动服务能力的供给

整个移动开放生态架构体系上封装好的应用，可以通过 JS-API 接口对外输出服务能力。这样一来，总平台上很多开发好的政府部门或委办厅局的一些开发好的成熟应用或共性移动应用，如企业信用查询、个人征信查询、统一证照库、网上预约等可以为第三方应用提供服务，各级政府部门或委办厅局也可以利用它封装成独立的应用，实现数据和业务应用共享服务。

二、构建极简开发、极致体验的框架

移动开放平台开发模式可通过移动开放平台来完成一个极简式的开发，达到一种极致的用户体验（见图 6-3）。

通过 APP 的底层封装和 H5 的轻应用扩展，将二次开发变得更加简单。通过统一的入口和统一的用户体验，实现一次开发、多端对接，即能够通过一套移动应用开发的代码，来完成对 APP、支付宝、微信、微信小程序等的直接对接。

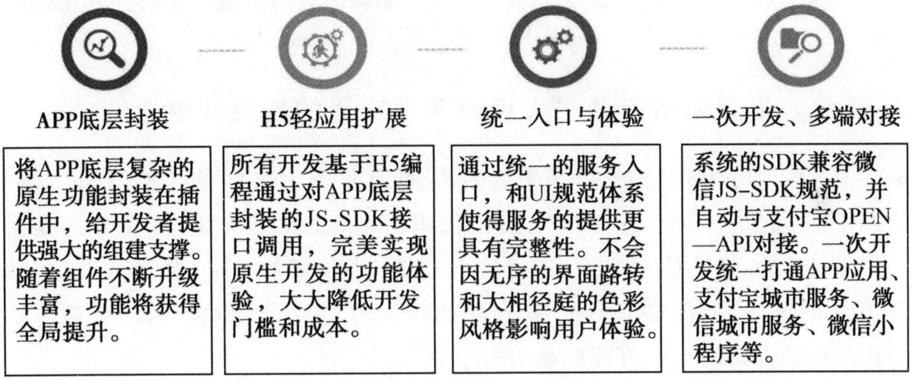

图 6-3　移动开放平台开发模式

从图 6-4 可以看到，一个完整的移动开放平台应当包含非常丰富的组件，能够支撑在云端构建完整的开发环境，同时支持真机的调试工具，直接在移动端进行调试和测试，使得应用的开发有更好的真实体验，实现功能调试的所见即所得。能够支持 JS-API 的接口支撑，只需要开发一次，它即会自动地和微信的 JS-SDK、JS-API 进行适配，完成一次开发、多端运行。同时在原生开发的组件上，平台应具有非常丰富的封装，包括云存储、图片的调用、手机端的各类传感器、陀螺仪等外设的调用等。另外，平台对于原生 APP 开发的各种展现、适配和兼容，应当有整体化的考虑。对于统一用户、语音检索等通用功能平台应当做好封装，并支持 SDK、二次开发的插件封装，提供给安卓客户端和各类 iOS 客户端方便地进行二次开发的扩展。平台还需要考虑支持热更新和即刻升级的模式，不仅便于及时解决 Bug，更重要的是不需要在 APP Store 等应用市场进行频繁的客户端升级。系统后台应支持非常丰富的轻应用组件，并形成丰富的组件库，包括各地的天气预报、网上预约、办事办件的受理、统一用户、网上调查等轻应用。

图 6-4　移动开放平台功能配置

三、开放的生态体系有助于大规模实现应用的连接和融合

对于一个移动应用开发来讲，最重要的是用户和应用之间的连接，通过这种连接把很多的应用集成起来。对于移动应用集约化来讲，重要的是连接，更重要的是融合。所谓“融合”，是在统一架构体系之下，进行用户的统一、消息的统一、品牌的统一、体验的统一、应用升级的统一、平台安全的统一、运维的统一、应用推广的统一，只有通过构建开放的生态体系才能达到这八个方面的融合。

四、开放的生态体系为数据的汇聚、共享和挖掘打下基础

“互联网＋政务服务”的实质是服务在线化和数据化。开放平台最大的作用是使得各部门更有动力地把业务服务做深做细，在积极提升用户体验的同时完成政务服务的数据化。在统一的生态体系下，原本分散的移动应用的数据将被汇聚起来，业务的数据、服务数据以及用户的使用频度、黏度、访问路径和使用习惯等数据的集中管理将成为可能。

除了丰富了应用资源以外，应用数据挖掘分析将为政府辅助决策、政务服务的改进、政府移动应用服务能力的评价起到重要作用，同时数据分析能够为用户进行画像，从而更好地为用户提供精准的服务，为移动应用提供更好的改进依据等。这也为政务大数据服务及政务数据资源的共享、融合、汇聚和挖掘打下了坚实的基础。

第三节　移动应用服务能力提升的关键

在移动政务开放生态下，我们构建了很好的应用资源和开发架构，那么，如何去提升移动应用的服务能力，做出更有价值的移动应用呢？

一、做好移动应用服务入口的规划

移动应用由于屏幕面积的限制，入口的设计变得尤为重要。拿浙江政务服 APP 的首页界面举例。在这个界面上，我们可以看到众多的入口，如二维码入口、搜索入口、分

类导航入口、个性化入口、信息推送入口以及地理位置入口等。在二维码入口上有一个扫与被扫的问题，在搜索上有支持语音输入的问题，以及是不是支持热词、搜索轨迹以及分类筛选等。

在分类导航上，无论是 APP 还是微信公众号、微信小程序，最好不要超过两层，在网站上不要超过三次点击，在 APP 上最好不要超过两次点击。

另外，有很多的导流都是通过信息推送，收到推送的信息之后，点击才进入移动应用的，有的应用是按地区进行划分的，所以信息的推送、地理位置的定位也是非常重要的入口，都是移动应用非常特殊的、重要的入口，都是提升移动应用服务能力的关键。

二、理解"墙"(Wall)的概念

要做好移动应用，理解这个"墙"(Wall)的概念至关重要。由于移动终端的面积所限，不可能像网页设计那样有复杂的窗口弹出甚至多个桌面的切换。移动应用有它特有的"墙"的模式，在很多的应用上会发现有搜索、我的中心、城市服务这样的特有功能的"墙"的设计(见图 6-5)。在一个特定的"墙"的设计上，一定要进行特定应用的聚焦，而不是像网站设计那样，到处"飘窗"吸引用户的注意力，在手机上由于视觉已经相对比较集中，更重要的是关注和研究用户在手机上的操作习惯、轨迹和逻辑问题。

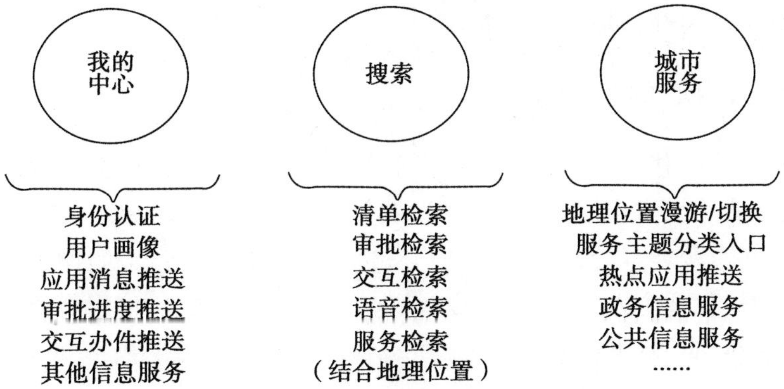

图 6-5　移动应用"墙"模式

三、重视移动应用的交互设计

移动应用的交互设计决定了移动政务应用的用户体验和服务品质。我们知道，交互设计是移动应用设计中非常重要的部分，包括语音的交互、消息导流的交互、多屏幕的交互、Step by Step 交互、地理位置的交互(见图 6-6)。语音交互、消息导流交互、地理位置交互都比较容易理解，这里重点谈一下多屏幕交互。多屏幕交互是通过扫码的方式，能够在手机上获取或操作电脑上内容的交互形式，是一种跨屏幕的交互形式。在政务服务中交互设计非常重要，在收到一个 APP 推送的消息和微信推送消息的时候，点击这个消息就能够打开应用，这也是移动应用特有的交互模式。

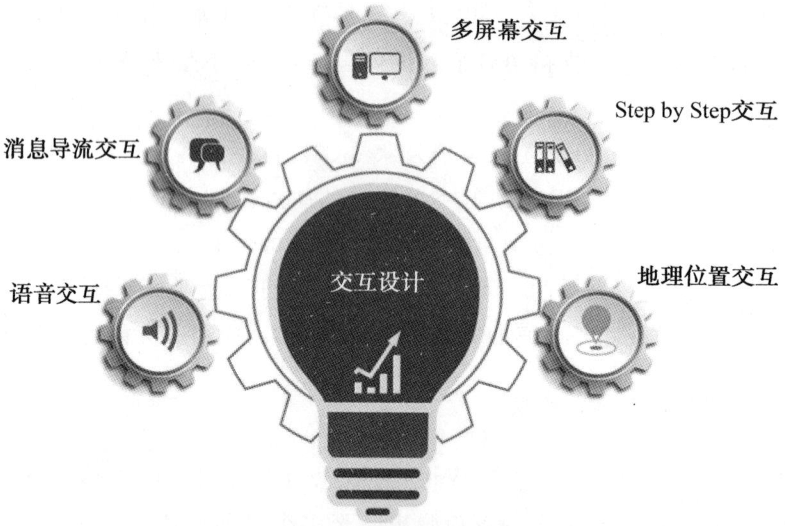

图 6-6　移动应用交互设计

在网上提供办事服务的时候都会有一个办事流程,也会提供一个复杂的办事介绍,但是在很小的屏幕上,如果弹出一个复杂的办事流程介绍、一个流程图或者一个办事的具体事项,会非常不方便。Step by Step 交互是以引导的方式完成用户和系统间的交互。遵循这种模式,第一步填写内容,点一个按钮,第二步继续做一个动作,然后第三步,不断引导用户按步骤去填写和获取政务服务。

四、以“我”为中心的设计思维

做好一个集约化的移动应用还有一个很重要的点,就是要有以“我”为中心的设计思维。例如:以“我”为中心设计消息服务,以“我”为中心设计个性化服务、推送服务,以“我”为中心设计热点服务,以及以“我”为中心提供场景化的服务。“我的中心”内容都是和“我”有关的信息,包括个人信用、公积金、社保、个人纳税、钱包、信用贷款等,这些都是以“我”为中心的设计思路(见图 6-7)。

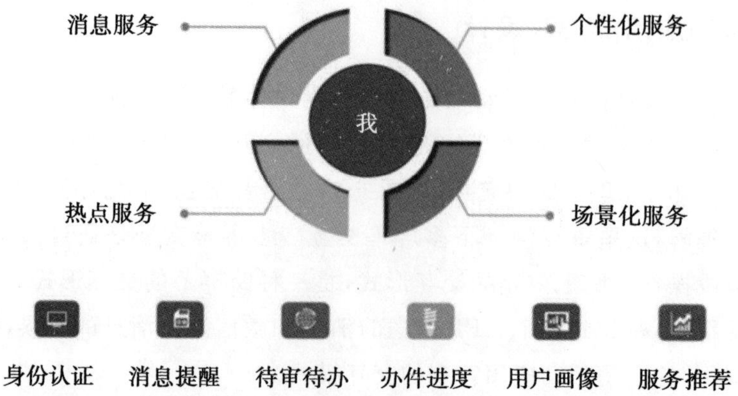

图 6-7　用户中心功能设计

五、降低用户成本和提升用户黏度

开发一个好的移动应用，还要注意用户成本和用户黏度的问题，因为用户成本和用户黏度这两个属性是相互关联的。如果说你的用户成本很高，那么用户黏度一定不高。具体来讲，用户成本决定了用户的转化率，它是用户在使用你的 APP 移动应用时所做的功。换句话说，如果用户觉得比较麻烦，那么获得用户的成本就会很高，这样用户的转化率就会降低。在 APP 上如果有复杂的表单或内容要填写，或是下载 APP 比较麻烦，那么用户就不愿意使用这个 APP 了。

无论是开发微信的小程序，还是开发一个微信的公众号，甚至开发一个 APP 的应用，都会牵涉用户黏度。用户黏度实际上决定用户的参与感，也决定了用户在应用上停留的时间或是使用的频度，因此在做移动的 APP、微信公众号或者支付宝城市服务应用的时候都需要在用户成本和用户黏度上下工夫。

六、移动应用的场景设计

优秀的移动应用中应用场景的设计非常重要。应用场景的设计维度有三个。

第一是“端”的场景问题。移动应用不能将一个适合在个人计算机端的应用场景直接搬到移动端来，有很多的办公应用更适合坐在办公桌前使用，这些应用可能就不适合由移动端来提供。有很多政府部门开发了移动应用，发现下载量小、用户不活跃，其实就是这个道理，简单地说就是移动应用的设计场景不对。移动应用发生在碎片的时间、在行进的路上、在排队等候或是在出差的途中，这时候才可能掏出手机做一个临时或是简单的查询，所以在开发移动应用时一定要注意应用适合的场景。

第二是把用户置于特定的场景。在开发一个应用的时候，它的场景往往是特定的，有别于在个人计算机端的开发。个人计算机端往往希望能够提供更丰富的、多维的场景，但是在移动端，用户更希望是单一的、特定的场景来提供特定的服务。

第三是提升移动应用服务能力。要关注在场景当中用户的痛点和喜点。所谓“痛点”，就是用户最关注的一些问题，即需要解决的问题；所谓“喜点”，就是你解决他的问题，用户就觉得体验非常好，就会感到非常的愉悦。因此在做一个好的移动应用的时候，一定要关注解决了用户哪些问题，解决哪些问题能使用户得到比较好的体验和比较大的满足感。

第四节　移动政务服务的解决之道

一、建设政务 APP 注册监管机制

依托一体化政务服务平台，建立国家政务服务 APP 市场，完成对政务 APP 的注册、监管、安全检测，建立政务 APP 权威的认证、下载和推广通道。

二、建立政务 APP 的统一技术标准规范、应用规范和数据规范

要考虑政府网站、政务服务网、微信、政务微博、小程序、支付宝城市服务的数据一体化，实现数据同源多端展现的规范标准。

三、建立统一的政务 APP 质量检测、安全检测、兼容性检测审核机制

对政务 APP 的兼容性、安全性进行统一的检测，对质量、安全以及兼容性进行上线审核，不符合要求的 APP 不能认证上线。

四、建立以省、区、市或有条件的地市为龙头的移动集约开放生态统一服务入口

省级或有条件的地市政务服务 APP 只有一个，所有部门移动应用基于统一的平台展现和开发。

统一推广载体：政务服务的载体越少越好，降低推广的成本，这样也便于百姓记忆且形成统一的品牌效应，从而也因访问模式的统一形成良好的用户体验。

统一开放生态：由平台统一考虑统一用户、数据对接、展现标准和开发规范等，工商、税务、公安、人社等多个各级政府部门，包括一些垂管的政府部门，都可以基于统一的平台和生态体系进行移动 APP 应用的开发，形成微服务的扩展。

一次开发、多端运行：移动政务 APP 应用必须由平台统一考虑与政府网站、政务服务网、微信、政务微博、小程序、支付宝城市服务的对接，实现一次开发、多端运行。

降低开发成本，提升开发质量：基于底层技术平台封装，避免不同的平台、不同的手机的兼容性问题。当整个平台封装好了以后，所有的委办局和各级政府部门仅仅是通过接受 SDK 的调用、APP 的开发，也就是普通的网页校本的开发，就能够完成复杂的移动应用开发，大大降低了开发的成本和门槛，使得整个移动应用开发变得轻松、快速和更加丰富。

五、构建政务服务 APP 的评测评比机制，以评促建

由于建立了统一标准规范体系和数据对接标准，政务服务 APP 就可以通过建立软件进行评测和评比，实现以评促建。

移动应用建设不能贪大求全，要从适合手机场景、提供有黏度和有品质的政务服务应用以及建立移动开放和规范的生态着手。

第五节　典型案例

广东是我国改革开放的先行地和前沿阵地。自 2017 年以来，广东大力推行"数字政府"改革建设，大力落实《国务院关于加快推进全国一体化在线政务服务平台建设的指导意见》(国发[2018]27 号)中关于"推广移动政务服务，积极利用第三方互联网平台不断拓展政务服务渠道，提升政务服务便利化水平"的要求。2018 年上半年，广东推出了首个改革建设成果——"粤省事"移动民生服务平台，实现众多政务民生事务"掌上办""指尖办"，在拓展政务服务移动应用方面作出了有益探索。

"粤省事"平台是运用政务互联网思维，整合全省民生服务，由线下搬到线上建成的全省一体化移动民生服务平台。将过去"以部门为中心"的办事模式，转变为"以群众为中心"的服务模式。通过可信身份认证、数据共享、电子证照、非税支付、物流寄递、智能客服等支撑能力建设，从高频民生服务事项切入，以"少填、少报、少跑、快办"为总原则，强化流程优化再造，实现群众办事更方便、更快捷、更有效率，有更多的获得感。

2018 年 5 月 21 日，"粤省事"及同名公众服务号正式上线。截至 2018 年 10 月 29 日，"粤省事"小程序实名用户数累计 305 万户，小程序累计上线 480 项服务，累计上线 32 种个人电子证照。其中，社保、公积金、出入境以及居住证、行驶证、驾驶证相关业务为最受群众欢迎的高频业务。未来，"粤省事"将给全省人民带来更多、更实惠的便民服务。

一、"粤省事"移动民生服务

(一)打造政务服务个人中心，让群众办事像"网购"一样方便

1.将"以部门为中心"的办事模式转变为"以群众个人为中心"的服务模式

"粤省事"平台对接公安部互联网可信身份认证服务平台，通过"实名＋实人"或"实名＋密码"进行身份认证核验单点登录，即将个人的实名身份信息与服务关联，通过"实名＋实人"进行身份认证核验登陆，有权查询所有个人信息和办理所有服务事项；通过"实名＋密码"进行身份认证核验登录，只有权查询个人部分相关信息。"粤省事"平台不再按横向具体部门和纵向省、县层级设计，用户感受到的是一个不分部门、不分层级的整

体型政府。将个人分布在各级政府以及各个业务部门的民生服务，通过电子证照应用和数据共享等措施进行流程优化再造，然后通过微信小程序挂到“粤省事”平台，实现服务个性化、精准化和一站式“指尖办理”。实现政务服务让“数据多跑路，群众少跑腿”“外循环转内循环”。同时，还通过“粤省事”公众号提供政务服务到期提醒、办结通知、评议、投诉、咨询、政策解读等全方位信息服务，让群众办事像网购一样方便。

2.充分发挥微信平台用户使用高黏度及流量优势，聚焦高频民生服务

“粤省事”小程序搭建在微信平台上，整合了广东省社保、医保、交管、户证、出入境、教育、人社、税务、养老、优抚、残疾人等领域的高频民生服务事项，利用微信流量优势快速聚集用户，用户注册量和业务办理量高速增长。截至2018年10月29日，“粤省事”小程序实名用户数累计305万户，小程序累计上线489项服务和32种个人电子证照，业务量累计超过4000万件。在建好“粤省事”小程序的同时，广东省还着力建设“粤省事”服务公众号，面向群众和企业服务设置“四大中心”，即新闻中心、互动中心、指引中心和咨询中心，加强与小程序的有效联动。目前，“粤省事”公众号粉丝数超过100万人，多篇政策解读和服务推广文章阅读量超过10万人次。

（二）电子证照便捷管理，实现“一机在手、办事无忧”

将群众最常用的身份证、社保卡、住房公积金、港澳通行证、护照、驾驶证、行驶证、居住证等多种证件签发成电子证照（电子凭证）。用户在“粤省事”小程序进行了关联后，打开“我的证照”，即可查看政府部门签发的本人全部电子证照以及办理过的相关服务。电子证照经可信数字签名，与纸质证照具有同等效力，在全省互认通行、不会丢失、安全可靠。通过对电子证照（电子凭证）进行集中管理，只要“一机在手”就带齐了所有个人证照，随时随地可以享受便捷服务。

广东省有全国首张全省通行的居民身份电子凭证、全国首张出生证电子证照，在全国率先实现全省范围内签发电子社保卡，等等，开创了电子政务领域众多全国“首次”。广东已实现全省凭居民身份电子凭证入住酒店、驾驶证与行驶证电子凭证路面查验、全省范围内移动端签发电子社保卡以及电子社保卡支付药费等生活场景的应用。截至2018年10月底，“粤省事”已上线身份证、社保卡、住房公积金、出入境证件、居住证、不动产权证书、完税证明、结婚证、出生证、残疾人证、驾驶证、行驶证等32种电子证照（电子凭证），户口簿等电子证照服务也将陆续开通。

上线不到一个月，全省超过13万人在“粤省事”平台关联居民身份电子凭证。广东省将在全省政务服务大厅、旅业系统、三大运营商、水电煤等公共服务领域及其他需要核验身份的场景，全方位推广“粤省事”居民身份电子凭证。

参保人通过“粤省事”开通电子社保卡后，可凭借电子社保卡办理人社自助查询、医保结算、缴费及待遇领取、金融支付等功能业务。全省还尝试将移动支付、电子签章等互

联网技术与政务服务相结合，推出就医购药医保移动支付，极大地方便了群众生活办事。

全省可在线申领医学出生证明，公安、人社、卫计和司法等部门30多个办事场景将逐步实现免交实体出生证。目前，全省累计已签发出生医学证明电子证照563多万张。

全省开通居住证电子证照服务，居住登记、申领居住证和居住证签注等实现指尖办理，来广东居住办理积分入户、就业办事更加便捷。

驾驶证、行驶证电子凭证签发分别达到63万张和139万张。出示驾驶证、行驶证电子凭证，就可完成全省范围内的路面查验、简易事故处理，实现驾照年审主动提醒、车辆年审预约服务以及年审场所智能化选择。

出入境证件的电子证照可查询证件信息，在线办理护照、港澳通行证等证件的签注首次预约、再次续签等一揽子出入境政务服务。

（三）设立服务专区，政务服务分类特色更清晰

按照省直部门及群众最关心的领域开辟了广东公安智慧新民生专区、指尖人社专区、地市特色专区等。

1.广东公安智慧新民生专区

上线的广东公安智慧新民生专区包含了出入境、交管、治安、监管四类警种服务共160项高频民生公安服务，其中查询类17项、办理类143项。通过共享14个省直部门的69类共享数据，应用8个省直部门的22种电子证照，对143项办理类民生服务事项进行流程优化再造，群众办事可以少填报数据1464项，降幅达61%；材料提交减少259件，降幅达43%；少跑动88次，降幅达67%；群众办事成本减少超过70%，仅公民出入境办证照片免费一项，广大群众每年累计节省资金达1亿元。160项公安服务事项中，113项实现“零跑动”，47项实现“最多跑一次”。

一是机动车六年免检服务。群众只需刷脸并上传相关资料即可在“粤省事”平台上申办业务，再通过邮政速递将检验合格标志寄递上门，真正实现“让数据多跑腿”的绿色政务，大大降低群众办事的经济成本和时间成本，预计此项业务将惠及全省2000万车主。二是户政业务服务，通过“粤省事”，补领居民户口簿、换领居民户口簿、户口注销证明等7项户籍服务可实现零跑动办理，大大节省了广大群众的办事时间。“粤省事”还可申请开具无犯罪记录证明，并通过快递送达，实现“零跑腿”。三是被监管人员家属网上寄送钱款服务。利用网上支付方式寄送钱款、引入银行代管被监管人员钱款，为全省被监管人员及其家属提供了极大的便利，为全国首创首推。四是在“粤省事”平台上线机动车驾驶证、行驶证电子凭证，适用于路面查验、违法处理、窗口业务等多企办事场景，无须带实体证照。还可以通过“粤省事”办理补换领驾驶证，可实现全流程网办，申请人无须到现场递交资料和取证，通过邮政上门揽件和配送双程服务，在家中也能办理业务。五是实现全省居住证线上办理，居住证电子证照同步签发，方便流动人口享受各种便利服务。六是服务粤港澳大湾区建设。“粤省事”平台面向外国人提供普通签证、居留证、口岸签证、停留证件、永久居留身份证、出入境通行证、国籍变更、业务预约和查询等8项服务，面向港澳人员提供居住证办理，以及面向内地居民提供自助商务签注服务，大大提高境内外人员办证便利性。再加上粤港澳直通车辆业务办理，进一步推进粤港澳大湾区经济建设和人员往来、深化粤港澳人才合作、优化粤港澳大湾区引资引智环境。

2.指尖人社专区

共计158项人社服务事项上线“粤省事”，其中查询类服务90项、办理类服务68项，涵盖了社保、就业创业、人事人才、劳动仲裁等四个主要业务领域。人社服务专区突出“用户体验”，针对因数据割据而造成的“反复填报数据”“重复提供资料”“跑多次”“跑多门”等群众办事“痛点”“堵点”，以改革的“痛”换办事的“爽”，依托“数字政府”统一的身份认证、数据共享、电子证照等应用支撑平台，实现“少填、少报、少跑、快办”的目标。通过应用8个部门的共享数据和电子证照，对68项办理类服务流程进行优化再造，群众办事少填数据757项，下降54%；减少提交101件材料，下降43%；少跑48次，下降50%。123项实现“零跑动”，26项实现“最多跑一次”。

“粤省事”人社专区始终贯穿“便民惠民”这一主线，着力解决好人民群众普遍关心的突出问题。坚决破除不合时宜的理念，努力打造亲民、友好、接地气的人社服务专区，由政府部门视角向人民群众视角转变，例如在服务事项名称上，上线的158项服务事项全部从群众角度命名。又如在劳动人事调解仲裁板块，采用“角色代入”的方法，设置了劳动者、用人单位、律师三个角色通道，用户可以根据自身角色身份选择相应的通道，一看就懂，上手能用。

“粤省事”人社专区坚决从与群众生活关系最紧密的领域和事项做起，在群众反映最强烈、最渴望解决、最难办的事情上突破。

一是就业创业专项资金申请。大力推进就业创业专项资金“指尖申请”，实现一次性创业资助、创业租金补贴、就业困难人员灵活就业社会保险补贴等专项资金快速申办。“粤省事”人社专区通过共享营业执照、税务登记、人口等信息，简化优化流程，大大降低办理难度。据统计，各项专项资金申请共计将少填数据408项，降幅达52%，材料提交减少38件，降幅达35%，将有利于提升群众申领就业创业专项资金的积极性，对促进就业创业起到积极作用。

二是养老保险待遇领取资格认证。走动不便、身处异地的老人养老保险待遇领取资格认证问题一直困扰无数群众，广东省通过集成“人脸识别”技术，在手机上就能完成认证工作。

三是社保卡在线补换卡。推行“在线办理、在线查询、邮政送达”的办理模式，实现“人在家中坐，卡从网上来”。

四是医保门诊选点。河源市通过“粤省事”提供 24 小时全天候、“零跑腿”在线自助选点和查询，避免了群众来回奔波和长时间排队。群众动动手指就能查询和变更医保门诊选点，对上班一族来说再也不用特意请假跑一趟。

五是异地就医在线备案。参保人员异地就医之前需要持社保卡在参保地的经办机构进行备案，并提供多项材料。河源市试点通过“粤省事”提供备案服务，足不出户即可完成异地就医备案。同时，流程优化再造后，各项异地就医备案服务共计少填数据信息 55 项，降幅达 65%，材料提交减少 12 份，降幅达 57%。

3.“粤省事・肇庆行”专区，助推地市特色化服务

“粤省事・肇庆行”可处理涉及营商环境、星湖卡、民政、社保、公积金、户政、行驶证、助残爱残、护照与通行证、婚姻、税务等事项。一是肇庆“一站式企业开办”专题，市民可以通过“粤省事・肇庆行”，在手机端填写申请内容并拍照上传如经营场地使用证明等少数材料，无须东奔西跑便可轻松完成申请个体工商户开业登记。二是首次采用无介质电子签名技术方案，实现企业掌上办理的试点。三是不动产登记信息查询及不动产登记办事进度查询，肇庆市已率先在“粤省事・肇庆行”上提供服务。四是推出地市独有的特色星湖电子卡，让时常忘记携带星湖卡的市民在公交、公园等公共场所无忘带卡之后顾之忧，“机在卡在”轻松乘车、入园，极大地方便群众出行游玩。

（四）面向特定群体提供“不见面审批”，打造“有温度的民生服务”

“粤省事”致力于打造“有温度的民生服务”，面向特殊群体从用户体验的角度改进政务服务流程，提供专题化在线政务服务，提升不同社会群体的获得感。

1.面向残疾人群体，提供专门人性化设计

“粤省事”为残疾人办事服务提供专门人性化设计，残疾人群可办理生活补贴、减免所得税、申请残疾人证、挂失申请残疾人证等 9 项基础业务，其中申领残疾人证过去至少要跑 4 次，其他每个事项至少要跑 1 次，现在通过“粤省事”平台只需要跑 1 次医院做体检、进行残疾定级，就可以全部在线上办完所有事项。广州市越秀区余先生是“粤省事”的第一位受益者。刚刚拿到残疾人证的余先生被评级为听力残疾一级，可享受重度残疾人护理补贴。申请该项补贴，过去需要本人或监护人到社区提供申请表、户口本和复印件 3 份、残疾人证和复印件 3 份、个人照片、银行账号等材料。作为特邀体验市民，余先生在家中，在“粤省事”工作人员的协助下，两三分钟就在手机上轻松完成了申请。

2.面向流动人员，提供务工便利

广东作为全国流动人口第一大省，一是可为来粤人员提供在线“申报居住登记”“居住证签注”和“居住证补领/换领”等 5 项流动人口业务，这项服务为近 3000 万流动人口办理居住证提供了方便。二是在“粤省事”上办理医保异地就医直接结算备案，解决到就医地社保部门盖章以确认医院是否为本地定点医院等问题。三是每年处理的劳动争议

约占全国的1/7,就劳动人事争议调解仲裁提供线上服务,实现劳动纠纷调解全流程线上办理,让每起案件当事人平均减少跑腿5次以上。

3.面向高端人才,提供高端服务

建设"粤省事"人才服务专区,为高层次人才提供"贴身"服务,吸引高端人才落户广东,特别是为高端人才办理各类签证证件提供更快捷、更高效、更便利的"指尖"上的"一网通办"。

4.面向粤港澳居民以及外籍人士,创新推出境外人员服务模块

创新推出境外人员服务模块,提供多项服务外国人、港澳台居民的网上服务措施。一是率先在粤港澳大湾区的佛山、东莞两市及珠海口岸签证机关试点,推出面向境外人员的签证服务,面向港澳台居民的居住证申领发放服务,上线面向港澳企业(含合资企业)的港澳直通车网上申办服务,出台了支持广东自贸区建设及创新驱动发展的16项出入境政策,下放了外国人签证权限至广州、深圳等13个县区出入境管理部门,有力提升了人才合作、人员交流方面的服务质量。二是进一步丰富港澳居民来往内地通行证(俗称"回乡证")和港澳台居民居住证应用场景。让港澳台居民凭借居住证在"粤省事"上即可实现在线办理机动车登记、驾驶证申领、入住酒店等服务,享受实实在在的便利。

二、经验做法

(一)创新体制机制,实现"政策通"

为贯彻落实省政府"数字政府"改革建设,进一步提升便民利民服务水平,政府部门出台相关政策,精准解决群众民生"热点""难点""堵点"问题。一是明确要求人社、民政、公安、教育、税务、工商、卫计、残联等所有民生相关部门提供及时更新的共享数据。二是明确这些部门可以依靠共享数据和电子证照作为办事审批依据。三是围绕一批高频证件的电子证照出台专门政策,突破体制机制障碍,拓展应用场景。如省公安厅围绕居民身份证、居住证、驾驶证和行驶证的电子证照出台专门政策,明确其在便民利民领域的应用场景;省人社厅围绕社保证明和就业证明、省卫计委围绕出生证和死亡证明、省税务局围绕各类完税证明、省工商局围绕工商营业执照、省民政厅围绕结婚证和离婚证、省残联围绕残疾人证等的电子证照,分别出台专门政策,拓展应用场景。

(二)优化办事流程,实现"业务通"

以实现群众办事"三少一快",即"少填、少报、少走、快办"目标,重点围绕业务量大、受众面广、民生关注度高的重点高频事项,借助可信身份认证、电子证照应用、部门内部信息互通、跨部门信息共享、外循环转内循环、速递服务等技术手段开展业务流程优化再造,解决群众"办事难、办事繁"的问题。目前,上线的共计489项高频政务服务事项通过

优化流程、精简材料，表格数据填写量减少 60％以上，申请材料提交减少 45％以上，事项跑动次数减少 50％以上，仅办理残疾人证一项，每年就可减少跑动 260 万人次。

（三）统一标准规范，实现“数据通”

以事项为主线，按照事项名称、办事材料、办理流程、共享数据等统一规范要求，对梳理出来的每个事项进行统筹归纳，规范事项要素，彻底解决政务服务事项“三级四同”等深度标准化问题，实现跨部门、跨层级数据共享共用和电子证照应用，做到“让数据多跑路，让群众少跑腿”。

（四）集成服务应用，实现“一网通”

坚持互联网思维，基于微信平台，对现有政务服务进行整合集成，彻底打通各部门后台应用系统，同时不断对前台进行优化，优化用户体验，向群众展示出真正的一站式、集约化政务服务。

第七章　政务服务事项在线运行

第一节　政务服务平台是事项运行的关键支撑

一、工作背景

政务服务平台是政务服务事项在线运行的承载系统，负责实现政务服务事项的申请、受理、审查、决定、证照制作等环节全流程在线办理；承载政务服务事项流程整合优化后的在线运行，如整合优化企业开办、投资项目审批、工程建设项目审批、不动产登记等涉及多个部门、地区的事项办理流程，通过政务服务事项在线流程优化运行，逐步做到一张清单告知、一张表单申报、一个标准受理、一个平台流转；实现多证合一、多图联审、多规合一、告知承诺、容缺受理、联审联办；让政务服务审批更简、监管更强、服务更优，更多政务服务事项实现“一窗受理、一次办成”。

自从党的十八大作出统筹推进“互联网＋政务服务”重大战略决策以来，各地区按照“以用户为中心”的原则，用互联网思维探索便民利企的政务服务工作模式，取得了一系列的积极成效。2018 年 7 月，国务院印发了《国务院关于加快推进全国一体化在线政务服务平台建设的指导意见》（国发[2018]27 号），就深入推进“互联网＋政务服务”、加快建设全国一体化在线政务服务平台、全面推进政务服务“一网通办”作出重要部署。一体化在线政务服务平台建设成为各地区全面贯彻落实转变政府职能、深化简政放权、创新监管方式、优化政务服务决策部署的重要战略举措。

按照全国一体化在线政务服务平台统一要求，各地区以“一网通办”为目标，以“上网是原则、不上网是例外，联网是原则、孤网是例外”为原则，整合对接各级网上业务办理系统、实体大厅运行系统，着力打造“多层纵向贯通、多面横向联通”的省级一体化政务服务体系，推动政务服务从“分头建设”向“集中管理”、从“信息孤岛”到“协同共享”的转变。通过全国一体化平台整合各级各类政务服务平台、网站，实现群众办事由“分散办理”向“集中办理”转变，解决群众办事“进多站、满网跑”问题，打造政务服务全国一张网，实现政务服务“一网通办、全国漫游”。

2018年10月，西藏自治区政务服务网进入试运行，标志着我国32个省级(不含港澳台)网上政务服务平台体系已基本建成。河北、江苏、浙江、安徽、福建、湖北、广东、海南、四川、贵州、云南和宁夏12个地区构建了省、市、县、乡、村五级网上政务服务平台体系，比2017年增加了8个地区。30个地区按照集约化、规范化、标准化的建设要求，构建了覆盖省、市、县三级以上的一体化网上政务服务平台。已有1481个省直部门、441个地市政府的18297个部门、3629个县级政府的94793个部门、31229个乡镇和247841个村居的服务事项纳入平台管理和运行。

二、工作原则

坚持全国统筹。加强顶层设计，做好政策衔接，注重统分结合，完善统筹协调工作机制。强化标准规范，推进服务事项、办事流程、数据交换等方面标准化建设。充分利用各地区、各部门已建政务服务平台，整合各类政务服务资源，协同共建，整体联动，不断提升建设集约化、管理规范化、服务便利化水平。

坚持协同共享。坚持政务服务"上网是原则、不上网是例外，联网是原则、孤网是例外"，推动线上、线下深度融合，充分发挥政务服务平台的公共入口、公共通道、公共支撑作用，以数据共享为核心，不断提升跨地区、跨部门、跨层级业务协同能力，推动面向市场主体和群众的政务服务事项公开、政务服务数据开放共享，深入推进"网络通""数据通""业务通"。

坚持优化流程。坚持问题导向和需求导向，梳理企业和群众办事的"难点""堵点""痛点"，聚焦需要反复跑、窗口排队长的事项和"进多站、跑多网"等问题，充分运用互联网和信息化发展成果，优化政务服务流程，创新服务方式，强化全国一体化在线政务服务平台功能，不断提升用户体验，推动政务服务更加便利高效，切实提升企业和群众获得感、满意度。

三、工作目标

建设完善一体化政务服务平台，深化互联互通，推动平台规范化、标准化、集约化建设，形成政务服务事项运行的"一张网"，政务服务流程进一步优化，政务服务数据资源有效汇聚、充分共享，实现政务服务事项跨地区、跨部门、跨层级协同办理，线上、线下融合发展、服务效能全面提升，为深化企业和群众办事"一网通办"、推动政府治理现代化提供强有力支撑。

按照"应上尽上、全程在线"的要求，坚持政务服务"上网是原则、不上网是例外"，全面推动政务服务事项上网运行，将所有行政权力事项和公共服务事项纳入政务服务平台管理，实现全流程网上办理。

按照"迁移为原则、对接为例外"的原则，加快推进部门自建政务服务业务系统对接整合，实现政务服务事项一体化运行和全面监督管理。依托统一政务服务平台，积极推进行政许可、行政给付、行政确认、行政裁决、行政奖励、其他行政权力等行政权力事项和依申请办理公共服务事项的网上受理，不断提高网上办理深度，提升政务服务水平，实现网上服务全覆盖。

进一步简化优化政务服务事项办理流程，压缩办事环节和办理时限，推动电子印章、电子证照、电子档案在政务服务中的应用，实现电子材料跨地区、跨部门互信互认，通过数据共享实现信息核验和材料复用。整合优化关联事项办理流程，推动实现"一链办理、全程网办"。以与企业生产经营、群众生活密切相关的重点领域和高频办理事项为重点，按链条优化整合企业开办、投资项目审批、工程建设项目审批、不动产登记等涉及多个部门、地区的关联事项，变"一事一流程"为"多事一流程"，逐步做到一张清单告知、一张表单申报、一个标准受理、一个平台流转。积极推进多证合一、多图联审、多规合一、告知承诺、容缺受理、联审联办。

第二节　政务服务平台的总体架构

一、政务服务平台总体层级体系

"互联网+政务服务"平台体系由国家级平台、省级平台、地市级平台三个层级组成，各层级之间通过政务服务数据共享平台进行资源目录注册、信息共享、业务协同、监督考核、统计分析等，实现政务服务事项就近能办、同城通办、异地可办。具体层级关系如图7-1所示。

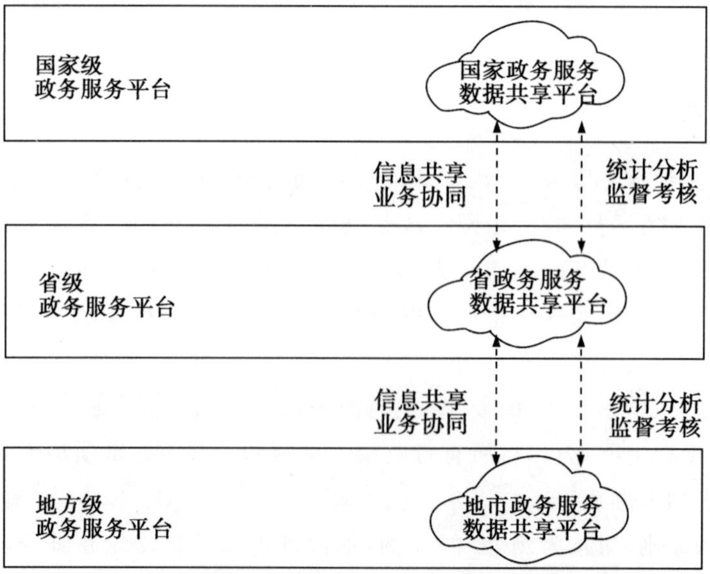

图7-1　政务服务平台总体层级体系图

(一)国家级平台

国家级平台包括国家政务服务平台和国务院部门政务服务平台。国家政务服务平台本身不承载运行具体政务服务事项业务办理,依托国家政务服务数据共享平台,主要实现各地区、各部门政务服务汇聚、跨地区跨部门数据交换、跨地区统一认证、共性基础服务支撑。汇集各地区、各部门政务服务资源,形成统一事项目录库、证照目录库,实现人口、法人、地理空间信息、社会信用等基础信息资源库和业务信息库共享利用,发挥政务服务访问的"公共入口"、地方部门数据交换的"公共通道"的作用。

国务院部门政务服务平台(业务办理系统)统筹整合本部门业务办理系统,依托国家政务服务平台的公共支撑系统,统筹利用政务服务资源,办理本部门政务服务业务,通过国家政务服务平台与各地区和国务院有关部门政务服务平台互联互通、数据共享、业务协同,依托国家政务服务平台办理跨地区、跨部门、跨层级的政务服务业务,如全国投资项目在线审批监管平台、公共资源交易平台、相关信用信息系统等专项领域国家重点信息系统均与国家政务服务平台对接。

(二)省级平台

省级平台提供省级部门政务服务事项受理、办理和反馈。依托省(自治区、直辖市)政务服务数据共享平台,与国家级平台和地市级平台的数据交换,实现自然人、法人基础信息共享、用户认证信息交互、证照信息共享、办件信息交换、统计分析和监督考核。

(三)地市级平台

地市级平台提供地市级、县级、乡级政务服务事项受理、办理和反馈。依托地市(州)政务服务数据共享平台,实现与国家级平台、省级平台的数据交换,提供地市级范围内基础数据共享共用,实现地市级平台与本级部门纵向系统的衔接与整合。

国家政务服务平台与中央政府门户网站(及其微博微信、客户端)实现数据对接和前端整合;各省(自治区、直辖市)、国务院部门政务服务平台做好与本地区、本部门政府门户网站及客户端的政务服务资源和数据对接;各地区、各部门政务服务平台与国家政务服务平台和中央政府门户网站(及其微博微信、客户端)实现数据对接和前端整合,形成全国一体化网上政务服务体系;适应移动互联网趋势,做好网上政务服务平台在手机端的效果展示优化及手机适配,提高百姓用手机登录政务服务平台及政府门户网站的使用舒适度。

二、政务服务平台与其他系统的关系

"互联网+政务服务"平台主要由互联网政务服务门户、政务服务管理平台、业务办理系统和政务服务数据共享平台四部分构成。平台各组成部分之间需实现数据互联互通,各组成部分之间的业务流、信息流如图 7-2 所示。

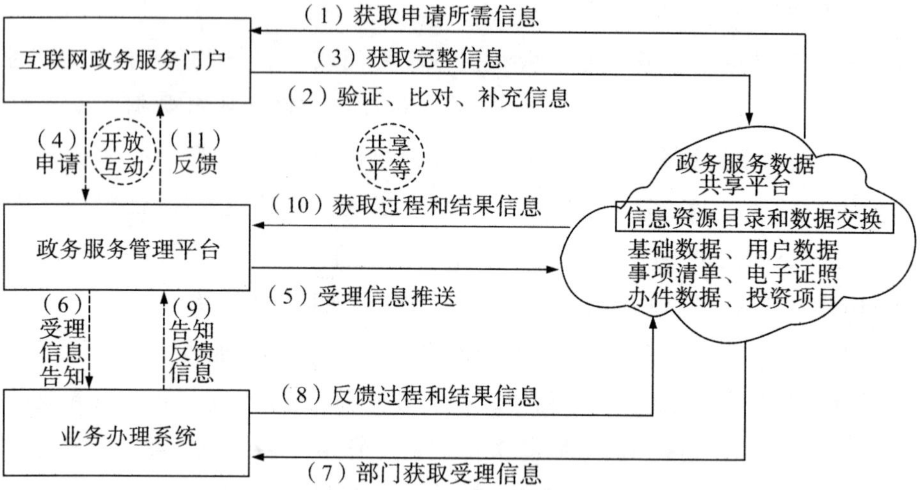

图 7-2 平台系统关系图

互联网政务服务门户统一展示、发布政务服务信息，接受自然人、法人的政务服务申请信息，经与政务服务数据共享平台进行数据验证、比对和完善后，发送至政务服务管理平台进行处理，将相关受理、办理和结果信息反馈给申请人。

政务服务管理平台把来自互联网政务服务门户的申请信息推送至政务服务数据共享平台，同步告知业务办理系统；政务服务管理平台从政务服务数据共享平台获取并向互联网政务服务门户推送过程和结果信息，考核部门办理情况。

业务办理系统在政务服务数据共享平台取得申请信息和相关信息后进行业务办理，将办理过程和结果信息推送至政务服务数据共享平台，同步告知政务服务管理平台。在国务院有关部门和省级以下政务服务平台，按照"应上尽上、全程在线"的要求，政务服务事项应全面依托政务服务平台上网运行，将所有行政权力事项和公共服务事项纳入政务服务平台管理，实现全流程网上办理，原则上省级及以下各部门不再保留原政务服务事项业务办理系统。各部门应按照"迁移为原则、对接为例外"的原则，加快推进部门自建政务服务业务系统与政务服务平台对接整合，实现政务服务事项一体化运行和全面监督管理。推进行政许可、行政给付、行政确认、行政裁决、行政奖励、其他行政权力等行政权力事项和依申请办理公共服务事项的网上受理，不断提高网上办理深度，提升政务服务水平，实现政务服务平台网上服务全覆盖。

政务服务数据共享平台汇聚政务服务事项、电子证照等数据，以及来自互联网政务服务门户的信息、政务服务管理平台受理信息、业务办理系统办理过程和结果，实现与人口、法人等基础信息资源库的共享利用。

三、建设方式

各省（自治区、直辖市）、地市（州）建设"互联网＋政务服务"平台，应遵循平台总体架构，平台各组成部分可结合本地情况组合建设。主要建设方式分为三种。

（一）分建方式

省级平台、地市级平台各组成部分分级独立建设，通过省、市两级政务服务数据共享平台，实现省、市两级平台数据交换、基础数据共享（见图 7-3）。

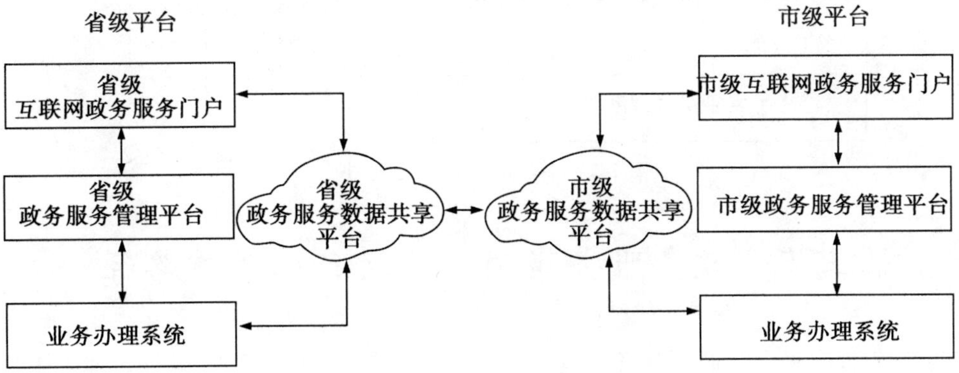

图 7-3　平台分建方式示意图

（二）统分方式

省级平台、地市级平台中互联网政务服务门户统建，基础性及对外核心业务统建，政务服务管理平台（可依托实体大厅或网上大厅）、业务办理系统分建，通过省、市两级政务服务数据共享平台，实现省、市两级平台数据交换（见图 7-4）。

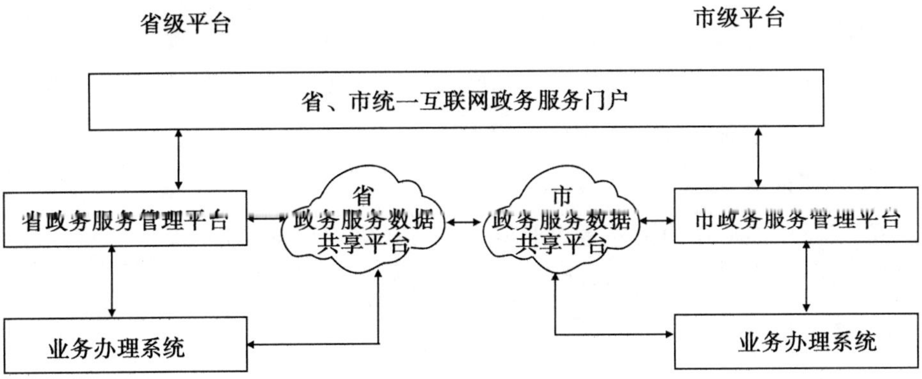

图 7-4　平台统分方式示意图

（三）统建方式

省级平台、地市级平台中各组成部分由省级整体统一建设，即全省（自治区、直辖市）一个平台，地市及区县级不再建设。政务服务数据省级大集中，在平台内部共享（见图 7-5）。

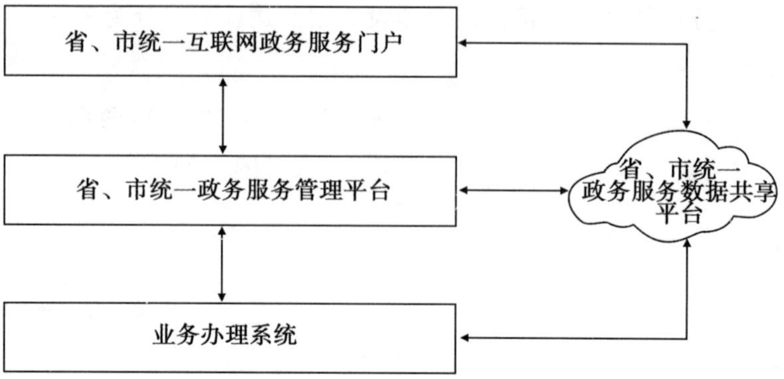

图 7-5　平台统建方式示意图

第三节　政务服务事项在线运行的关键路径

政务服务管理平台是政务服务管理机构进行政务服务事项管理、运行管理等工作的一体化平台，是政务服务门户信息的来源，是业务办理系统接入的通道，应能适应政务服务中心、行政审批局等不同组织形式的管理要求。

一、一体化政务服务工作平台建设

基于标准化政务服务事项清单，完成对网上预约、受理、审核、审批、制证等环节的管理，集成大厅各类智能化设备，实现线上、线下不同渠道的服务统一受理。对于有自建业务办理系统的部门，通过数据交换平台与其对接；对于没有自建业务办理系统的部门，提供统一的网上审批流转功能。一体化办理流程如图 7-6 所示。

(一)网上预审

网上预审是对注册用户通过互联网政务服务门户、移动 APP 等提交的申请进行初步审核，基本满足申请条件及材料的，即可进行预受理。预受理后，可让申请者进一步提供相关材料或者信息。

(二)预约管理

预约管理是对注册用户通过互联网政务服务门户、移动 APP 等提交的预约办理信息的管理功能，应具备预约事项属性配置、预约时间段设置等。

(三)窗口受理

窗口受理是实体政务大厅窗口人员受理本人权限范围内的服务事项，涵盖咨询、接件、受理、查询等业务环节，主要包括预审、叫号、接件、受理、补齐补正等功能。

(1)预审。对注册用户网上提交办件申请信息进行审核确认、反馈的管理功能。若办件中缺少必要材料，应提醒用户补充材料；若材料齐全通过预审，可通过在线消息、手机短信、移动终端等方式通知用户到现场办理。

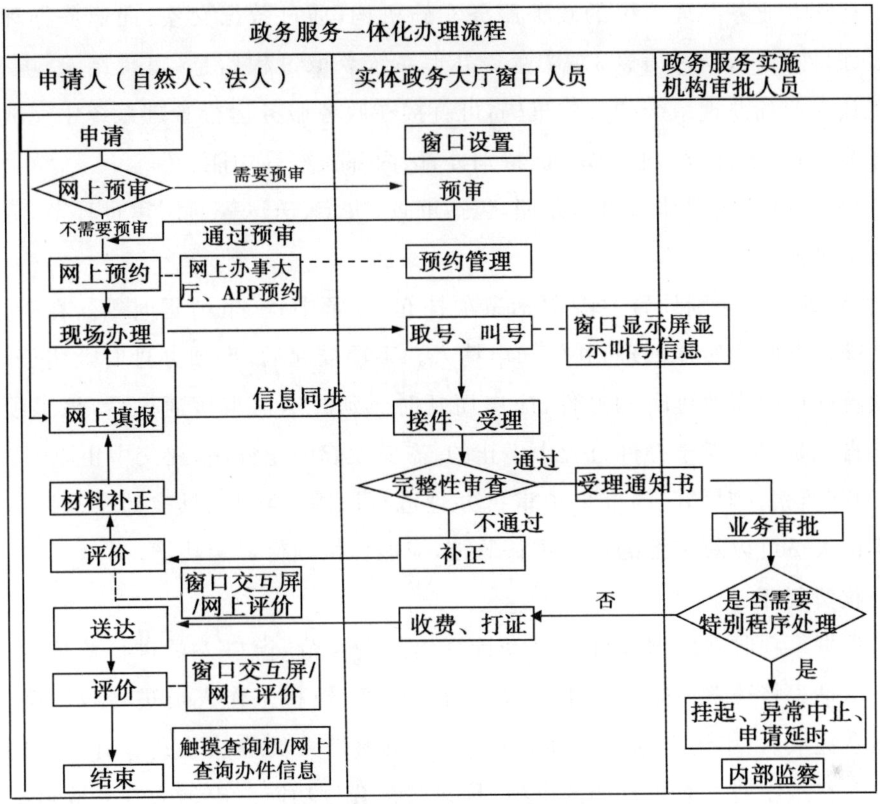

图 7-6　一体化办理流程

(2)叫号。申请人根据取号票到窗口排队办理，通过与大厅窗口显示屏对接，动态显示窗口排队情况。窗口人员在业务办理时，进行叫号操作，按照办件编号进行申办人业务受理。叫号需要与大厅排队取号机、窗口显示屏进行关联。

(3)接件。申请人办理时，刷卡进行身份确认，窗口人员快速获取申请人基本信息并完善填写其他信息，证照材料自动关联电子证照库证照信息，其他材料通过高拍仪快速上传到系统，完成接件操作。

(4)受理。接件完成后，进入受理操作。窗口人员受理通过，打印带二维码的受理通知书。受理通知书应提供办件编号、受理时间、受理部门、窗口人员、承诺时限、受理材料以及送达方式等信息，告知申请人。受理不通过，打印不予受理通知书。不予受理通知书应提供办件编号、受理时间、受理部门、窗口人员、不予受理原因等信息，告知申请人。

(5)补齐补正。对于需要材料补齐补正的情况，应打印补齐补正通知书。补齐补正通知书应提供办件编号、受理时间、受理部门、窗口人员、承诺时限、需补齐补正材料等信息。申请人补齐补正材料后再来办理时，可直接调出补齐补正办件继续办理。

(四)内部审批

对于有独立业务办理系统的政务服务实施机构,通过数据交换,向业务办理系统推送申请表、附件材料、受理信息,并从业务办理系统获取过程信息、审批结果、电子证照。对于没有独立业务办理系统的实施机构,可直接在政务服务运行管理系统中完成事项内部审批环节,内部审批包括业务审批、特别处置、内部监察等功能。

(1)业务审批。实现部门内部办理,包括审查、决定、送达等通用审批环节,应支持部门自定义审批流程。

(2)特别处置。特别处置主要包括事项挂起、异常中止、申请延时等。在听证、实地核查等特殊情况时作暂停处理,并告知申请人。事项挂起后,事项办理时效将停止计时。由于事项特殊原因需要延时的办件,应申请延时。延时申请审核通过后,该事项监察点时限也将自动延时。对于办件过程中中止的,需要发起中止程序,提交中止原因。

(3)内部监察。对部门内部事项审批办理进行跟踪、监控。具有监察权限的政务服务实施机构人员可以对审批的过程进行监控,应能提供预警提醒功能。

(五)收费制证

系统根据事项收费依据和标准自动计算出收费金额,窗口人员进行核价,打印缴费通知单。申请人持缴费通知单到指定银行窗口缴费,银行工作人员进行收讫确认,打印发票。缴费完成后,申请人返回实体政务大厅,由窗口人员确认收费。有条件的地区可以实现统一在线缴费。需要打印的事项,具备在线套打功能。申请人在互联网政务服务门户上可以自行打印相关通知单。

(六)送达

通过手机短信、移动终端等将办理结果告知申请人、请其到大厅取件,窗口人员登记送达信息,也可以通过物流的方式将办理结果送至申请人。

(七)查询与评价

在事项办理过程中,可在互联网政务服务门户上随时查看办件进度,让申请人能随时查看到整个过程。

事项办理结束后,申请人可通过手机短信、移动终端、互联网政务服务门户、政务服务大厅评价器(或窗口交互平台)等渠道进行办件评价。评价信息应关联到窗口,作为绩效评估的依据。

(八)归档管理

审批事项办结后,将审批形成的电子证照、决定及回执,申请人上传的各类电子文书及提报的审批项目基本信息,实施行政审批受理(或者不予受理)、审查、办理等过程形成的电子表单,行政审批关键业务行为的受理人、受理时间、办理情况等过程描述元数据,按照档案管理有关要求在线或离线进行电子归档。

(九)智能化集成

高拍仪/扫描仪：可将扫描材料压缩转换并自动上传到政务服务运行管理系统中，实现办件材料的电子化。应支持 A3/A4 大小材料上传，具备图片矫正、编辑等电子材料优化功能。

身份证读卡器：可实现刷卡办件申请、获取办件数据、刷卡办件取证等功能，需支持读取二代身份证照片信息功能。

排队叫号系统：可支持刷卡快速打印号票，显示办理事项、排队人数等信息，支持窗口软件叫号集成功能，具备取号机缺纸自动预警功能。

智能触摸终端：可提供大厅简介、组织架构、服务指南、办理流程、法律法规、公示公告等相关信息查询功能，可提供刷卡办件查询、办事评价功能。

窗口显示屏：注明窗口的编号、实施机构名称、政务服务事项的名称、当前登录系统窗口人员姓名和工号、动态显示窗口排队信息、自动标识红旗窗口、先进个人等状态信息。

自助服务终端：可提供办事指南、办事预约、办件查询等服务，支持身份证识别、二维码扫描、样本打印、申请材料扫描等功能。

二、推进自建政务服务业务系统整合

部门自建政务服务业务系统整合，可分为“迁移”“对接”两种整合方式。

(一)自建政务服务业务系统迁移

1.工作流程

部门自建政务服务业务系统迁移，指事项自申请环节开始至办理结果出具止，业务整体迁移到政务服务平台运行，不再使用部门自建业务系统运转办理。主要工作流程如图 7-7 所示。

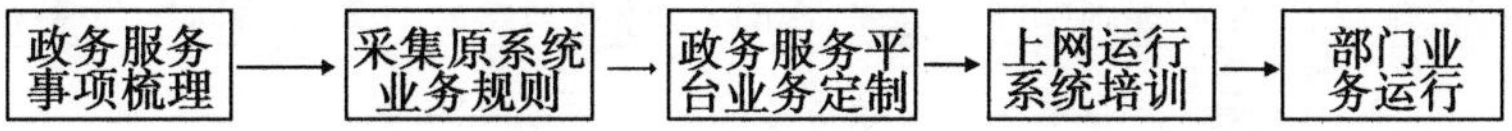

图 7-7　部门自建政务服务业务系统迁移工作流程

2.主要内容

部门自建政务服务业务系统迁移工作，按照部门工作职能分工，主要内容(见图 7-8)包括：

(1)部门工作内容：

——政务服务事项梳理及动态管理。

——部门提供原系统业务表单、流程。

——梳理并提供原系统业务校验规则。

——原系统历史数据服务。

——原系统接收数据(可选)。

(2)政务服务平台工作内容:

——事项清单及办事指南获取。

——政务服务平台开发、定制。

——政务服务平台对接、开发。

——政务服务平台对接、管理。

——政务服务平台数据返还服务。

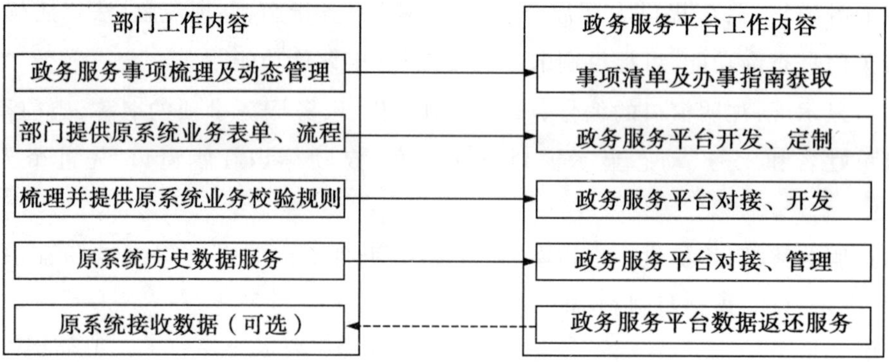

图 7-8　自建政务服务业务系统迁移工作内容

(二)自建政务服务业务系统对接

1.工作流程

部门自建政务服务业务系统对接,指由政务服务平台统一受理申请数据,通过前置数据交换、接口等方式与自建系统实现业务互通,自建系统完成事项办理并将各办理环节信息和办理结果反馈至政务服务平台。主要工作流程如图 7-9 所示。

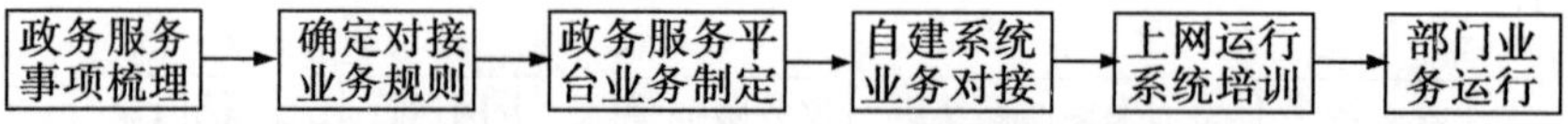

图 7-9　部门自建政务服务业务系统对接工作流程

2.主要内容

部门自建政务服务业务系统对接工作,按照部门工作职能分工,主要内容包括:

(1)部门工作内容:

——政务服务事项梳理及动态管理。

——梳理并提供事项业务表单。

——提供校验/判断规则、接口。

——部门自建系统接收并运转。

——部门自建系统过程、结果反馈。

(2)政务服务平台工作内容

——事项清单及办事指南获取。

——政务服务平台开发、定制。

——政务服务平台对接、开发。

——政务服务平台业务受理。

——政务服务平台接收。

要实现全流程网上办理，打通与部门业务办理系统的数据对接通道是关键任务。在推进与部门业务办理系统对接过程中，需针对不同部门业务系统实际情况，制定切实可行的数据交换方案。可通过数据前置交换、服务接口调用的方式实现高效的互联互通，避免业务人员进行二次录入。

三、推进业务办事流程再造，实现业务协同并联审批

按照“一网通办”要求进一步优化政务服务流程，依托政务服务平台身份认证、电子印章、电子证照等基础支撑，推动证照、办事材料、数据资源共享互认，压缩办理环节、精简办事材料、缩短办理时限，实现更多政务服务事项全流程在线办理。整合优化企业开办、投资项目审批、工程建设项目审批、不动产登记等涉及多个部门、地区的事项办理流程，逐步做到一张清单告知、一张表单申报、一个标准受理、一个平台流转。积极推进多证合一、多图联审、多规合一、告知承诺、容缺受理、联审联办。

(一)主要目标

聚焦政务运行扁平化、协同化、贯通化，通过机制上的优化调整，对各级职能部门的内部流程、跨部门的横向流程及上下级之间的纵向流程进行再造，最大限度地削减层级、减少环节、精简手续、压缩时限，推动政务资源要素形成深度关联、跨界融合、开放协同、利他共生的生态系统，切实提高职能部门(单位)的工作效率和运行质量。

(二)主要工作内容

1.推动职能部门内部流程扁平化

对部门内部流程进行扁平化再造，将有关事务决策执行由多个层级(主要负责同志—分管负责同志—部门中层负责人——一般工作人员)压减为两个层级(顶格领导—所有工作人员)，实现运行时限大幅压减的目的。

(1)建立顶格协调推进机制。实行重大事项“由上而下”顶格协调，部门主要负责同志或分管负责同志直接配置力量和资源，减少运行层次和环节，最大程度地提高决策执行效率。

(2)建立工作专班制。对于涉及多个处室的重要工作，建立相关处室共同参加的工作专班。部门主要负责同志或分管负责同志指定一个处室牵头，明确任务分工，统筹人

员力量，实行“一口对外”。

(3)建立适应性组织结构。聚焦提高效率，打破内部掣肘，改革组织架构和部门内部办事流程，按照同类事项一条线运行、一个领导分管、一个处室负责到底的原则，加强业务、信息、流程整合，提升处室动态适应性，实行“限时办结、一次办好”。

(4)建立并联办理工作机制。对部门内部需要多个处室共同办理的事项，改“串联”为“并联”，实行并联办理、限时办结，办理时限向社会公开，接受社会监督。

2.推动横向部门之间流程协同化

对横向部门之间流程进行协同化再造，打通部门间沟通、协调、配合等壁垒，实现跨部门事项“一次办好”。

(1)建立主办部门负责推进机制。对于涉及多个部门的事项，实行谁主办、谁牵头、谁负责。议事协调机构办公室设在部门或工作专班，职责边界清单事项的牵头部门为主办部门。主办部门负责搭建协调平台，组织各相关部门推进任务实施。

(2)强化主办部门职责权限。提高主办部门协调、调度各方的实际能力，赋予其评价参与部门工作成效的实际权责，并将落实主办任务情况作为对主办部门自身的考评依据，实现主办部门权限实质化、责任具体化、奖惩兑现化。

(3)支持部门改革创新。对部门间征求意见出现的职责争议事项，相关部门沟通协商不一致的，由编办部门协调。

(4)建立“横向一体化”组织体系。优化对上机制，把多部门分别对上变为主办部门一口对上。完善部门间横向协作机制，把多部门串联办理变为并联同步办理。

(5)建立协同监督推进落实机制。整合各类监督资源，丰富监督手段，强化监督效力。通过人大、政协跟踪调研、问政质询、挂牌督导以及媒体曝光、政务热线、电视问政等多种方式，督促工作落实。

3.推动纵向部门上下流程贯通化

对纵向部门上下流程进行贯通化再造，将政务运行层级由4层(省—市—县—乡)压减为两层(省—所有执行层)，信息和指令跨层级、无中转传递，实现运行时间的大幅压减。

(1)建立直通上下的网状流程。将“多点连接、分段传达”的链状流程改造为“一点发布、全网接收”的网状流程，打破信息指令和执行反馈由省—市—县(市、区)—乡镇(街道)的层层传递模式，建立由省—市、县(市、区)、乡镇(街道)的直通运转模式，以最少层级、最短路径传达部署任务、反馈执行情况。对于公开发布的文件，可以按公开程序通过媒体刊登二维码等形式向社会公开发布文件全文，将有关政策直达企业和群众。

(2)建立流畅互动的直通机制。构建贯通上下、左右的省级一体化政务运行平台，实现全省全程网上办理。依托政务运行平台，建立问题直报机制，各县(市、区)每年可通过

“提级调度机制”，提报一个最亟须解决的问题。

(3)建立决策实施的公开机制。推行决策事项公开答辩、听证会等制度，邀请“两代表一委员”、企业家、专家学者等社会各界人士参加有关重大政策举措答辩、听证，一般事项可面向本部门开展答辩、听证，使决策过程成为统一思想、完善提升的过程。建立行业协会商会主要负责人列席有关会议制度，开辟信息“直通车”，充分赋予市场主体知情权、发言权。

(4)建立双向反馈的闭环体系。建立决策部门、执行部门和监督部门间的双向反馈制度，完善“决策→执行→反馈→再决策→再执行”运行体系。创新跨层级政务督查模式，引入第三方评估机制，强化督查和评估结果运用，促进政务效能提升。

第四节　典型案例

一、上海：全面推进“一网通办”，加快智慧政府建设

上海市委、市政府从贯彻落实网络强国战略思想的高度，从推进改革开放再出发的高度，从提升城市能级和核心竞争力的高度，谋划全市“一网通办”工作内容和方案，并于2018年全国“两会”期间提出全面推进政务服务“一网通办”。通过开展“一网通办”工作，深化“放管服”改革，转变政府职能，经过近几年的努力，基本实现政府政务服务工作以部门管理为中心向以用户服务为中心转变，基本实现群众和企业办事线上“一次登录、全网通办”、线下“只进一扇门、最多跑一次”，基本建成“一网通办”框架体系和运作机制，基本建成整体协同、高效运行、精准服务、科学管理的智慧政府。

（　）“　网通办”改革亮点

1.转变政府职能和再造业务流程

持续推进“一网通办”，进一步统筹优化政府职责配置，理顺职责关系，避免职能交叉。推动群众和企业办事线上“一个总门户、一次登录、全网通办”、线下“只进一扇门、最多跑一次”，实现减时间、减环节、减证明、减跑动次数。“一网通办”可量化、可检验，既是上海工作的着力点，也是对社会的承诺，接受社会监督，这既是政府刀刃向内的自我革命，更是政府管理体制机制的重大创新。

2.加强全市数据统一集中管理

“一网通办”是一项跨层级、跨部门、跨区域的综合性工作，需要建立强有力的部门来统筹协调整体工作。上海市成立了市大数据中心，主要承担政务数据等公共数据归集和应用融合工作，开展大数据应用研究，为全市政府各部门管理、服务、决策提供数据支撑；负责建设全市统一的政务数据共享交换平台，开展跨地区、跨层级、跨部门的数据共享交

换和应用。

3.聚焦问题导向，打造高效、便捷的政务服务

群众企业到政府办事，还是存在环节多、手续多、耗时长、标准不一、材料重复等问题。“一网通办”聚焦解决群众和企业反映集中的这类政务服务痛点与难点，紧扣群众企业需求，以统一的数据共享交换平台，横向推动跨层级、跨区域、跨部门协同服务，纵向推进线上、线下政务服务流程再造、数据共享、业务协同，形成融一网受理、协同办理、综合管理于一体的政务服务体系，努力让群众和企业到政府办事像“网购”一样方便。

4.政务服务从政府供给导向向群众需求导向转变

有效整合各方资源，将大数据、云计算、物联网等技术深度应用于监管、服务、决策等政府工作全过程、各环节，加快建设整体协同、高效运行、精准服务、科学管理的智慧政府，让政府管理更智能，让政务服务更便利。以“一网通办”为标志，逐步建成以互联网为基础设施、以城市全量数据为基本资源、以全局即时分析为基本能力、以跨部门协调决策为应用场景的数据枢纽和智能中枢系统，更好地服务于政府决策和研判、服务于城市智能化治理。

(二)“一网通办”具体做法

1.统一基础架构

上海政务“一网通办”总门户，是围绕一个统一受理平台，由统一身份认证、统一总客服、统一公共支付、统一物流快递提供支撑，形成的功能全面的政务服务统一出入口。

在统一受理平台方面，通过整合各部门碎片化、条线化的政务服务事项前端受理功能，打造了全市政务服务统一受理平台。对外，为申请人提供统一网上申报服务；对内，通过“受办分离”模式，整合各部门政务事项受理服务，对接部门业务办理系统，实现政务服务事项统一受理，承载跨部门、跨层级的协同应用，并对网上政务服务状态进行统一监管。

2.探索权力再造

上海市不断优化体制机制，在各级行政服务中心探索从流程再造向权力再造转变。

(1)审批“两集中”。对部门内部职责职能、科室架构、人员配备、操作流程等进行全面系统的整合重构，目标是将审批事项向一个科室集中、审批科室向行政服务中心集中。以徐汇区为例，通过开展“两集中”，创新设立首席审批官制度，实现审批职能和人员集中管理，推动业务流程革命性再造。

(2)窗口“零差别”。通过前台综合窗口统一收件受理，部门审批人员在后台提供专业支持和集中审批，实现收件审批分离。

(3)监管“一体化”。深化“审批监管分离”改革，依托企业“一户一档”，加强信息归集和联合惩戒，建立电子监察系统，加强对行政审批重点领域、重点部门、关键环节的监控，让权力在阳光下运行。

3."用户视角"的服务模式

传统的企业办事事项,是站在政府的角度、以政府的语言提出的。调研发现,许多企业办事只知道"目的地",不知道怎样"走到目的地"(即企业不了解办一件事要跑哪些部门、需要准备哪些材料、需要多少时间才能办成),而且同一项业务办理,针对不同申办人的个性化特质所需的资料和材料也不尽相同,企业咨询和准备材料工作较为烦琐。

为减少办事人来窗口递交材料之前的咨询、准备材料等一系列多次往返现象,上海创新性提出主题式(场景式)服务,以"用户视角"定义政务服务。以静安区为例,开发了智能导引服务系统,通过梳理企业办事的各种业态、场景、情形,以情景引导的方式,在表单中自动生成有关信息,输出精准指南,排除与申办人无关信息,方便申办人在不见面的情况下快速准备材料,并自动在相关的表单中生成情景引导的所有信息,可直接打印后作为窗口申报材料。

4.全市通办实践

作为超大城市,上海人口众多,尤其是"人户分离"现象比较突出。根据相关法律法规,大部分社区事务受理事项需要向户籍所在地街镇提出申请,不少居民在办事过程中不得不往返奔波、费时费力。为回应市民"就近办事"的需求,2018 年 3 月 1 日起,上海市在 220 个社区事务受理服务中心、67 个分中心,全面实施"全市通办",即:政府部门优化业务办理流程,统一信息传输平台、统一政策标准、统一办事指南、统一受理时间。

"全市通办"汇集了公安、民政、人社、卫计、住建、粮食、工会、残联、档案、经信、住房公积金等 11 个部门的政务服务事项,通过"收受分离"模式打破居民群众办事过程中存在的户籍地或居住地限制,通过纸质材料数字化交互,让居民群众在全市任何一个社区事务受理服务中心均能申请办理,实现"数据多跑路,群众少跑腿"。

5.信息化手段支撑并联业务开展

建设工程施工许可证的获得具有周期长、流程复杂的特点,这也是世界银行对营商环境考核的重要指标。为了提升企业的获得感,上海市在该领域进行了卓有成效的探索,开发了上海市建设工程联审共享平台,将设计方案、施工许可、竣工验收环节汇集在一起,大大加快审批速度。

社会投资项目施工许可行政审批所有手续统一通过该平台办理,形成网上一口申请、统一受理、并联审批、限时办结的社会投资项目电子化审批模式。

(1)设计方案审批。规划土地部门牵头线上一口受理企业申请,通过联审平台并联征询交通、交警、绿化市容等意见后,一口批复设计方案。

(2)施工许可审批。建设管理部门牵头线上一口受理企业申请,审图机构受消防、水务、卫生、民防、抗震委托实现多图联审,与工程规划许可证和建筑施工许可证一并,实现线上一口申请受理,依次发证。

(3)竣工验收及备案。建设管理部门牵头一口受理企业验收及备案申请,通知组织规划、消防、验收等部门,并在规定时间内组织资料和现场验收,规划、消防等部门出具验收意见后,一口出具备案证书。

6.大幅改善企业开办流程

为优化营商环境、方便开办企业,上海市推进了“一窗通”改革。工商部门将企业名称预先核准、办理营业执照合并为一个环节。企业名称采用负面清单管理模式,实现名称申报“零见面”。公安部门取消了公章刻制许可,企业在拿到执照后即可在线选择刻章点刻章。依托“一窗通”信息共享,各部门将原审批时间都进行了大幅缩短。

7.上海市实现从“人找服务”转变到“服务找人”

上海建设市民主页和企业专属网页,汇聚涉及企业市民的各类政务服务记录,“记录一生、服务一生、一人一档、一企一档”,为每个企业和市民画好“像”,主动研判企业、市民的潜在服务需求,主动精准推送服务。已实现“我要出国、我要去港澳、我要给孩子上户口、我要办身份证”等130项个人事项主题式服务。从企业和群众第一次咨询开始,按照办事场景提供个性化服务,不同场景需准备的材料各不相同,审核要求各不相同,一次告知企业和群众所需提交给所有相关部门的材料清单以及样张,并通过网上预审、网上申报、数据共享、多部门协同审批等,使企业和群众提交材料价数、往返现场次数大幅减少。

二、浙江:以“一张网”创新政务服务方式

“一张网”指的是浙江政务服务网,是全国首个实现省、市、县一体化设置与管理的政府网站。浙江政务服务网的建设有着“七统一”的要求,统一导航、统一认证、统一申报、统一查询、统一互动、统一支付、统一评价,形成全省网上政务服务一站式汇聚。通过门户网站、移动APP、数字电视、微信公众号等渠道,以“一证通行、一站申办、一网查询”的方式,为公众和企业提供以行政审批为重点的各类政务服务。按照这种设计,省、市、县三级政府部门在平台上提供公共服务,就像在淘宝网上开店,所以,浙江政务服务网又被称为“政务淘宝”。

(一)“一张网”的主要特点

1.政务淘宝:一网包揽,信息共享

在浙江政务服务网建立之前,浙江省内各地、各部门大多有自己的网站和系统,政府信息化领域各自为政,群众和企业办事依然不方便,线上在各个页面切换,线下在各个窗口奔走,而各部门、各机关在工作上仍然是一个“独立王国”,互不交集。浙江省决定打破这一隔膜,一律不再保留原先的网上办事窗口,切实打造全省统一的政务服务,单一入口,消除信息孤岛、信息烟囱等弊端,这就要求建设省、市、县一体化的信息资源共享平台,打造统一的人口法人基础数据库、电子证照库和社会信用信息公示平台。在海量数

据汇聚融通的基础上，开展公共数据挖掘，为实现办事对象精准画像，推动网上政务服务精细化、个性化奠定了基础。建设涵盖社会综合治理、综合执法、市场监管等功能的业务协同信息平台，构建“无缝隙”的政府监管和协同治理体系。2014 年 6 月，浙江政府数据首次在云上完成整合，浙江政务服务网的面貌问世，汇集了省、市、县所有政府部门服务门户，在一个平台上构建了全省 101 个市县政府、31 个开发区服务平台和 43 个省级部门服务窗口。

2.丰富的便民服务

通过“一张网”全口径汇聚网上服务资源，推出婚育、教育、纳税、就医等 15 类 400 余项网上便民服务。搭建全省一体化的移动端应用汇聚平台，推出预约诊疗挂号、交通事故违章处理、个人社保公积金查询、房屋权属证明等 70 余项热点服务。建设全省统一的公共支付平台，累计为 750 万人次提供网上交通违章罚款缴纳、执业考试报名缴费、学费和社保费服务。

3.实现一站式办理

“一张网”实现了一体化的在线服务。浙江政务服务网对用户和服务事项进行类别划分，将用户细分为个人和法人用户，个人用户要求实名认证，法人用户可使用法人数字证书(全省 55 万家企业已经领用)登录，法人数字证书是企业主在浙江省网上办事系统的通行证，对服务事项编发“身份证”，制订了相应的标准规范，在页面上按主题和部门进行分类，以确保用户能够便捷地找到自己所需的服务。根据在政务服务网办理的一站式深度和便捷化程度进行了星级评定。其中，三星级事项应实现“统一认证、统一申报、统一查询”功能；四星级事项实行“网上申报、信任在先、办结核验”的服务模式；五星级事项则全程在线，基本实现办理“零上门”，以“省国家安全厅”为例，四项个人服务事项均为四星级以上。

4.阳光政务：网上晒权

通过政务服务网，浙江不仅在全国率先晒出行政权责清单和部门责任清单，并同步公布企业投资负面清单、财政专项资金管理清单。在互联网上公告全省政府部门每笔审批业务的办理流程、时效、结果，实现全程透明运行。例如，在“政务公报”一栏，全面及时公布地方性法规、政府规章、行政规范性文件和部门文件，做好政策解读工作。围绕“三公”经费、考试招生、征地拆迁、工程建设等群众关心、社会关注的领域，推出多个重点事项予以公示。如开辟城乡居民补助查询专栏，向享受各类财政补助的实名用户推送每笔财政补助资金的发放情况，实现阳光补助。

(二)“一张网”的启示

1.行政权力在阳光下运行

公开行政权责清单、部门责任清单、企业投资负面清单和财政专项资金管理清单。

建设全省一体化的行政权力事项库，实现省、市、县三级4000余个政府部门在用行政权力事项的规范比对和动态管理，初步建立了覆盖全省的行政权力网上运行体系，将权力置于阳光下。一方面，扩大了公众知情权，增加了政务透明度；另一方面，有助于提高群众满意度，公众能够通过网络监督政府的工作。

2.服务公众

浙江全省各级政府部门依托政务服务网运行的审批办件中，通过互联网申报的比例在不断提高。目前适宜上网的729项省级审批服务事项中，实现四星级和五星级网上办理模式的比例已达70%。商事登记"多证合一"，依托统一的电子证照库和办件信息库实现审批业务信息共享，推进全省投资项目在线审批监管、商事登记"多证合一"。

通过全口径汇聚网上服务资源，推出多项便民服务，建设政务服务网统一公共支付平台，率先探索第三方支付机构开展政府非税收入网上收缴，为群众提供切实的便利。

3.数据资源共享

建立统一的政务信息资源共享交换体系，完成省级政务信息资源目录梳理工作，在全国各省区率先推出政府数据统一开放平台，面向社会公众和创客群体开放。基于政务服务网，深化基础数据库和专业数据库建设。目前，浙江省已形成涵盖5896万人的实有人口库和249万家各类法人的法人基础库，建设集成6.9万个办事机构和公共场馆的空间地理位置信息平台，形成便民服务一张图。完善社会信用数据库，打造统一的社会信用信息公示平台。

三、广东：以"一门一网式"打造"互联网+政务服务"

（一）"一门一网式"的建设

2016年3月，广东省印发《关于在全省推广一门式一网式政府服务模式改革的实施方案》，在全省推广"一门一网式"政府服务模式改革。各级政府均设立一个实体办事大厅和网上办事大厅，全面梳理和公开公共服务事项目录，制定办事流程标准。省、市两级以"一网式"服务为主，在网上办事大厅现有公共申办审批系统的基础上，拓展建设网上办事大厅统一申办受理平台，与部门审批系统无缝对接，并设定便捷的审查技术手段和时限提醒功能，变多网受理为一网受理；县（市、区）、镇（街）两级要构建网上网下一体化公共服务体系，创新"一门一网式"政府服务模式，将实体办事大厅按部门分设的办事窗口整合为综合服务窗口，变多头受理为一口受理，并与网上统一申办受理平台无缝对接。有条件的地区可将"一门一网式"政府服务模式延伸到村（居）。

1.政务服务系统构成

广东"一门一网式"政务服务系统分为线上和线下两个场景，每个场景又分为审批服务事项和社会服务事项两个部分。

线上场景。审批服务是在网上办事大厅实现受理审批，在事项标准化和定点审批的基础上展开，包括表单动态化、O2O融合服务、系统业务协同、空间实用化、推进电子审批等。通过表单的动态化可以重复填写不同类型表单，让其动态化，然后采集不同表单中的相同数据重复使用，减少用户不断重复操作的动作。最后通过对异构系统的业务协同，让表单自动地流转到下一个环节。社会服务事项基于第三方平台来提供，通过微信公众平台将服务事项送达用户，实现足不出户，一个入口完成多种服务。

线下场景。审批服务基于一门式实体大厅，对实体大厅进行改造，重点是以围绕大厅综合管理为核心的，整合各个系统，提供大厅导航、预约、智能停车、宣传引导、视频监控、咨询投诉、综合受理、申报辅导等多种功能。社会服务的核心是"市民之窗"自助服务设备，其理念是将办事服务简化为在ATM取钱式的操作，纳入了社保、公安、住建等社会服务事项，由政府行政中心统筹规划，使用统一的软件平台。在佛山，"市民之窗"已经有超过1000台的铺设，主要分布在园区、小区、医院、广场、超市等公共场所。

2.网上办事大厅："5＋2"架构

广东省网上办事大厅以用户为中心、以服务为导向，从用户的角度出发，主动挖掘用户的服务需求，围绕用户进行资源配置，以用户为终端，突出政府和用户的双向互动，用户以平等的身份参与政府决策与服务创新，共享治理权力。秉持"以个人和组织为中心"的服务理念，广东省网上办事大厅以"5＋2"的架构提供精准和个性化的泛在服务。其中，"5"代表政务公开、法人事项、个人事项、政民互动、效能监督；"2"代表省直窗口和地市分厅，广东省网上办事服务的特色模式：分厅模式。

以佛山市为例，目前，广东省网上办事大厅佛山分厅共进驻佛山市、区、镇（街）三级事项共10000余项，实现办事指南公示、在线申办、办事过程全流程监控，大大提高了办事的透明度和效率。市、区两级行政审批事项网上办理率和社会事务服务事项网上办理率均已达到100％。

（二）"一门一网式"的特点

1.连接关系市民切身利益的服务资源

在"一门一网式"建设工程推进过程中，充分调动现有服务资源，聚合政务服务和社会服务，建设以企业为中心的个性化专属网页。整合全省政务服务资源，方便企业一站获取政务服务。促进公共服务资源集聚，将水、电、煤气缴费等公共事业的服务导入企业专属网页，拓展服务内容。在提供整合、协同服务的同时，利用大数据提供服务定制、功能推荐和数据分析服务，并持续优化，实现精准的个性化服务。

2.一体化的政民互动综合平台

"一门一网式"建立便捷的政民互动平台，为公众与政府互动提供便捷的双向互动渠道。充分给予公众表达和反馈的空间，提升政府形象和影响力。通过整合网络发言人平台、建言献策平台、“12345”行政服务热线等现有的政民互动平台集群，为公众提供个性化、可定制的服务，打造集咨询、查询、建议、评议、投诉、订阅于一体的综合性政民互动平台，为公众和企业建立便捷的互动渠道，提升政府响应能力。

3.推行“一门一网式”政府标准化

全面梳理和公开公共服务事项目录，并全部进驻实体办事大厅和网上办事大厅，为群众提供项目齐全的公共服务；制定行政许可和服务事项的统一申办受理标准；省、市两级以“一网式”服务为主，变多网受理为一网受理；县(市、区)、镇(街)两级要构建网上网下一体化公共服务体系，创新“一门一网式”政府服务模式，将实体办事大厅按部门分设的办事窗口整合为综合服务窗口，变多头受理为一口受理，并与网上统一申办受理平台无缝对接。以群众需求为导向，按主题分类，并提供个人计算机端、手机端和自助设备等多种渠道，为群众提供全程在线的咨询服务，建立前台综合受理、后台分类审批、统一窗口出件的服务模式。

4.探索法人行政许可和服务事项一门一网办理模式

对成熟的、已进驻实体办事大厅和网上办事大厅的事项，进行分类和标识，动态标识事项办理状态；在实体办事大厅建设项目法人事项综合服务窗口，整合集中同类事项到综合服务窗口实行一窗通办。优化事项相关材料和表单，实施前台多事项一表式申办受理、后台多部门一站式并联办理的模式。

5.推广自然人行政许可和服务事项“一门在基层”通用模式

总结佛山市一门式政府服务模式经验，统一市域内事项要素、流程等业务标准，砍掉烦琐无谓的证明和手续，推进办事流程简化优化和服务方式创新，建立健全首问负责、一次性告知、并联办理、限时办结等制度，积极推行一站式办理、上门办理、预约办理、自助办理、同城通办、委托代办等服务，真正实现一窗通办，形成“一门一网式”政府服务在县(市区)、镇(街道)两级应用的通用模式。

6.建设无缝对接、数字贯通的电子交换共享体系

建设全省科学统一、逻辑清晰的政务大数据库，完善政务信息共享平台，建立健全信息采集、归类、储存、维护机制，推动省、市、县(市、区)三级共享交换体系建设，建立健全政务信息交换、使用、管理机制，通过政务信息资源共享平台，整合、打通网上统一申办受理平台与各部门审批、事项目录管理、电子证照等系统，梳理和编制居民个人证照目录，建设电子证照库，深化各地各部门政务服务信息数据的应用和共享，推进身份证号作为公共服务事项、证照、材料的统一标识号码，实现群众办事的一号申办，历史办事数据可重复利用，从源头上避免重复提交办事材料、证明和证件，杜绝各类“奇葩证明”“循环证明”等现象，为群众提供更人性化的服务，为政务数据资源实现跨层级、跨区域、跨部门交换和共享提供有力支撑，夯实“一门一网式”政府服务模式信息化基础。

(三)“一门一网式”的启示

1.打破部门和区域限制

“一门一网式”建立交换共享体系,信息共享打破了部门“权力割据”“一门式”主系统动态收集群众办事过程中产生的数据信息,沉淀为113万个个体、2.6亿条数据,并据此建立起自然人库,通过身份证号码构建诚信系统,以姓名、性别等1000余个标签勾勒出个体“画像”。

广州、深圳、佛山、江门等地还按照标准统一、体验一致、跨界协同、运转高效的要求,进一步打破区域限制,推动线上、线下融合应用,试点开展跨镇、跨区、跨市通办,减少企业群众上下跑、多地跑的次数。例如,佛山市南海区与广州市荔湾区打破广佛地域界限和行政壁垒,推出85项跨城通办事项,涵盖企业登记、经营许可、投资项目核准、施工许可等范畴,按照“窗口收件、快递送件、两地互通、限时办结”模式实施,极大地方便了两地群众和企业办事。

2.遵循“用户至上”的理念设计用户在线体验

以个人的基本信息为依据,以生命周期为轴线,将与个人相关的各项政务服务、公共服务、社会专业服务有针对性地导入个人属网页,使个人专属网页成为个人网络身份证。在市民专属网页丰富的模板、内容和模式中,强调通过个人自主定制、自主选择、自主设计、自主服务,不断提高个人专属网页的用户体验。“一门一网式”是“互联网+”时代政府对服务创新与治理创新的重新思考,对企业、个人、社会组织等设立“专属主页”也是对互联网时代用户行为习惯与体验需求的深刻洞察。

第八章　统一用户身份认证

第一节　构建统一用户身份认证的内涵

一、工作背景

2016年4月，国家发展改革委、财政部、教育部、公安部、民政部等10部门联合颁布《推进“互联网＋政务服务”开展信息惠民试点实施方案》，提出了拓展“互联网＋政务服务”渠道，构建群众办事统一身份认证体系，推进群众网上办事“一次认证、多点互联”，基本实现政务服务事项“一号申请、一窗受理、一网通办”的目标。

2016年9月，《国务院关于加快推进“互联网＋政务服务”工作的指导意见》(国发[2016]55号)正式提出了建设电子证照库和统一身份认证体系，要求：国务院各部门切实抓好信息惠民试点工作，2017年年底前，在80个信息惠民国家试点城市间初步实现政务服务“一号申请、一窗受理、一网通办”，形成可复制、可推广的经验，逐步向全国推行。

为解决群众办事过程中的“办证多、办事难”“循环证明”，以及“多头跑、重复跑、跨地跑”问题，2018年7月，《国务院关于加快推进全国一体化在线政务服务平台建设的指导意见》(国发[2018]27号)提出了国家政务服务平台基于自然人身份信息、法人单位信息等国家认证资源，建设全国统一身份认证系统，积极稳妥与第三方机构开展网上认证合作，为各地区和国务院有关部门政务服务平台及移动端提供统一身份认证服务。各地区和国务院有关部门统一利用国家政务服务平台认证能力，按照标准建设完善可信凭证和单点登录系统，解决企业和群众办事在不同地区和部门平台重复注册验证等问题，实现“一次认证、全网通办”。各地区、各部门已建身份认证系统按照相关规范对接国家政务服务平台统一身份认证系统，实现“一次登录，全国漫游”，解决群众在不同平台“反复注册、重复登录”“进多站、跑多网”等问题。

二、国内外身份认证的实践

2009 年 5 月，美国提出构建“网络空间可信任的身份生态系统”战略，提高电子身份的认可度，保障公民隐私；欧盟和韩国等加快在信息网络中引入和部署身份认证，建立电子身份认证机制，如欧盟的 eIDM 研究计划在 2010 年实现整个欧盟范围内的电子身份的启用；韩国则通过几家“身份服务提供商”建立身份认证平台，推行“I-PIN”用于个人身份的鉴别。

在我国的网上办事应用中，主要借助统一 CA 认证平台，实现个人和企业的身份认证。基于身份认证为企业和公众提供各种查询、申请、交费、注册、申请许可等服务，将分属政府各部门的业务集中在一起，并与相应的支付系统、快递系统等配套使用，结合规范化、合法化身份认证服务，提供“一窗口”“一站式”“24 小时”“自助式”等特点的网上受理中心，从而提高信息集成共享能力，简化市民办事流程，达到便民服务的目的。但由于 CA 认证平台基于 OSCP 协议的证书状态验证服务和密钥验证服务相分离，造成借助传统的 CA 认证的身份认证模型的信任度下降，增加身份认证的危险，跨 CA 平台实施投入大，CA 机构提供的身份认证服务不完整等问题。

纵观国内外身份认证实践情况可知，国外主要通过服务提供商维护电子身份的模式提供身份认证服务。这种机制由于缺乏身份认证的权威性，无法适用于中国的办事服务场景。为了保障身份认证的可靠性，国内目前的普遍做法采用 CA 证书认证的方式，这种机制需要建设 CA 认证中心系统及物理证书介质。这种建设方式的投入较大，推广见效慢，因此在身份证认证体系建设的实践中，基于人口数据库、法人数据库等权威的公共基础资源库，采用线上线下相结合、内外网统一的认证体系，保证统一身份认证的高效性和权威性。

三、意义内涵

统一身份认证体系是一个动态的体系结构，随着身份认证管理技术的发展而不断演进。它作为一个面向政务的统一身份认证平台，除了服务于电子政务，今后还可以通过身份联合的方式实现与外部应用的互联，如支付宝、微信、新浪微博以及其他社会应用等，促进互联网实名制。平台综合利用电信运营商数据、人口库、法人库、信用库等数据完善统一身份认证平台的认证数据库，通过加强对用户行为的监控，打造以人为中心的信息安全体系，保障系统安全。

统一身份认证平台的建设提供了权威的身份认证，建立起了统一用户管理和认证接口，完成了各级组织、企业、公众的统一身份认证。通过实名制认证、单点登录和身份认证的生命周期管理，从根本上解决当前政务活动中社会公众多次往返、反复提交纸质材料等问题，减少社会成本避免资源浪费，减轻群众负担，提高政府办事效率；促进电子政务建设向务实高效的方向发展，方便网上办事，达到便民、惠企的服务目标。

第二节　统一用户身份认证平台的建设内容

一、建设思路

（一）总体设计方案

统一用户身份认证平台总体设计如下：

（1）建立统一的登录点。在集成门户页面建立统一登录入口，通过此入口进行对各应用系统的统一登录。

（2）建立统一的身份认证。建立统一用户身份认证系统，对用户提交的身份信息进行认证，认证通过后将用户的身份数据传输给用户相关应用系统，业务应用系统根据身份数据识别用户身份并进行权限控制；传输的用户身份数据并不包含认证相关数据，认证通过统一用户身份认证系统处理，各业务应用系统不再进行用户的认证。

（3）建立统一的用户认证信息库。建立统一的用户认证信息库，保存统一登录用户的用户身份数据、认证数据。用户认证信息库作为统一身份认证的数据基础。

（4）建立统一的用户身份管理。管理统一登录用户的用户身份数据、认证数据，用户身份的创建、维护集中通过统一用户身份管理进行管理，相关业务系统通过消息机制获取用户身份信息，并进行系统内权限管理。

统一登录由中心认证服务、统一用户管理两部分有机组成一个系统来实现。

（二）统一用户管理

1.统一用户身份管理

在建立集中认证的过程中，用户身份的集中是一个必需的工作，否则就无法了解在不同应用中用户的对应情况是否一致。用户身份集中可以有多种实现方式，包括用户同步、应用对应关系设置等多种方法，但对于政务信息系统这样规模的客户而言，用户身份集中也就意味着需要一个集中的用户身份管理系统，这个系统是所有应用系统用户身份数据、认证数据的管理点，由它来进行用户身份信息的创建、维护工作。相关业务系统中将不再设置用户身份信息的创建、维护等功能；通过消息机制把用户信息同步到各业务系统，在需要时对用户进行授权。

而对于最终用户而言，用户管理系统又提供用户口令修改等工作可以让用户自己来完成，并且只需在统一用户身份管理中进行维护，从而减少用户管理所需要的技术支持工作量。

2.用户认证数据统一

为用户认证数据建立统一的用户认证信息库。用户系统具有稳定、读操作量很大、写操作量比较小的特点，统一用户管理选择数据库服务器作为统一用户系统的可信认证存储。在统一用户数据库，可以存放用户的基础、共用信息。

3.统一用户管理技术要求

从上面的分析可知道，统一用户管理有如下技术要求：

(1)建立统一的用户身份数据和用户认证数据。

(2)各业务系统根据统一用户身份数据对系统中原有的用户数据进行清洗、更新，做到与统一用户身份数据的一致。

(3)用户身份认证通过统一用户身份认证系统处理，各业务应用系统不再进行用户的认证。

(4)存储用户认证数据由统一用户系统认证信息库存储，各应用系统不再存储用户认证数据。

(5)用户身份数据、认证数据的管理包括创建、维护等集中通过统一用户身份管理进行管理。

(6)相关业务系统中将不再设置用户身份信息的创建、维护等功能，通过消息机制同步用户信息，对用户进行操作权限、数据权限的应用系统内授权。

(三)统一用户登录

统一用户登录需要建立统一的登录验证服务器，进行统一的用户管理，负责验证登录用户的身份，其他的应用系统需要统一调整到该服务器来验证，以实现统一登录。

1.统一用户管理

用户认证信息(用户 ID、用户密码)进行统一管理，各应用系统不再进行用户的新增、删除等功能，并不再存储用户认证信息。

认证服务器新增用户后，通过消息机制通知各业务应用系统，业务应用系统更新本应用的用户信息，并对新增用户进行业务授权管理。

2.单点登录认证

应用系统的访问认证在认证服务器中实现，各应用系统不再对用户身份进行认证。

二、可信身份等级

(一)自然人实名等级

自然人实名等级采用五级实名等级管理，等级逐级提升。自然人实名等级如表 8-1 所示。

表 8-1 自然人实名等级

等级	实名核验方式
一级	邮箱、账号口令
二级	手机号、短信码
三级	1.身份证实名核验(公民身份证号码、姓名、有效期限) 2.社保核验(公民身份证号码、姓名、社保卡发卡地行政区划代码、社会保障号码) 以上两种方式中任意一种均可
四级	在三级基础上进行实人核验,使用人脸或其他生物特征进行核验
五级	在四级基础上,使用身份证专用识别设备或具有射频功能的手机配合专用 APP 进行实证核验

(二)法人实名

法人用户不使用实名等级,仅标识"已实名核验"和"未实名核验"。

企业法人实名核验支持以下三种实名核验方式:

(1)以法人机构信息和法定代表人信息通过国家市场监督管理总局进行核验。核验时法定代表人至少具备三级或三级以上实名核验等级。

(2)以 USB-Key 进行实名核验,由 USB-Key 颁发部门进行核验。

(3)以电子营业执照进行核验。

三、实名等级使用要求

(一)实名等级适用范围和使用原则

实名等级标记了国家节点用户账号的身份等级,适用于跨区域身份互认时的实名认证。地方和部门节点可参照标准自行规定本区域内实名等级,用于标记本地账号的实名等级。地方和部门节点可对本地实名等级和实名核验方式进行适当修改扩充,如加入银行卡(银联)核验、第三方认证核验等方式。地方和部门节点的实名等级适用于本区域内。

(二)实名核验凭据

用户在登录国家节点、地方和部门节点后,在国家节点用户空间内进行实名核验。完成实名核验后,确定或更新用户在统一身份认证体系中的实名等级。

各级节点宜将实名等级显示在用户登录首页中。

实名等级作为用户凭证的一部分,用户登录国家节点后生成的令牌包含用户当前实名等级。各级节点从令牌中获取实名等级。

(三)实名等级定期检查

用户信息不发生变化,实名等级保持不变。用户涉及实名核验的关键信息发生变化时,应重新进行核验。

统一身份认证系统应定期检查用户公民身份证号码、姓名、有效时间是否发生变化。当检测到用户关键信息发生变化时,应标记实名等级变更为未实名(自然人)或未核验(法人),需用户重新核验。

(四)实名等级提升

用户可自行登录统一身份认证体系国家节点进行实名等级提升操作,其操作等同于实名核验。实名等级提升后,用户再次登录时其令牌包括更新的实名等级。

四、国家政务服务平台统一身份认证系统总体接入架构

国家政务服务平台统一身份认证系统总体接入架构如图 8-1 所示。

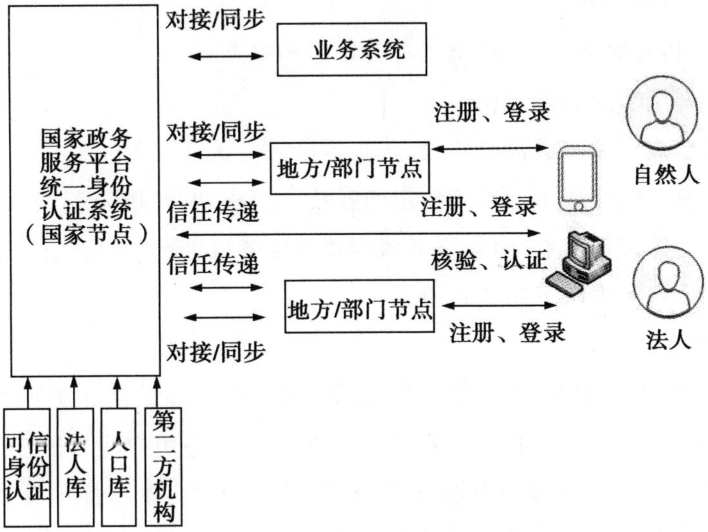

图 8-1　总体接入架构示意图

国家政务服务平台统一身份认证系统以国家节点为核心,通过对接地方和部门节点的业务系统,向各政务服务门户和业务系统提供统一身份认证服务。

(一)国家节点功能定位

国家节点,即国家政务服务平台统一身份认证系统认证服务节点,是统一身份认证系统的核心节点,由国家认证服务子系统、国家信任传递子系统、国家实名验证服务子系统、国家认证服务监管子系统等组成。

国家节点支持统一模式和协同模式两种对接方式,与地方和部门节点进行对接。

国家节点负责与人口库、公安部可信身份核验平台以及人力资源和社会保障部全国社保卡平台等权威机构对接,实现对自然人实名核验和可信身份认证;通过与法人库、国

家市场监督管理总局等权威机构的对接，实现对法人的实名核验；通过与第三方机构对接，提供便利的用户服务。

在统一身份认证系统中，国家节点承担以下功能和服务：

(1)提供统一身份信息管理，包括用户注册、用户信息查询修改、用户找回等。用户注册包括用户直接在国家节点上注册、在地方和部门节点注册后上传到国家节点。

(2)通过与公安部可信身份平台、人力资源和社会保障部全国社保卡平台等权威机构对接通道，对自然人的真实身份进行核验，提供统一身份认证系统的可信身份认证，确定用户实名等级。通过国家市场监督管理总局等权威机构对法人身份进行核验。提供用户实名核验、等级管理及实名等级提升。

(3)提供权威的统一的身份认证服务，完成用户的登录认证，建立登录令牌，通过隐性登录等机制完成地方和门户的区域登录令牌转换为国家登录令牌，并接收地方和部门节点的登录会话查询与验证，以实现“一次认证、全网通办”。

(4)提供统一登出服务。

(5)提供信任传递服务，完成跨节点身份认证和单点登录。

(二)地方和部门节点功能定位

地方和部门节点由地方或部门建设，负责本区域内认证服务。

地方和部门节点须完成本标准所约定的各技术要求，并与国家节点完成对接后成为统一身份认证系统的服务节点，节点服务域内政务服务可进行“一次认证、全网通办”。

地方和部门节点提供以下功能和服务：

(1)与国家节点对接。

(2)采用统一模式的节点调用国家节点注册功能，向本地提供注册服务，采用协同模式的节点提供本地用户注册功能和服务，并向国家节点传递用户注册信息。

(3)采用统一模式的节点调用国家节点登录认证功能，向本地提供登录认证服务，采用协同模式的节点提供本地登录认证功能和服务，并向国家节点发起隐性登录。

(4)本地收到登录请求时，如无本地账号，向国家节点请求查询，国家节点存在已登录会话时下发令牌，完成登录。

(5)登录的用户在本地不存在用户信息时，向国家节点申请用户信息查询，以获取详细用户信息。

(6)向国家节点请求令牌延期。

(7)根据国家节点的登出消息注销本系统的登录会话。

(8)用户登录密码丢失，国家节点提供用户找回服务。

五、业务系统接入规范(以省级为例)

(一)总体要求

业务系统接入统一身份认证平台要求实现两个方面的对接:一是业务系统使用全省统一身份认证平台账号登录,二是业务系统的组织机构用户信息同步。

(二)登录

业务系统需关闭本系统用户注册、密码修改等身份认证功能,相关的功能通过全省统一身份认证平台完成。用户在访问业务系统页面时,需要通过全省统一身份认证平台进行认证登录,认证通过后才允许访问业务系统。

用户访问业务系统,使用全省统一身份认证平台账户登录,流程如图 8-2 所示。

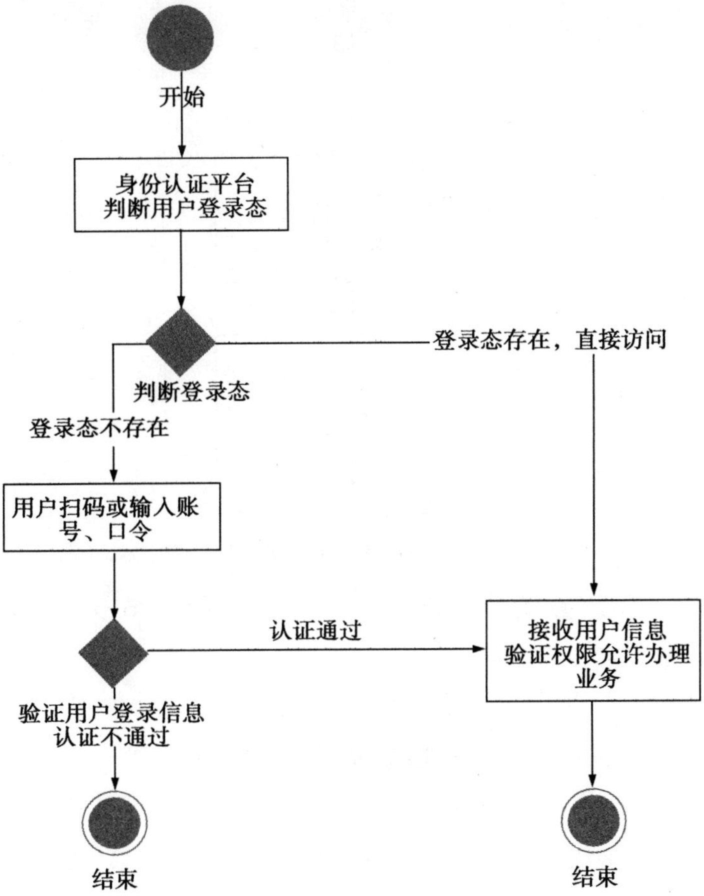

图 8-2　登录流程

(1)用户访问业务系统,请求首先会通过省统一身份认证平台判断用户的登录状态。平台发现登录状态不存在或者失效时,跳转身份认证页面。

(2)用户根据页面选择扫码或者输入账号名及口令,提交请求。

(3)省统一身份认证平台对用户所输入的认证信息进行验证，验证通过后，把用户身份信息经签名后转发给后端的业务系统。

(4)业务系统接收用户身份信息后，需验证签名正确性；验证通过后，关联本地系统的用户信息，判断用户的权限，允许用户登录办理业务。

(三)同步政务组织及用户信息

业务系统需要同步全省统一身份认证平台的单位和用户身份信息，从全省统一身份认证平台获取所需要同步的单位(部门)ID。根据单位(部门)ID调用认证平台的接口，定时主动获取单位(部门)的组织机构和用户信息。

业务系统同步信息具体流程如图8-3所示。

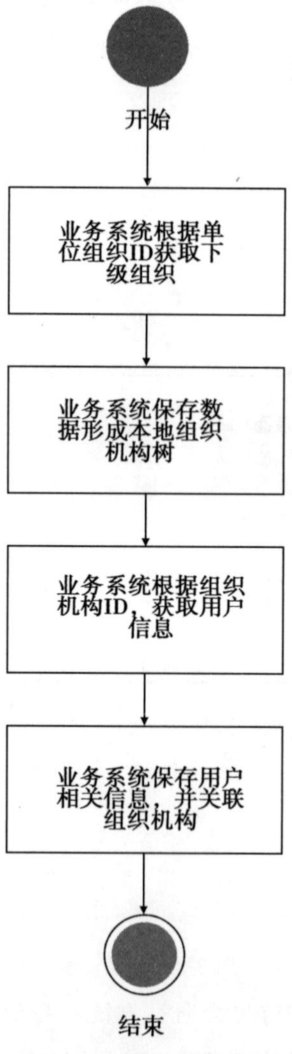

图8-3　同步政务组织及用户信息流程

(1)业务系统通过获取到的单位(部门)ID,定时调用省统一身份认证平台的接口获取下级政务组织接口。

(2)业务系统根据返回的部门列表信息,存储到组织机构表,形成组织机构树。

(3)业务系统根据组织机构树的组织 ID,调用接口获取用户信息。

(4)业务系统存储用户信息并关联到组织机构树。

(5)流程结束。

六、接入工作流程

接入工作流程主要包括接入前准备、接入申请、接入核准、接入改造、接入联调、接入开通六个阶段。

(一)接入前准备

申请节点按以下要求进行准备:

(1)各节点应明确本地域名规划和认证服务节点域名规划,明确 IP 地址,制定部署方案,明确地方和部门节点部署位置,确保服务器部署在安全区域内。

(2)制定接入方案,描述对接环境和应用系统,描述接口调用方案,描述 IP 网络拓扑、IP 地址、域名,描述安全防护方案。

(3)约定接入各方的工作职责。

(二)接入申请

地方和部门节点向省政务服务数据主管部门申请接入,申请时根据需要填写政务业务系统接入省统一身份认证平台申请。

(三)接入核准

对申请节点提供的技术信息和接入方案进行评测后,省政务服务数据主管部门核准是否接入,核准后节点建立以下接入要素:

(1)申请节点的服务地址数据(建立 IP、域名、访问控制列表等)。

(2)回复服务地址列表,申请方通过读取服务地址获取包括登录认证服务、票据服务、令牌服务、隐性登录服务、用户信息查询、登出服务消息订阅服务等地址。

(四)接入改造

对接入节点范围内的政务服务门户和业务系统中的身份认证相关业务进行梳理,按照政务服务认证流程进行接入改造。

申请节点应选定统一模式或协同模式,按选定方式进行改造。

统一模式:登录认证、用户空间管理等功能都由省节点统一身份认证平台完成,地方和部门节点通过对接省节点完成本地用户登录认证及跨节点信任传递。

协同模式:登录认证、用户空间、单点登录均由各地方和部门节点建设完成,在现有系统内增加指向省节点的链接，通过和省节点的信任传递系统对接，实现跨节点访问通用。

（五）接入联调

对接入节点范围内的政务服务门户和业务系统中的身份认证相关业务进行联调。

（六）接入开通

省政务服务数据主管部门根据申请信息完成配置、开通接入服务后，通知申请方完成接入。

七、认证安全加密要求

（一）基本要求

（1）系统所使用的加密算法需要支持国密规范。

（2）地市和省级节点需要对隐私数据进行保护。

（3）地市和省级节点在用户登录认证会话中禁止暴露令牌，令牌等认证信息应在认证服务器之间传递，禁止经由用户设备或其他第三方传递。

（4）地方和部门节点间传输令牌、用户信息等数据时，应对通信进行加密和签名。

（5）地市和省级节点应使用 HTTPS 协议对外提供服务，禁止使用 HTTP 协议。

（二）系统安全要求

按省统一身份认证系统制定密码口令、验证码、登录异常提醒、登录异常处理、登录日志审计等规范要求。

1.口令

（1）系统应具备对口令强度检测的能力，并对用户进行提示（尽量不要以姓名拼音、电话号码以及出生日期等作为口令或者口令的组成部分），阻止常见弱口令的配置。

（2）应以不可逆加密技术保存口令，禁止以明文方式保存或者传输。

（3）在采用不可逆加密算法认证过程中，每次认证时，由服务端随机生成验证值参与运算。

（4）修改口令时，保留口令修改记录，包含账号、修改时间、修改原因等，以备审计。

2.验证码

（1）短信验证码的长度要求：纯数字类，不少于 6 位；“英文字符＋数字类”，不少于 4 位。

（2）单位时间内，应限制用户可获取动态短信验证码的次数；对于超过可获取次数的用户，暂停下发动态短信验证码。

3.登录异常提醒

（1）设置用户业务认证登录失败提醒策略，当用户登录失败超过限定次数时，发送消息到已登记的手机号或邮箱，提醒用户是否为本人操作。

（2）同一时间同一账号在多终端进行尝试登录应发送短信提醒。

4.登录异常处理

(1)设置用户业务认证登录策略,限定连续登录失败次数(如5次)、锁定时间(如1小时)、解锁方式。

(2)应配置同一用户连续认证失败次数,连续认证失败次数超过限定次数(如5次)时,锁定该用户使用的账号。

(3)应配置当来自同一终端、IP的不同账号连续认证失败次数,认证失败次数超过限定次数(如5次),锁定来自该终端、IP的登录请求。

5.登录日志审计

(1)应配置登录日志留存,对用户登录进行记录。登录日志内容至少包括用户登录使用的账号、登录是否成功、登录时间以及远程登录时用户使用的IP地址。

(2)审计登录日志,如在限定时间(如5分钟)内,同一用户名产生的登录日志条数超过限定数量,则报告账号异常。

(三)浏览器访问通信安全要求

用户登录Web服务,应采用HTTPS协议,禁止使用HTTP协议。浏览器访问过程中禁止明文传递用户口令,应加密或散列处理。统一身份认证系统各节点间Web重定向,应使用HTTPS协议,只能携带票据,不能使用令牌。请求参数中若出现证件号、手机号等隐私信息时,应使用散列值。

第三节　典型案例

福州市政府按照全市智慧公共服务平台顶层架构,通过整合市级人口数据库、法人数据库、电子证照数据库,为身份认证和实名验证提供了数据基础。福州市统一身份认证平台依托福州市政务云平台资源,充分利用福州市公安实名认证系统,提供跨部门、跨应用、跨网络的全网统一实名认证服务、单点登录服务和身份认证服务,用户只需要参与一次身份认证过程,便可获得其电子身份标识,处处共享。有效解决跨部门之间应用共享、实体互信、访问互通等问题。

一、身份认证框架

身份认证体系整合了用户身份信息和资源访问控制等诸多技术,降低了政务服务提供方维护身份信息的成本,同时保护了身份在其生命周期内的完整性。身份认证必须保证身份信息的完整性、权威性和可用性。图8-4显示了福州市统一身份认证过程中各个参与方之间的关系。个人通过Web网站、手机APP等方式进行线上注册。用户注册成功后,通过实名注册门户可查询验证状态、最近的现场认证窗口位置信息、现场面签所需携带资料及流程等内容。福州市市民统一身份认证平台将待认证用户信息推送到福州市公安实名验证系统。当市民在线下的窗口办理面签时，公安民警通过登录福州市公安实名验证系统调用请求服务，获取公民信息数据库信息，比对审核市民的注册相关信息。面签认证审核通过后，福州市公安实名验证系统将数据同步至福州市市民统一身份认证平台实名验证数据库。

用户注册后仅需到窗口进行一次实名认证面签，便可使用身份证号码、统一社会信用代码在各办事系统对接福州市统一身份认证平台提供的单点登录、身份认证功能。

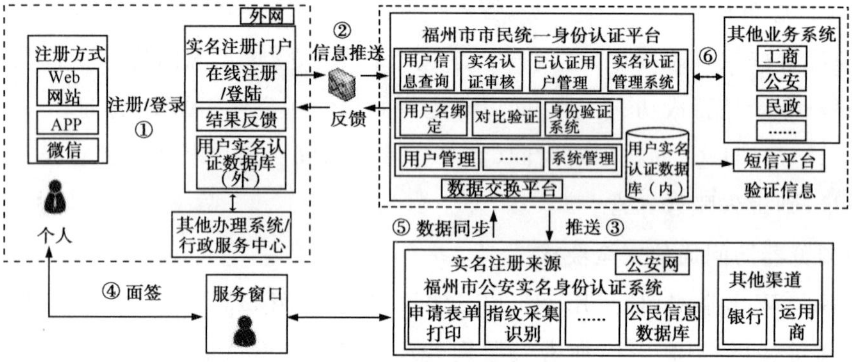

图 8-4　身份认证框架图

二、关键技术实现

在保护公民隐私的前提下，福州市统一身份认证平台以权威、齐备的身份信息数据为基础，推动跨部门互认共享，实现基于公民身份证号码和电子证照的“一号式”服务，建立线上唯一的、权威的福州市电子身份，提供“唯一识别、一次登录、全市通行”的无障碍、跨部门的高效便民企服务。

(一)真实可靠的实名制认证手段

福州市统一身份认证采用实名制认证手段。实名制认证是指在办理相关业务时需要提供有效的、可信的身份证明信息，是一种新型的网络应用管理制度。随着电子政务的不断发展，网上办事的普及和应用层面扩大，实名制的实施有助于防范和检验虚假电子身份信息，确保办理信息的真实性和可靠性，是维护互联网健康持续发展的内在需求。

(二)线上、线下相结合的认证体系

福州市统一身份认证平台依托福州市公安实名验证系统现有的实名验证接口，实现线上公民身份信息认证核实。在统一身份认证门户注册的用户实名信息将信息推送到福州市公安实名验证系统，注册用户线下通过就近派出所或公安局进行面签，完成身份认证。通过线上注册和线下申请相结合的身份认证方式，将个人实名数据同步至福州市市民统一身份认证平台，最大限度地保证了身份信息的真实性和权威性。

(三)以城市公共基础库资源为支撑的认证方式

福州市统一身份认证平台在“互联网＋”实名制建设进程中，实现与人口库、法人库等系统的对接。通过对数据采集、交换、共享、应用等行为进行规定，完成人口共享数据项标准规范、共享服务应用接口、日志安全审计规范、用户授权管理规范、接入应用与服务资源注册等标准规范和管理办法制定，实现多种接入方式汇聚、授权使用及安全审计等安全管理。项目汇聚政法、人社、卫生、民政、教育、公积金等 10 家参建部门 27 类人口信息资源，涉及 450 个人口信息数据项，利用福州市公安局核查接口对人口信息进行交叉稽查和关联比对，建立起权威和真实的全市人口信息数据库，以此形成身份认证的实名认证基础数据支撑服务。

(四)基于多权限整合的单点登录模式

单点登录是身份管理中的一部分，是指通过一个应用中的安全验证后，再访问其他应用中的受保护资源时，不再需要重新登录验证。福州市统一身份认证平台采用单点登录技术，用户只需登录一次，即可通过单点登录认证访问多个应用系统，无需重新登录各个应用系统。单点登录结合实名制应用，实现企业和个人在线办事业务应用。

单点登录认证主要分为两种应用方式，如图 8-5 所示：第一种为从业务系统访问相关应用，由后台实现身份认证；第二种为从统一认证门户直接认证访问相关应用。福州市统一身份认证平台结合以上两种方式，在一个平台中整合行政服务、社会服务和政务服务办事项，实现全市“一号”通办的应用模式。

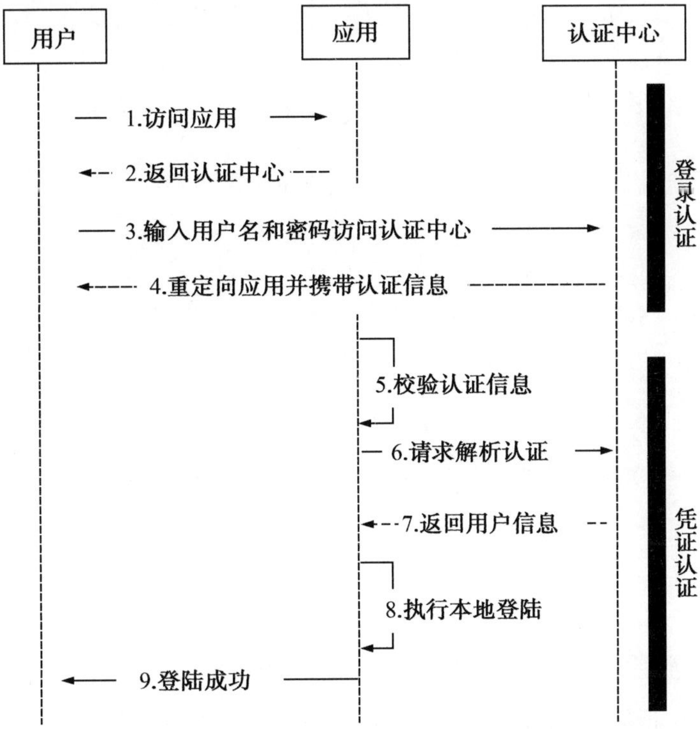

图 8-5　认证方式

三、应用成效

福州市统一身份认证平台旨在保护公民隐私的前提下，以权威、齐备的身份信息数据为基础，建设一套身份认证和实名验证的服务体系，解决网上办事共享难、协同难、互通难的问题，实现跨部门、跨系统的公民实名认证和统一身份认证，推动各部门办事效率的提升，提高政府治理能力和服务水平。

用户通过 Web 网站、APP 应用等多种方式进行在线注册。通过改造福州市公安实名认证系统并与之相关联形成"一人一档、一企一档、一组一档、一物一档"的全市电子文件档案管理，从而实现电子身份确认。由福州市统一身份认证平台提供线上身份认证服务和网上办事服务，全流程应用中结合短信和站内信等多种通信手段，及时将信息推送给公众，形成全市政务服务和行政服务"一窗"受理和审批办理。

福州市统一身份认证平台的建设，实现统一用户管理和认证接口管理，提供权威身份认证信息，并广泛应用于行政审批平台、数字政务通、E 福州等面向组织、企业和个人的审批系统；通过"一号式"政务管理模式，有效推进福州市"互联网＋政务服务"的发展，提高政府办事效率；促进电子政务建设向务实高效的方向发展，方便网上办事，达到便民、惠企的服务目标。

第九章　统一电子印章

第一节　构建统一电子印章的内涵

为深入推进“互联网＋政务服务”，全面推进“一网通办”，切实做到“让数据多跑路，让群众少跑腿”。随着在线政务服务水平的提升，电子印章领域得到了较大的发展，为线上业务办公提供了更多的可能，具有极高的价值和意义。

一、工作背景

2018年7月，《国务院关于加快推进全国一体化在线政务服务平台建设的指导意见》(国发[2018]27号)提出了按照“一网通办”要求进一步优化政务服务流程，依托国家政务服务平台身份认证、电子印章、电子证照等基础支撑，推动证照、办事材料、数据资源共享互认，压缩办理环节、精简办事材料、缩短办理时限，实现更多政务服务事项的申请、受理、审查、决定、证照制作、决定公开、收费、咨询等环节全流程在线办理。在电子印章建设方面，制定政务服务领域电子印章管理办法，规范电子印章全流程管理，明确加盖电子印章的电子材料合法有效。应用基于商用密码的数字签名等技术，依托国家政务服务平台建设权威、规范、可信的国家统一电子印章系统。各地区和国务院有关部门使用国家统一电子印章制章系统制发电子印章。未建立电子印章用章系统的按照国家电子印章技术规范建立，已建电子印章用章系统的按照相关规范对接。

2019年4月，国务院总理李克强签署国务院令，公布《国务院关于在线政务服务的若干规定》(国务院716号令)，明确电子签名、电子印章、电子证照、电子档案的法律效力。符合电子签名法规定条件的可靠的电子签名，与手写签名或者盖章具有同等法律效力；电子印章与实物印章具有同等法律效力；电子证照与纸质证照具有同等法律效力；符合档案管理要求的电子档案与纸质档案具有同等法律效力。除法律、行政法规另有规定外，电子证照和加盖电子印章的电子材料可以作为办理政务服务事项的依据，电子文件不再以纸质形式归档和移交。

二、电子签章概述

(一)概念

电子签名是通过密码技术在电子文档上加载的电子形式的签名。电子签章是电子签名的一种表现形式,利用图像处理技术将电子签名操作转化为与纸质文件盖章操作相同的可视效果,同时利用电子签名技术来保障电子信息的真实性、完整性以及签名人的不可否认性。

(二)新标准

目前,国内电子签章产品种类众多,市场应用范围广泛,但是市场的繁荣也带来了鱼龙混杂的现象。当前国内各厂商在电子签章和电子签章的数据格式、安全性设计、密码应用模式等方面缺乏统一标准,部分产品甚至缺乏基本的密码安全保障,存在电子签章被伪造、电子签章被篡改等诸多安全问题。为了保障电子签章应用的安全性,促进我国电子签章应用的互联互通和数据共享,推动电子签名市场朝着合规健康的方向发展,2020 年 3 月 6 日,国内首个安全电子签章技术国家标准《信息安全技术　安全电子签章密码技术规范》(GB/T 38540—2020)正式发布。

从标准制定的内容来看,在未来发展过程中需要重点关注两个方面。

1.关于安全签署方面

为了避免在进行电子签署时面临被篡改、被抵赖等安全隐患,确保电子签章行为的不可否认性,此标准对电子签章的安全技术、数据结构、步骤能力等方面进行了严格规定。在保障安全签署时,需重点关注以下两点:第一,基于 PKI 公钥密码技术;第二,从生成到验证全流程的步骤能力。

首先,安全的电子签章都是基于 PKI 公钥密码技术,通过数字证书、数字签名、数据完整性机制等技术来建立一个安全的网络环境。例如,安全电子签章是通过采用 PKI 公钥密码技术,将数字图像处理技术与电子签名技术进行结合,以电子形式对加盖印章图像数据的电子文档进行数字签名,在尊重人们对纸质文件和物理印章的使用习惯与用户体验的同时,又确保了电子文件的安全性。

其次,为了有效保障电子签章的安全性,电子签章的生成和验证需要经历复杂的密码运算过程。所以,此标准对电子签章从生成到验证的全流程提出了详细的技术要求,以确保其数据结构的完整性、数据内容的完整性以及签署人身份的真实性。

2.标准细则有变化,互联互通是趋势

此次国家标准的发布,在兼容以前相关行业标准和匹配实际应用需求的基础上,将数据结构版本升级为第 4 版,同时在电子签章和电子签章数据格式的结构定义标准细则上发生了变化。基于此,在电子签章后续的应用中,需要特别注意不同版本的格式变化要求。此次标准的出台，一方面明确了电子签章的基础标准，为行业标准的衍生和各行业的应用实践提供了准绳；另一方面，也反映了我国将逐步推行基于密码技术的统一电子签章和电子签章数据格式，实现电子签章应用的互联互通或将成为未来的一大发展趋势。

(三)新发展

电子签章在优化营商环境中的应用日渐广泛。过去企业办理行政审批只能通过传统线下办理，需要准备各项申请书及相关材料，亲自跑去现场提交申请、接受审核，费事又费时。如今通过电子签章，足不出户就能提交申请和资料，受理审核的效率也得到了极大提高。

三、电子签章的优势

从电子签章的应用情况来看，电子签章主要具有以下几个方面的优势。第一，从使用方面来说，电子签章的使用更加灵活便捷；电子签章更高效，电子化合同签章无须快递和人工跑腿，省时高效，即审即签，秒间速达，便捷安全。第二，使用电子签章有利于节约成本。电子签章成本更低，无纸化电子签章方式为企业有效节省了各项成本，如纸张、合同打印、复印、人工、文件传送时间等隐性成本。第三，电子签章的管理更加高效，合同管理、查询方式更方便。相对于纸质单据的储存和查询，电子合同文档的管理和查询非常方便，输入文件关键词搜寻，海量文件也能轻松查找。第四，电子签章有利于杜绝“萝卜章”。电子签章的使用有利于杜绝实践中印章私刻代签等现象。

电子签章已经不是新生事物，在国外，已经涌现出 DocuSign 这样市值突破百亿美元的行业巨头，随着电子化进程的加快及各项法律法规的推进，国内市场迎来最佳爆发期，电子签章作为一种越来越常见的技术产品，已经进入大家的生活中。在政务行业，电子签章是“互联网＋政务服务”的关键保障技术之一，能够实现互联网政务服务的全程无纸化，同时保障法律效力。日前，上海市就在全国首创了为开办企业同步发放电子执照和电子签章的政策，并且依托数据共享，实现了企业实体印章按照电子签章刻制的模式，改变了以往“先发电子执照、后发电子签章，先刻实体印章、后有电子签章”的传统。据了解，当企业设立后，就会自动生成电子执照和电子签章，可直接通过移动端线上领取。而使用时，只需扫一扫二维码，就可以完成企业身份认证、营业执照出示、登记信息采集、文档数字签名等多种功能。此次上海市将电子执照和电子签章深度嵌入了涉企服务高频领域，使用电子执照和电子签章，企业就完全可以在网上办理登记注册、年报公示、涉税事项、五险一金等各类业务，不需要再去线下办理，大大提升了政务办理效率，同时也打造出良好的营商环境。

第二节 电子印章的建设内容

在线政务服务电子印章系统的关键是要完全满足电子签章的规范性、安全性。部署时应采用国密算法的国产产品并通过国家法定机构的认证和审核，具备国密资质及公安入网检测许可，同时使用相关加密、签名、数字身份认证等技术构建严密的安全体系，确保印章系统与印章数据的安全身份访问、使用、传输、信息加密安全，确保对印章系统与签章数据的身份认证唯一性、可追溯、不可否认。

一、电子印章系统建设需求

政务服务申请人在线提交各类电子表单和电子文档材料时，根据所申请服务事项的要求，在电子表单和电子文档材料上加盖申请人的电子印章。

政务服务实施机构在事项办结时，应在办件结果电子证照及文书上加盖签发机构的电子印章。

经加盖电子印章的表单、文档材料、电子证照、文书，均可进行签章信息查看(包括签章者姓名、印章名称、签章时间、签章保护内容等)、印章证书查看(包括印章关联证书的基本信息、有效期限、颁发机构和颁发目的等)、文档完整性检查(被篡改的文档显示无效印章的样式)。

电子印章系统需具备以下功能：

(1)电子印章管理。电子印章管理包括电子印章的申请、审批、制作、发放、挂失和销毁等管理功能。

(2)电子签章认证。电子签章认证包括电子签章认证、身份认证、数字签名认证和信息加解密。

数字证书合法性验证：验证数字证书是否由指定的合法颁发机构颁发。

数字证书是否过期：验证数字证书是否在有效期内。

数字证书是否被废止：从数字证书中心获取废止的证书列表，确保被废止的数字证书对应的电子印章不可以签章。

数字签名验证：对提交的数字签名数据包进行解析和验证，防止在传输过程中数据被非法篡改。

(3)客户端电子签章。在客户端电脑、移动终端等设备上实现对具体的文档或信息内容进行电子签章和验证，一般包括文档电子签章、网页签章、表单签章、移动端签章等功能。

二、系统设计及关键技术

(一)系统设计

1.电子印章制作系统

电子印章制作系统提供电子印章的证书申请、制作、备案等相关功能。电子印章制作单位部署电子印章制作终端,通过电子印章制作终端提供电子印章制作服务。电子印章制作系统与国家政务服务平台对接,完成印章唯一赋码获取、电子印章数据备案以及公安数据的获取、解密、存储、确认回执,实现印章的变更、吊销等功能,完成电子印章的全生命周期管理。电子印章制作系统按照国办相关技术规范,能够在线与政务CA进行交互,完成数字证书的申请、变更、延期、吊销等功能。

2.电子印章状态发布系统

电子印章状态发布系统除了提供电子印章的状态发布、查询、下载及变更服务,还提供电子印章状态查询服务和电子印章状态变更服务。电子印章状态在线查询服务,用于验证签章时电子印章的有效性;电子印章状态吊销列表下载服务,用于本地进行印章状态查询;电子印章状态变更服务,用于电子印章制发部门对其管辖范围内的电子印章进行状态变更。如果电子印章数字证书存在状态变更信息,应同步到电子印章状态发布系统。

3.电子印章应用系统

电子印章应用系统是在电子印章基础设施与政务服务平台之间起到承上启下作用的核心系统,对下提供电子印章基础支撑,对上为政务服务平台提供电子签章服务。电子印章应用系统主要是实现业务系统中的电子文件签章功能,具有集中式签章和分散式签章两种方式。

系统具有良好的适用性和扩展性,提供二次开发接口,可与多个业务系统进行快速集成,支持国密算法,能够满足大数据、大开发、高可靠性要求,支持文件批量签章、印章自动定位(包括关键字和坐标两种定位方式)。

4.电子印章接入检测系统

电子印章接入检测系统按照国家政务服务平台统一电子印章系统接入要求和内容进行检测,检测电子印章相关系统接入接口规范、技术规范等。面对不同电子印章厂商的印章数据、电子签章文件,逐一按照国办规范进行检测,检测各个厂商是否已经实现了规范要求内容。

5.电子印章数字证书管理平台

为支撑本地区统一电子印章系统建设,依靠政务CA印章在原有政务RA的基础上进行功能升级改造,建设本地区的电子印章数字证书管理功能模块,向上与政务CA印章进行联通，完成证书的制作、发放、吊销、变更、延期等交互，向下可面向本地区多个电子印章制作系统提供标准的服务接入接口，可满足制作系统的制证需求。

（二）关键技术

1.集中式签章和分散式签章

集中式签章和分散式签章应用并存模式，具有开放性、灵活性、可扩展性和伸缩性的特点。集中式签章方便用户进行批量签章，具有快速、高效的优势，而分散式签章用户印章须保存在用户的 U-Key 中，使用的印章必须通过验证，以确保数据的安全性。

2.兼容国密与国办双重的签章数据格式

系统遵循国办接入要求和制章、签章、验章的要求，同时保留了电子印章系统国密的技术规范和标准，即具备国办与国密双重签章数据格式的标准要求，可以识别并兼容国密标准的存量电子签章文件。

3.批量重签功能

由于存量的电子签章文件使用的电子印章格式与国办要求不同，印章不存在唯一的赋码和电子印章公安部备案，所以需要重新制章后在源文件进行重签以满足政务服务平台中的继续使用。借助密码设备，将电子印章存储在密码设备中，利用电子签章用章系统（签章服务平台）采用集中式用章功能，完成待签文件的批量签署。密码设备提供签章文件的密码运算服务。

4.自验接口

统一电子印章系统提供签章文件的自助查验接口，可查验签章文件的印章格式、签章文件是否符合国办电子印章系统接入标准，能够互认互验，自验以功能方式提供。

5.存量的电子印章数据

存量的电子印章数据因与国办标准格式不同，必须进行重新制章，赋予印章的唯一标识和备案要求，满足国办标准。针对重新制章，考虑到当前部分地市已存在的电子印章及 Key 的发放情况，可集中收集后再制章。所以针对此类情况，系统提供了自助式远程更新印章功能。自助式远程更新印章即将原来的 Key 接入统一电子印章系统后根据 Key 的硬件标识和数字证书身份标识去电子印章存储服务器下载对应的电子印章至 Key 中，达到更新电子印章数据的目的。

三、统一电子印章系统结构

统一电子印章系统组成结构如图 9-1 所示。

统一电子印章系统各组成部分的具体描述如下：

（1）电子印章信任支撑系统是电子印章的信任基础，部署于国家政务服务平台。CA 为电子印章系统提供数字证书服务。

(2)电子印章管理系统提供电子印章制作主体、电子印章状态发布系统、电子印章制作系统的注册和管理服务,部署于国家政务服务平台。

(3)电子印章制作系统提供电子印章的制作相关服务,部署于国家政务服务平台和各地区、各部门政务服务平台。

(4)电子印章状态发布系统提供电子印章的状态发布、查询、下载及变更服务。

(5)电子印章接入检测系统提供对电子印章制作系统、状态发布系统的测试服务。

(6)电子印章应用系统实现电子印章签章、验章等相关业务。

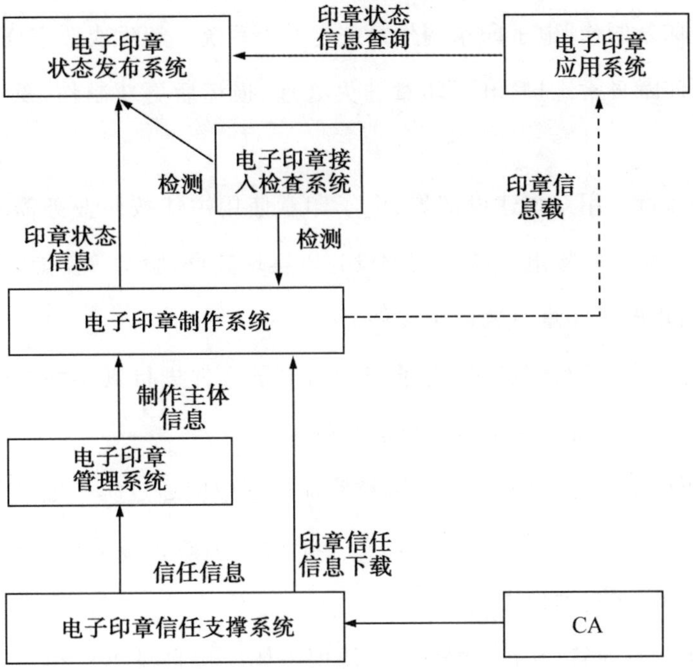

图 9-1　统一电子印章系统结构图

四、统一电子印章运行管理要求

统一电子印章运行管理包括电子印章基础设施管理、电子印章制作及保管、电子印章使用和电子印章监管等相关业务管理环节,每个环节的主要管理要求如图 9-2 所示。

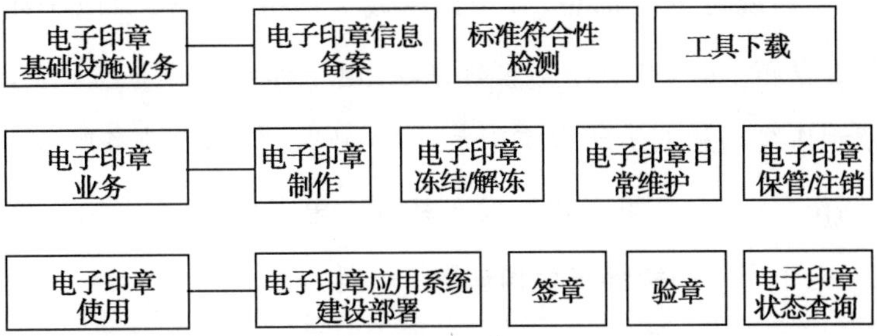

图 9-2　统一电子印章运行管理

具体描述如下:

(1)电子印章信息备案:将统一电子印章系统制作的电子印章信息进行备案。

(2)标准符合性检测:对接入统一电子印章系统的设备、系统、数据,应按检测要求进行检测。

(3)工具下载:为使用统一电子印章系统的用户,提供必要的签章、验章工具下载。

(4)电子印章冻结/解冻:对电子印章的冻结或解冻处理,并公示状态结果。

(5)电子印章制作:电子印章制作系统与CA系统一起生成数字证书和电子印章。

(6)电子印章日常维护:电子印章挂失处理、损坏后更新制作、重置电子印章载体的PIN码等。

(7)电子印章应用系统建设部署:电子印章使用主体按照业务需求自行建设电子印章应用系统,该系统连接电子印章基础设施以实现签章、验章等功能。

(8)签章:用电子印章签署电子文件。

(9)验章:对电子印章及签署电子印章的电子文件进行真实性、完整性验证,并通过电子印章状态发布系统验证电子印章的有效性。

(10)电子印章状态查询:在电子印章验证过程中应通过统一电子印章系统查询印章的有效性。为便于使用,可利用电子印章基础设施中的状态下载服务,将电子印章状态信息下载到本地,实现本地查询。

(11)电子印章保管、注销:电子印章使用主体应按自身单位相关管理规范进行安全管理,包括人员管理、印章管理、使用过程管理等;当印章所属单位变更或将指定电子印章废弃,可通过统一电子印章系统注销电子印章,并公示状态结果。

五、统一电子印章系统部署

统一电子印章系统可分级部署,其中国家政务服务平台部署电子印章信任支撑系统、电子印章状态发布系统、电子印章管理系统、电子印章制作系统、电子印章接入检测系统、电子印章制作终端和电子印章应用系统;各地区、各部门政务服务平台统筹建设或部署电子印章制作系统、电子印章状态发布系统和电子印章应用系统,可部署电子印章制作终端。统一电子印章系统部署架构如图9-3所示。

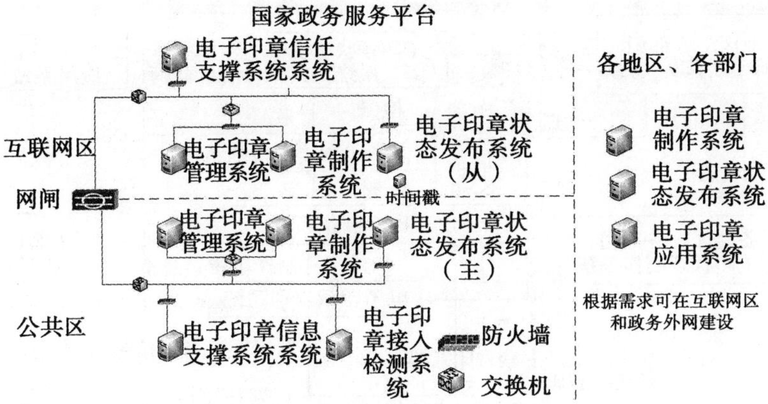

图 9-3　统一电子印章系统部署架构

具体描述如下：

(1)电子印章信任支撑系统在国家政务服务平台私有云公共区和互联网区分别部署,提供政务外网电子印章系统的对接和接入,互联网区对接公安密码系统。

(2)电子印章管理系统在国家政务服务平台私有云公共区和互联网区分别部署,实现电子印章制作系统和发布系统的注册。

(3)国家政务服务平台电子印章制作系统在私有云公共区和互联网分别部署,满足政务外网和互联网区用户需求。

(4)国家政务服务平台电子印章状态发布系统在私有云公共区和互联网分别部署,满足政务外网和互联网区用户需求,提供政务外网区的系统对接接口调用。

(5)国家政务服务平台电子印章接入检测系统在私有云公共区部署,用于对接入国家政务服务平台的电子印章制作系统和状态发布系统的检测。

(6)各地区、各部门建设各自的电子印章制作系统、电子印章状态发布系统和电子印章应用系统,根据各自需求在政务外网或互联网进行部署。

六、电子印章基础设施业务

(一)概述

电子印章相关的主要业务流程如图 9-4 所示。

具体描述如下：

(1)电子印章信任支撑系统获取 CA 的印章根证书、OCSP、CRL 等相关信息,并提供电子印章唯一赋码管理服务。信任支撑系统与公安部电子印章系统对接,完成公安对称密钥下载、公安印章信息下载和电子印章备案。信任支撑系统和 CA 一起为全国范围内电子印章的互认、互通提供信任支撑服务。

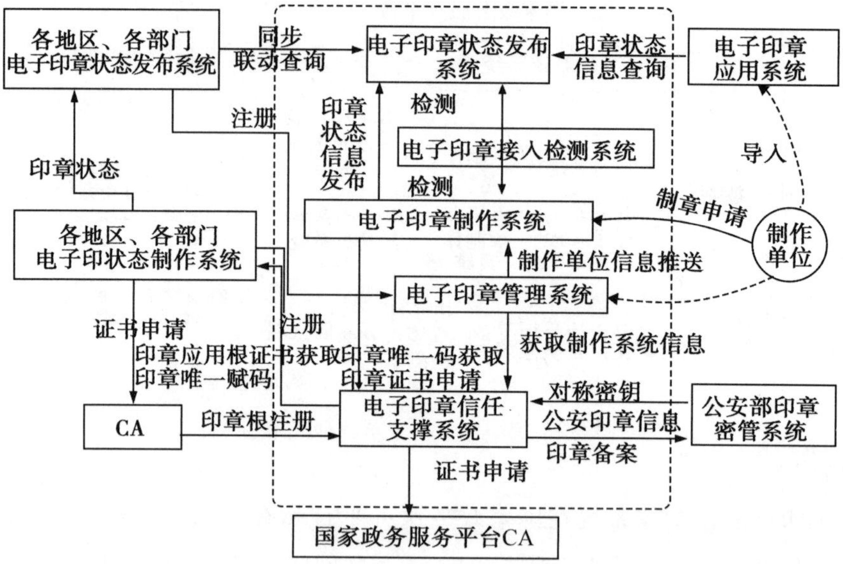

图 9-4　电子印章主要业务流程图

(2)电子印章管理系统提供电子印章制作主体、电子印章状态发布系统、电子印章制作系统的注册和管理服务，部署于国家政务服务平台。各地区、各部门的电子印章制作系统、状态发布系统在注册后，可接入国家政务服务平台统一电子印章系统。

(3)电子印章制作系统提供电子印章制作及变更等业务。电子印章制作系统从信任支撑系统获取电子印章根证书，其中电子印章根证书由国家政务服务平台电子印章管理系统推送。制作电子印章时，从 CA 获取电子印章数字证书(电子印章所有者证书)，并通过国家政务服务平台统一电子印章系统获取电子印章唯一赋码和进行电子印章备案。电子印章制作系统将制作的电子印章状态信息推送至相应的电子印章状态发布系统。

(4)电子印章状态发布系统提供电子印章的状态发布、查询、下载及变更服务。电子印章状态在线查询服务，用于验证签章时电子印章的有效性；电子印章状态吊销列表下载服务，用于本地进行印章状态查询。各地区、各部门政务服务平台电子印章状态发布系统将本地区、本部门电子印章状态同步至国家政务服务平台，并可从国家政务服务平台查询其他地区和部门的电子印章状态。

(5)电子印章接入检测系统提供对电子印章制作系统、状态发布系统的测试服务，各地区、各部门的电子印章制作系统、状态发布系统在接入国家政务服务平台统一电子印章系统前应经过国家平台测试，测试内容和方法应符合国家标准要求。

(6)电子印章应用系统由各地区、各部门或电子印章使用主体建设，是电子印章基础设施的服务对象，其利用电子印章基础设施实现电子印章导入、电子印章签章和验章等相关业务。

(7)由国家政务服务平台统一电子印章系统制作的电子印章，其数字证书由国家政务服务平台 CA 签发;通过各地区、各部门政务服务平台电子印章系统制作的电子印章,数字证书由相应的第三方或行业 CA 签发。

(8)国家政务服务平台统一电子印章系统与 CA 系统一起提供各地区、各部门电子印章的互认互验。

(二)电子印章基础设施业务

1.电子印章信息备案

各制作终端制作的电子印章由相应的电子印章制作系统通过国家政务服务平台统一电子印章系统备案至公安部,备案基本流程如图 9-5 所示。

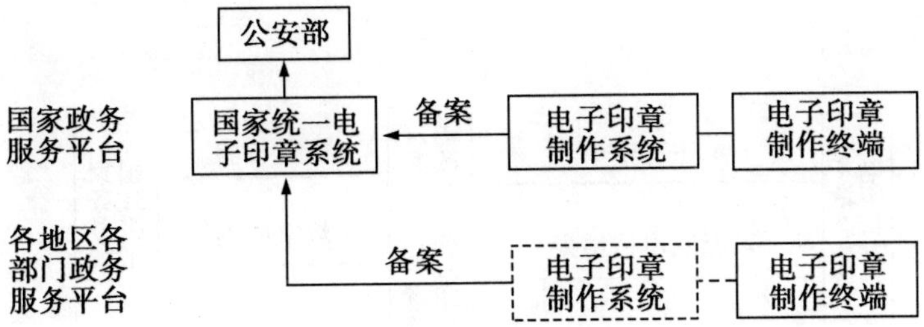

图 9-5　电子印章备案基本流程

2.符合性检测

电子印章系统及设备检测的方法和流程具体描述如下:

(1)地方和部门电子印章制作系统建设完成后,应按接入检测要求进行检测,检测通过后方可对外提供电子印章制作服务。

(2)地方和部门电子印章状态发布系统建设完成后,应按接入检测要求进行检测,检测通过后方可对外提供电子印章状态查询服务。

3.电子印章制作系统注册

电子印章制作系统应在国家政务服务平台统一电子印章管理系统注册,由国家政务服务平台 CA 印章根为其签发电子印章制作系统证书,用于电子印章制作和身份鉴别。注册流程如图 9-6 所示。

注册流程如下:

(1)管理人员将电子印章制作系统注册申请信息录入国家政务服务平台统一电子印章管理系统。申请信息包括系统名称、系统 IP 地址和端口号、系统所在省市、系统公钥等。

(2)国家政务服务平台统一电子印章系统进行资料核验。

(3)国家政务服务平台 CA 为电子印章制作系统颁发数字证书,用印章根签发。

(4)将数字证书返回电子印章制作系统。

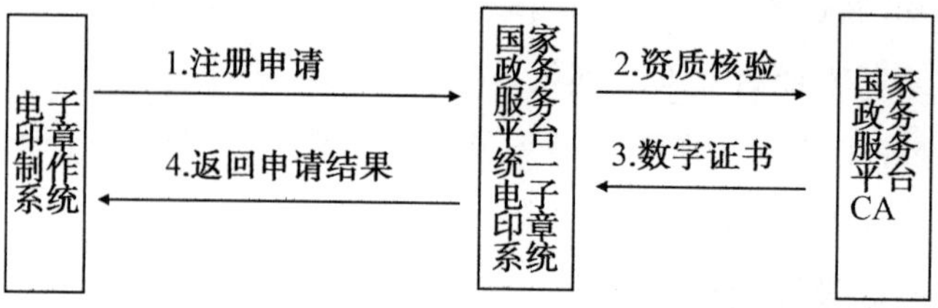

图 9-6　电子印章制作系统注册流程

4.电子印章状态发布系统注册

电子印章状态发布系统应在国家政务服务平台统一电子印章管理系统注册，由国家政务服务平台 CA 印章根为其签发电子印章状态发布系统证书，用于身份鉴别。具体流程如图 9-7 所示。

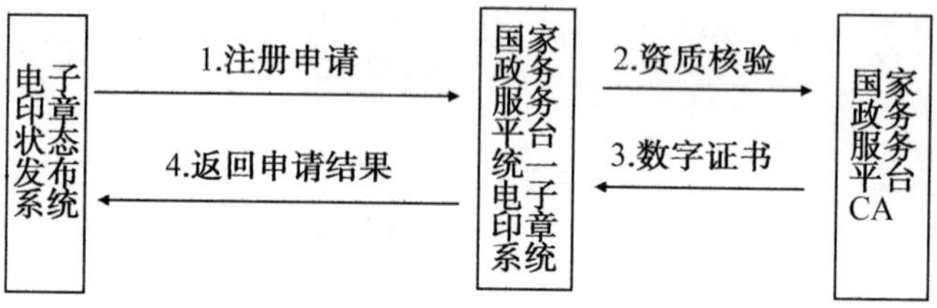

图 9-7　电子印章状态发布系统注册流程

注册流程如下：

(1)管理人员将电子印章状态发布系统注册申请信息录入国家政务服务平台统一电子印章管理系统。申请信息包括系统名称、系统 IP 地址和端口号、系统所在省市、系统公钥等。

(2)国家政务服务平台统一电子印章系统进行资料核验。

(3)国家政务服务平台 CA 为电子印章状态发布系统颁发数字证书，用印章根签发。

(4)将数字证书返回电子印章状态发布系统。

(三)电子印章业务

1.电子印章申领

电子印章使用主体可向电子印章制作主体申领电子印章，具体流程如图 9-8 所示。

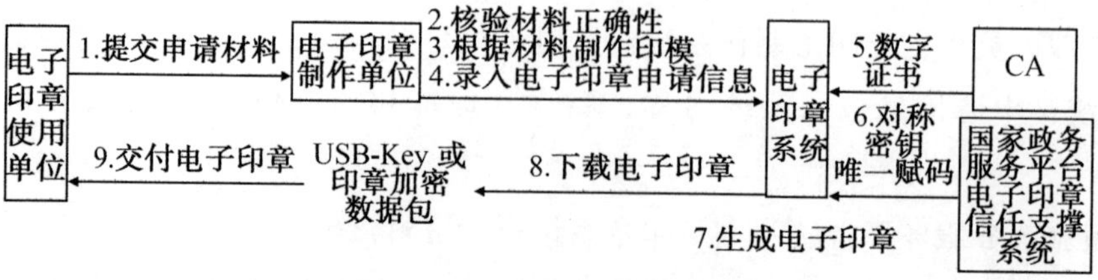

图 9-8　电子印章申领流程

电子印章申领流程描述如下：

(1)电子印章使用主体向电子印章制作主体提交申领材料。

(2)电子印章制作主体核验申领材料正确性。

(3)电子印章制作主体根据提交的申领材料制作电子印章印文图像。印文图像规格和样式在 1∶1 打印下应遵循实物印章有关规定和标准。

(4)电子印章制作主体登录电子印章系统，根据申请单位提交的材料，录入提交电子印章申请信息，包括单位统一社会信用代码、单位行政区划码、单位类型(国家行政机关或事业单位)、单位名称、法定代表人姓名、法定代表人公民身份证号码、法定代表人手机号码、单位地址、经办人姓名、经办人公民身份证号码、经办人手机号码、审批单位名称、审批单位行政区划码、电子印章名称、电子印章印文图像(如果制作电子印章要导入电子印章应用系统，还应提交从电子印章应用系统导出的电子印章申请数据包)。

(5)由 CA 机构为电子印章颁发数字证书(一个数字证书只能对应一枚电子印章)。

(6)从国家政务服务平台电子印章信任支撑系统获取电子印章唯一赋码、公安对称密钥、公安印章信息，并完成印章备案。

(7)电子印章系统根据申请材料生成电子印章。

(8)电子印章制作主体下载制作完成的电子印章。

(9)电子印章制作主体向电子印章使用主体交付电子印章。

(10)电子印章的存储包括 USB-Key 和印章加密数据包两种方式，其中印章加密数据包存储于服务器中，在服务端进行电子签章。

数据包的格式和安全参见 GB/T 35291—2017 和 GB/T 36322—2018 中密钥导入机制。

申请材料内容如表 9-1 所示。

表 9-1　电子印章申领需提交的材料

业务类型	电子印章申领申请材料
印章申领	印章申领
	上级单位加盖公章的电子印章申请文件
	经办人身份证
	经办人联系方式

2.电子印章变更

电子印章使用主体因机构变动、名称变更等原因需要更换电子印章时，应进行电子印章变更，具体流程如图 9-9 所示。

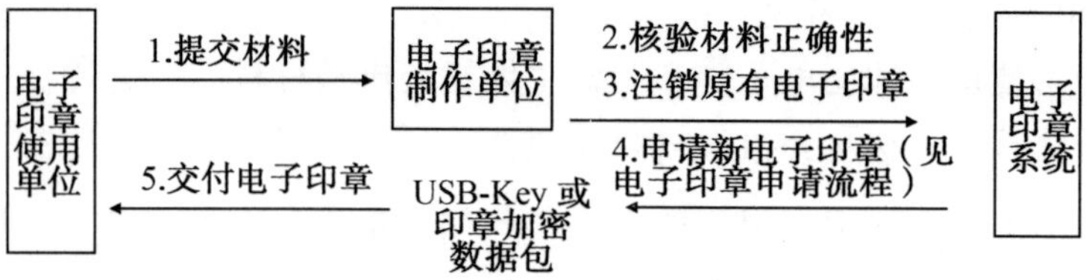

图 9-9　电子印章变更

电子印章变更流程描述如下：

(1)电子印章使用主体向电子印章制作主体提交变更申请材料。

(2)电子印章制作主体核验电子印章变更申请材料正确性。

(3)电子印章制作主体核验后，登录电子印章系统注销原有电子印章。

(4)电子印章制作主体申请新电子印章。

(5)电子印章制作主体向电子印章使用主体交付变更后的电子印章。

申请材料内容如表 9-2 所示。

表 9-2　电子印章变更需提交的材料

业务类型	电子印章变更申请材料
印章变更	加盖单位公章的电子印章变更原因说明书
	法定代表人身份证
	经办人联系方式
	成立该单位的有关文件、批文、编办文件或证照

3.电子印章挂失

电子印章使用主体因电子印章载体遗失时，应进行电子印章挂失，具体流程如图 9-10 所示。

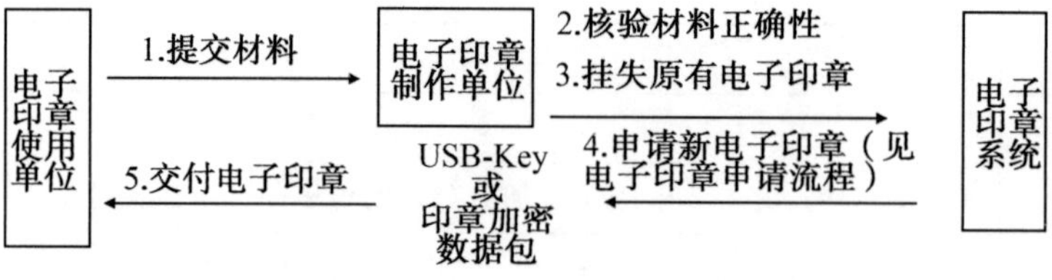

图 9-10　电子印章挂失流程

电子印章挂失流程描述如下：

(1)电子印章使用主体向电子印章制作主体提交电子印章挂失申请材料。

(2)电子印章制作主体核验电子印章变更申请材料正确性。

(3)电子印章制作主体核验后，登录相应的电子印章系统挂失原有电子印章。

(4)电子印章制作主体申请新电子印章。

(5)电子印章制作主体向电子印章使用主体交付新电子印章。

申请材料内容如表 9-3 所示。

表 9-3　电子印章挂失需提交的材料

业务类型	电子印章挂失申请材料
印章挂失	加盖单位公章的电子印章挂失原因说明书
	法定代表人身份证
	经办人联系方式
	成立该单位的有关文件、批文、编办文件或证照

4.电子印章注销

电子印章使用主体因自身业务原因需要注销本单位电子印章时,可通过电子印章系统实现。

电子印章注销流程描述如下:

(1)电子印章使用主体向电子印章制作主体提交电子印章注销申请材料。

(2)电子印章制作主体核验电子印章注销申请材料正确性。

(3)电子印章制作主体核验后,登录相应的电子印章系统注销指定的电子印章。

申请材料内容如表 9-4 所示。

表 9-4　电子印章注销需提交的材料

业务类型	电子印章注销申请材料
印章注销	加盖单位公章的电子印章注销原因说明书
	法定代表人身份证
	经办人联系方式
	成立该单位的有关文件、批文、编办文件或证照

5.电子印章续期

电子印章使用主体因电子印章或数字证书到期,向电子印章制作主体提交续期申请材料,具体流程如图 9-11 所示。

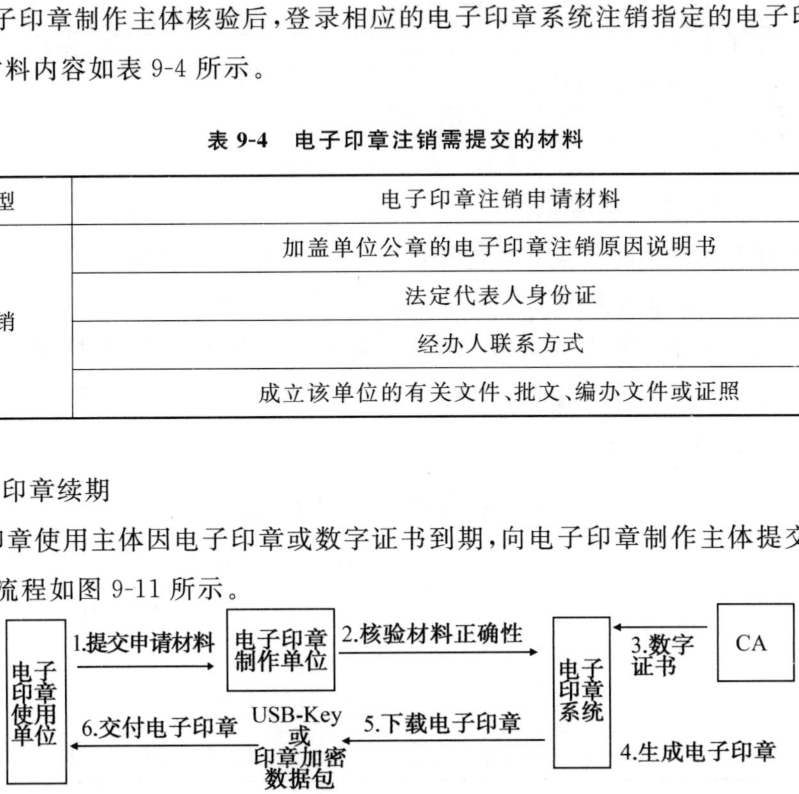

图 9-11　电子印章续期流程

电子印章续期流程描述如下：

(1)电子印章使用主体向电子印章制作主体提交电子印章续期申请材料。

(2)电子印章制作主体核验电子印章续期申请材料正确性。

(3)电子印章制作主体核验后，登录相应的电子印章系统进行电子印章续期操作。

电子印章续期宜支持在线申请，由电子印章使用主体进行自助申请：用户登录电子印章续期网站，插入 USB-Key 或者提交密码设备产生的申请包，由电子印章系统完成数字证书续期和电子印章续期。

申请材料内容如表 9-5 所示。

表 9-5　电子印章续期需提交的材料

业务类型	电子印章续期申请材料
印章续期	加盖单位公章的电子印章续期申请书
	经办人身份证、联系方式

6.电子印章更换

电子印章使用主体因电子印章载体损坏等原因需要更换载体时，向电子印章制作主体提交更换申请材料，具体流程如图 9-12 所示。

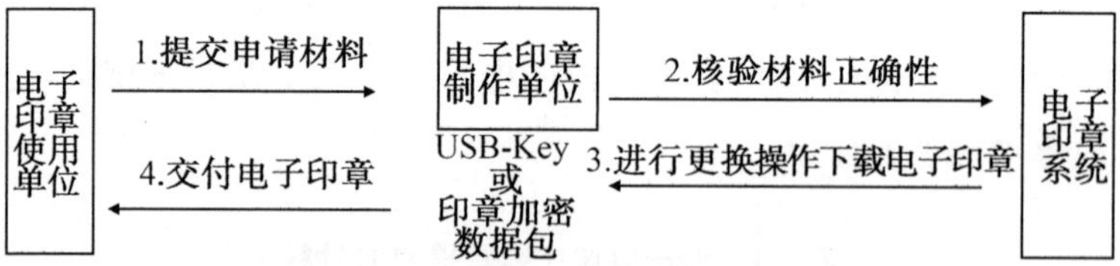

图 9-12　电子印章更换流程

电子印章更换流程描述如下：

(1)电子印章使用主体向电子印章制作主体提交更换申请材料。

(2)电子印章制作主体核验电子印章变更申请材料正确性。

(3)电子印章制作主体核验后，登录电子印章系统进行电子印章更换操作。

(4)电子印章制作主体向电子印章使用主体交付更换后的电子印章。

申请材料内容如表 9-6 所示。

表 9-6　电子印章更换需提交的材料

业务类型	电子印章更换申请材料
印章更换	加盖单位公章的电子印章更换原因说明书
	法定代表人身份证
	经办人联系方式
	成立该单位的有关文件、批文、编办文件或证照

7.电子印章载体 PIN 码重置

用章单位因电子印章载体 PIN 码忘记或锁死时，应向所属的电子印章制作主体提交 PIN 码重置申请材料，具体流程如图 9-13 所示。

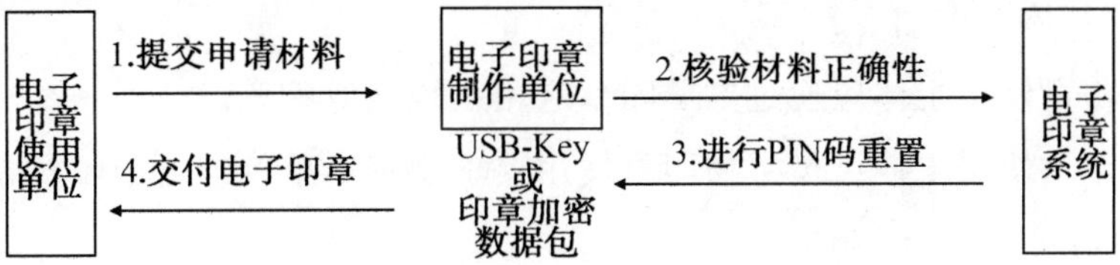

图 9-13　电子印章载体 PIN 码重置流程

印章载体 PIN 码重置流程描述如下：

(1)电子印章使用主体向电子印章制作主体提交 PIN 码申请材料。

(2)电子印章制作主体核验电子印章变更申请材料正确性。

(3)电子印章制作主体核验后，登录相应的电子印章系统进行电子印章 PIN 码重置操作。

(4)电子印章制作主体向电子印章使用主体交付 PIN 码重置后的电子印章。

申请材料内容如表 9-7 所示。

表 9-7　电子印章载体 PIN 码重置需提交的材料

业务类型	电子印章更换申请材料
印章载体 PIN 码重置	加盖单位公章的电子印章载体 PIN 码重置原因说明书
	法定代表人身份证
	经办人联系方式
	成立该单位的有关文件、批文、编办文件或证照

七、电子印章应用

(一)应用模式

电子印章使用主体可根据自身情况设计建设不同模式的电子印章应用系统，满足自身电子印章应用需求。电子印章的应用模式主要分为分散式和集中式两种。

1.分散式用章

电子印章存储在电子印章使用主体的智能密码钥匙中，电子印章使用主体使用电子印章客户端软件进行签章或验章，可完成离线或在线电子签章和验章操作。

2.集中式用章

电子印章存储于集中式用章系统中，电子印章使用主体使用电子印章应用系统(集中式用章系统)进行签章或验章，可在线完成电子签章和验章操作。电子印章应用系统可扩展用章用户管理、权限管理、日志审计等功能。

(二)签章

1.总体要求

对签章的总体要求如下：

(1)电子印章使用主体应通过电子印章应用系统完成签章。

(2)电子印章使用主体可按实物印章使用要求制定本单位的电子印章管理办法。

2.签章申请

申请信息应包括但不限于申请实体、隶属机构、申请时间、电子印章应用对象。如果该过程由电子印章应用系统内部申请流程实现，申请环节应记录申请信息和申请实体数字签名，用于事后审计。

3.签章审核

电子印章使用主体应指定具有审核权限的电子印章审核员，对电子印章使用申请进行审核，同时要核对电子印章自身的有效性，给出审核意见，记录申请信息、审核人信息、审核结果。如果该过程由电子印章应用系统内部审核流程实现，审核各环节应记录保存申请信息、审核员信息、审核结果和审核员数字签名，用于事后审计。

4.签章操作

签章操作要求如下：

1)分散式用章

(1)应由电子印章管理员对用章对象进行签章。

(2)电子印章管理员应核对印章使用申请者、用章对象、用章审核员、电子印章名称等信息。

(3)宜对签章操作人、签章时间、用章申请和审核情况记录日志。

2)集中式用章

(1)在用章审核通过后，由申请人在电子印章应用系统内对用章对象进行签章。

(2)电子印章应用系统应对申请人的身份以及用章权限进行验证。

(3)电子印章应用系统应对用章对象、电子印章名称、签章操作人、签章时间记录日志。

(三)验章

验章操作要求如下：

1.分散式用章

(1)使用主体可根据业务需求和验章环境选择离线验章或在线验章。

(2)离线验章主要包括验证电子印章和已签章文件的真实性、完整性。

(3)在线验章是在离线验章的基础上，通过查询电子印章状态发布服务确认签章时电子印章的有效性。

2.集中式用章

(1)集中式用章模式下对签章文件进行验章时,应验证电子印章和签章文件的完整性、真实性,同时验证签章时电子印章的有效性。

(2)验证电子印章有效性时,可在线查询电子印章状态发布服务,也可下载电子印章吊销列表进行查询。

第三节　典型案例

一、青岛实现电子营业执照和电子印章同步发放

2020年11月,青岛市"电子营业执照＋电子印章"同步发放暨电子签署中心启用现场会在莱西市召开,实现省内首次电子营业执照与电子印章同步发放,并率先创建了电子营业执照与电子印章的应用场景"青易办"电子签署中心。此中心同步启用。

青岛作为国家市场监管总局"电子营业执照＋电子印章同步发放与融合应用试点"城市,由市公安局牵头建立省内首个面向企业发放电子印章的管理系统,并与实物印章治安管理信息系统互联互通,确保实物印章与电子印章"物电同源、同章同模",具有同等法律效力。发放范围覆盖全市全量企业,刻制备案章的企业均可免费领取电子印章。目前,已为65万在营企业和新开办企业免费发放电子印章。申请人无需下载APP、无需申领实体Key,使用电子营业执照小程序即可同时申领下载电子营业执照和电子印章,高效便捷。申领过程借助电子营业执照实人核身功能,用照、用章均需法定代表人授权,确保真实身份、真实意愿,有效防范冒用及无权使用的情况。

同时,青岛以同步发放为契机,组建国内首个由政府提供应用支撑的"青易办"电子签署中心。首次尝试将自然人电子签名、企业法人电子签章在同一程序内进行融合,对同一次业务、同一份文件,支持多人、多企业即时、在线、混合签署,有效提升签署效率。签署中心引入数字认证、区块链存证和人脸核验技术,建立企业负责人专属授权体系,确保企业负责人对执照、印章的绝对控制权。整个签署行为使用数字认证技术,加盖时间戳、线上存证,提供官方验签服务,确保电子签署安全合规。"青易办"电子签署中心不仅可以应用于政务领域,也可以向商业领域提供更加安全、高效、极速、便捷的公共签约服务,为在青岛创业的企业提供电子签约管理新模式。

"青易办"电子签署中心上线后,企业在全程电子化登记中,对电子材料加盖印章。由电子印章加盖的电子文件具有与实物印章加盖的纸质文件相同的外观、相同的有效性和相似的使用方式。

二、枣庄市中法院电子签章

近年来,法院受理案件数量大幅增加,每个案件从立案到结案都需要制作数十份法律文书,公文流转和签批非常繁琐复杂。在这种情况下,传统的签章方式耗时耗力,在办事效率和成本方面存在大量损耗。例如设立于乡镇的人民法庭,距离院机关都有几十公里路程,生成的法律文书要送回本院签章,往返周期长,既制约了法官工作效率,也消耗了大量的人力、物力、财力,所以一直以来在司法行业都存在法律文书盖章难的问题。

电子签章的使用有利于解决上述问题。目前,已经有法院在积极完善和改进审判信息化内容,全面运用电子签章系统,并在全院开展电子签章系统的专项培训培训。启用该系统后,办案法官只需在内部系统中上传制作好的法律文书,申请加盖电子签章,通过电子签章管理人员审核、盖电子章、回传,直至办案法官使用配备的彩色激光打印机将文书打印出来,整个过程缩减到5分钟之内,真正实现了法律文书的"立等可取"。此外,部分法院在运用电子签章系统的过程中,制作出的法律文书也统一了格式规范,并制作了对应的封面,整份法律文书显得更精美、更专业、更权威。电子签章不仅提高了法院的工作效率,也让当事人享受到更多便利。电子签章防伪性强、安全度高,使用时"全程留痕"。随着电子签章的普及与推广,法院工作透明化与规范化将会得到进一步加强,司法公信力也可以得到迅速提升。

2020年7月,枣庄市中法院首份电子签章形式出判的裁判文书在孟庄法庭生成,这标志着全院电子签章系统正式全面启用,判决书、调解书、裁定书等各类法律文书均实现了"在线盖章",全流程网上办案得到进一步完善。

系统启用后,法官、法官助理、书记员只需要通过平台发起用印申请,再经签章管理人员审核、加盖印章,即可通过系统印制法律文书,大大减少了重复盖章的环节,在保障用章安全的前提下节约了办公成本,加快了出判速度。经过办案人员发起、签章管理人员审核、加盖印章、打印生成等程序,一份在电脑上撰写完毕的电子版判决书仅几分钟就成为了加盖印章的实体判决书。

第十章　电子证照

第一节　构建统一电子证照的内涵

一、工作背景

2018 年 7 月,《国务院关于加快推进全国一体化在线政务服务平台建设的指导意见》(国发[2018]27 号)提出了按照“一网通办”要求进一步优化政务服务流程,依托国家政务服务平台身份认证、电子印章、电子证照等基础支撑,推动证照、办事材料、数据资源共享互认,压缩办理环节、精简办事材料、缩短办理时限,实现更多政务服务事项的申请、受理、审查、决定、证照制作、决定公开、收费、咨询等环节全流程在线办理。在电子证照建设方面,依托国家政务服务平台电子证照共享服务系统,实现电子证照跨地区、跨部门共享。各地区和国务院有关部门按照国家电子证照业务技术规范制作和管理电子证照,上报电子证照目录数据。电子证照采用标准版式文档格式,通过电子印章用章系统加盖电子印章或加签数字签名,实现全国互信互认,切实解决企业和群众办事提交材料、证明多等问题。

2019 年 4 月,国务院总理李克强签署国务院令,公布《国务院关于在线政务服务的若干规定》(国务院 716 号令),明确电子签名、电子印章、电子证照、电子档案的法律效力。电子证照与纸质证照具有同等法律效力。除法律、行政法规另有规定外,电子证照和加盖电子印章的电子材料可以作为办理政务服务事项的依据,电子文件不再以纸质形式归档和移交。

二、证照概述

证照是由政府部门或取得法定资质的第三方服务机构依法形成出具的,具有法律效力的各类批文、证件、执(牌)照、鉴定报告、证明材料等文件。证照的主要表现形式为证照证书和批准文件两种形式,简称为“证照批文”。

当前,政府发放证照名目繁多,群众和企业办事时所需资料尤其是证照信息需要反复提交纸质材料。纸质证照在使用过程中暴露出很多问题。

一是办事效率低下。各部门发放证照只给行政相对人,证照信息难以提供给其他部门共享,致使证照无法进行跨部门自动验证,企业或个人申报项目需要重复提交证照,不仅导致政府办事效率低下,也导致证照的利用率非常低,申报者在申请行政审批过程中需要重复提交材料。

二是社会资源浪费严重。由于早期信息化水平相对较低,传统证照记录方式仍以纸质档案记录,尚未采用信息化记录方式。打印、管理、复制、保存纸质证照费用高昂,而且纸质材料容易损坏和丢失,不易长期保存,证照信息的复用率较低。

三是跨部门数据共享难度大。从业务层面看,纸质证照的无形束缚,加上部门间各自为政,给跨部门信息资源共享利用带来了阻碍。从技术层面看,计算机难以识别纸质证照数据,数据库无法反映证照原始形态和真实数据,数据库存在被篡改的可能性,信息不能实现跨部门间互认、共享,社会服务效能低下。

四是容易影响正常社会秩序。纸质证件容易伪造,证明材料难辨真假,其根源在于纸质证照信息难以信息化共享,多数通过人工识别。随着现代科技水平的不断提升,伪证制造手段也越来越先进,给人工识别证照真伪带来较多困难,这成为不法分子制作或使用伪证的漏洞。

三、电子证照

(一)证照电子化

传统的证照批文大多采用纸质介质。现代信息技术的发展使"卡"这种具有存储专用信息能力的新型介质成为可能,如身份证和医保卡等。上述两种形式的证照批文虽然方便颁发、保存和使用,但并不适用于在线申报和联网应用场景。在这种背景下,要将传统的证照批文电子化,提取其模板(或样式)和证照批文内容信息,以方便计算机读写处理。

(二)电子证照基本概念

电子证照是指经电子签名、与纸质证照文书具有同等效力的证照数据电文。各类电子证照应遵循相关安全和技术规范制作,具有可信任的、数字形态的特性,一般包括电子证照和电子批文。

(三)电子证照技术特性

电子证照具有保证证照信息的真实性、完整性、有效性和及时性等特征的内在要求。为了实现该目标,应从以下三个层面进行规范。

防篡改性:通过验证电子签章,可以确认电子证照是否被篡改。

防伪造性：电子证照由签发单位电子签章形成，带有签发单位数字签名，无法伪造。

可验证性：可以验证电子证照的签发单位、签发时间以及电子证照的有效性。

（四）电子证照意义

电子证照从根本上解决了证照使用管理中存在的问题，使电子证照更好地服务于“互联网＋政务服务”的改革和发展大潮，具有重大的现实意义。

一是有利于提高行政审批效率。电子证照重塑和优化了证照现有的受理和办理流程，打破了证照时空间隔以及部门分隔，从根本上优化了证照管理和服务职能，有望构建新型的政务工作模式。

二是有利于促进信息资源共享利用。通过共享服务平台和各系统之间的信息交换和证照资源共享，实现企业和公众网上办事的统一身份验证和审批资料核验，最终实现电子证照在线生成和发放以及在线共享、查验、复用等功能，支撑政务信息资源跨地区、跨层级、跨部门、跨系统的互认共享，推动“互联网＋政务服务”的深化应用。

三是有利于重塑社会信任。构建高效、优质、安全的电子证照服务，将减少群众办理证件负担、减少证件社会运行成本，增强证件的服务能力，杜绝了假证泛滥，提高了证件的管理水平，在更高水平上优化了“互联网＋政务服务”的发展环境。

第二节　电子证照的建设内容

一、逻辑结构

通过建设电子证照管理系统，对存量证照和新增证照数据进行采集，基于证照元数据项及数字签名，制作数字格式电子证照，随后选取证照模板，嵌套版式格式，利用电子印章服务，制作生成 OFD 版式证照电子文件，满足证照签发需求；两类电子文件可通过存储服务管理系统存入电子证照库，进行数据汇聚，满足数据管理要求；通过存储服务管理系统与上级电子证照库及平级政务服务数据库实现对接和数据同步，满足跨地区、跨层级的证照汇聚和同步需求，业务系统可通过验证服务系统提交证照验证、查询、下载等各类请求，满足证照使用需求。

二、主要功能

（一）文件格式和内容

电子证照文件格式采用版式文件格式，文件内容包含与纸质证照相同比例的证照底图、电子证照的照面信息、电子证照元数据信息、签发单位的电子印章与对电子证照文件内容进行的数字签名。个人电子证照应关联身份证号码信息，企业电子证照应关联企业统一社会信用代码信息。

(二)证照采集、存储

通过证照信息多元采集和沉淀,实现证照产品化,实现"一次提交、多方利用",解决基础数据的实时性、准确性问题。主要技术实现方式如下:

1.证照采集

证照采集主要包括证照信息采集和证照样式采集。一般可通过数据交换或者数据库复制等方式,将省、市级各部门原有业务系统中的电子证照信息以统一标准保存到电子证照库中,形成电子证照库的基础数据。在省、市、县三级相关部门某个办件业务办理完成时,将产生的电子证照信息通过数据交换平台交换到电子证照库保存,实现证照信息的更新。证照样式包括证照底图和证照排版信息,应与纸质证照一致,并全省(自治区、直辖市)统一标准、统一采集。证照样式保存于电子证照库,并与其证照编号关联。

证照采集可包括以下方式:证照录入、申请材料电子化、审批结果电子化、证照自动合成、整合其他电子证照库。

(1)证照录入。通过扫描证照原件采集证照图像,并手工录入证照照面信息项。可以通过图文识别技术辅助识别证照照面文字信息,提高采集效率。这种方式主要应用于存量证照的集中电子化。由发证单位对存档纸质证照进行集中电子化,或在实体政务大厅设立专门窗口,提供证照录入服务。

(2)申请材料电子化。窗口工作人员在受理申请后,将事项申请材料中核验通过的证照类材料,通过拍照、扫描方式采集证照图像,并手工录入照面信息项。

(3)审批结果电子化。窗口工作人员在发证环节,通过拍照、扫描方式采集证照图像,并手工录入照面信息项。

(4)证照自动合成。审批结果信息通过数据接口交换至电子证照库,根据预设的证照底图,自动合成证照图像。

(5)整合其他电子证照库。对于已建成的部门电子证照库,通过数据交换的方式将部门电子证照库中的证照信息交换到政务服务数据共享平台电子证照库中,并建立实时或定期数据交换机制。

2.数据清洗

采集后的电子证照数据要经过比对清洗,识别并去除虚假的、过期的、失效的、重复的证照数据,保留下来的有效数据要加盖电子印章和水印。针对源数据库中出现二义性、重复、不完整、违反业务或逻辑规则等问题的数据进行统一处理。

3.证照转化、处理

对各类证照数据进行采集、清洗后,将电子证照统一转化成电子格式文件。系统应具备对证照采集和填报的数据进一步处理的功能,主要包括证照版式处理、式样图叠加、扩展数据、文件编号等功能。

4.数据封装

将证照数据电文元数据与证照照面进行封装处理，形成符合标准的证照数据电文文件，封装后系统可读取被封装的元数据和证照照面信息。

5.证照文件生成与存储

电子证照信息进入数据库后，立即将其全部信息和样式封装并形成缩略图，保存时应包括信息来源和电子证照库名称，并以电子签名封装，以保证其不可修改。电子证照信息更新后，新数据重新生成证照信息文件，旧数据作为历史数据另行保存，不再进入检索，但可以备查。

6.证照发放

电子证照的发证功能一般应在政务服务管理平台或相关业务系统扩展开发和补充功能实现。在一定范围内，可建设电子证照发证平台，为相关系统统一提供电子证照的生成功能。在生成电子证照后，将证照内容信息和电子证照文件通过数据交换平台交换到电子证照库保存。

7.数据校验与证照验证

对已生成的证照数据电文可进行数据校验修改，提供自动校验（数据比对）和人工校验两种方式。

证照安全性验证包括防篡改、防抵赖验证，验证证照数据电文的电子印章及其来源的有效性。证照数据信息验证，分机读验证和目视验证两种。机读验证是政务服务管理平台获取到证照数据电文封装包后，读取封装包内的照面信息文件，对照面信息中登记事项进行自动匹配、查验；目视验证是指用目视的方式查验证照。

（三）证照库部署方式

作为汇聚各类证照信息并提供服务的电子证照库应采用统一平台，可省、市两级建库，以省级集中汇集的方式部署，以便其提供统一标准接口供省、市、县三级相关应用系统调用。

（四）管理

电子证照是以数字方式存储、传输的证件、执照、批文等审批结果信息，是支撑政务服务运行的重要基础数据。

电子证照库是基础资源库的组成部分。电子证照库设计应包含证照编号、证照内容信息、证照信息文件、证照样式，并预留电子证照文件的索引。电子证照和证照信息文件数据都应归集到电子证照库中统一管理和使用。证照信息标准应实现省级统一，推动全国互认。

1.证照目录管理

电子证照应该具有统一的目录管理，明确各类证照的类别。电子证照目录可按证照颁证单位、证照类型、持证者类型(自然人和法人)进行分类。

证照与证照类型均是证照目录中的信息实体，两者之间是个体和整体的关系，通过证照类型代码关联。通过归集各地方和部门证照目录信息，以实现跨地区、跨层级、跨部门电子证照共享。证照目录信息如表 10-1 所示。

表 10-1　证照目录信息

类别	信息名称
所属类型信息	证照类型名称
	证照类型代码
	证照定义机构
	证照定义机构代码
	关联事项名称
	关联事项代码
	持证主体类别
	有效期限范围 证照名称
	证照编号
	证照标识
	证照颁发机构
	证照颁发机构代码
	证照颁发日期
	证照类型代码
	持证主体
	持证主体代码
	持证主体代码类型
	证照有效期起始日期、证照有效期截止日期
	证照类型名称

2.证照库接口管理

电子证照库提供的请求访问接口应与具体的证照和证照内容无关。通过制定电子证照库接口服务标准，对新增的证照信息，发布其证照编号和证照内容数据库字段标准，即可通过原设计的接口提供服务。部分存储在其他信息系统中的证照信息，以接口方式提供服务，由电子证照库封装后统一对外提供服务。

3.证照维护管理

证照维护主要包括证照变更、证照年检、证照挂失、有效期管理、版本管理。

(1)证照变更。如因采集数据错漏需要变更证照数据，为新数据产生一个新版本，原数据标记为历史版本。

(2)证照年检。对于需要定期年检的证照，年检信息作为证照附属信息，可以逐年附加。

(3)证照挂失。已挂失的电子证照标记为挂失，不可再被引用，但保留数据备查。

(4)有效期管理。对于注明有效期限的证照，采集时必须采集有效期数据。证照超过有效期后系统自动将其标记为历史版本，不可再被引用。在证照有效期到期前，政务服务平台可以自动通知证照持有人。

(5)版本管理。任何证照信息变动都不会修改数据记录，而是将原数据标记为历史版本，并产生一条新数据。历史数据仅用作备查，不再提供给外部引用。

4.证照安全管理

电子证照安全的核心是电子证照文件的安全，需要有效的机制来保障电子证照文件的完整性(防篡改)、不可否认性(确认电子证照的签发单位)和可验证性(确认电子证照是否已被注销)。为保证电子证照在其生成、入库、应用全过程的信息安全，建议在全过程使用电子签名。具体包括：相关系统在调用电子证照库接口服务和封装证照信息文件用于引用时，应使用服务器 CA 验证或相关主管部门审查批准的电子证照系统验证。

5.证照访问管理

注册用户可通过登录互联网政务服务门户获取用户相关的电子证照数据，并在事项申请时直接调用。政务服务实施机构在受理、审批时，可以调用电子证照数据辅助办理。

三、共享互认

电子证照的共享基于电子证照目录，按部门、行政区划、证照类别、持证者等信息分类；建立电子证照共享平台，实现跨部门、跨地区、跨层级共享和校验，按授权查询、下载、比对和复用，防篡改、防伪造、可验证。

平台提供本区域证照共享管理、证照目录及元数据的查阅功能，提供证照服务注册和证照服务发布功能；同时预留并支持跨省电子证照查询、比对功能以及跨省电子证照的验证功能。通过区域内外的分级处理，解决应用过程中电子证照的互认互信问题。通过国家政务服务平台的建设实现跨地区证照共享和互认。

从制度层面看，依托国家相关法律法规，探索电子证照在各地区的共享与使用，逐步推动全国范围内的互认。如关于电子营业执照的使用，《中华人民共和国公司登记管理条例》明确规定：“电子营业执照与纸质营业执照具有同等法律效力。”

第三节　电子证照共享服务的接入与应用

一、系统接入

(一)前期准备

国家电子证照共享服务系统接入工作涉及的相关方包括国家电子证照共享服务系统、省级电子证照共享服务系统、国务院部门业务系统,各系统为接入需要进行前期准备。系统接入相关方及前期准备工作如图 10-1 所示。

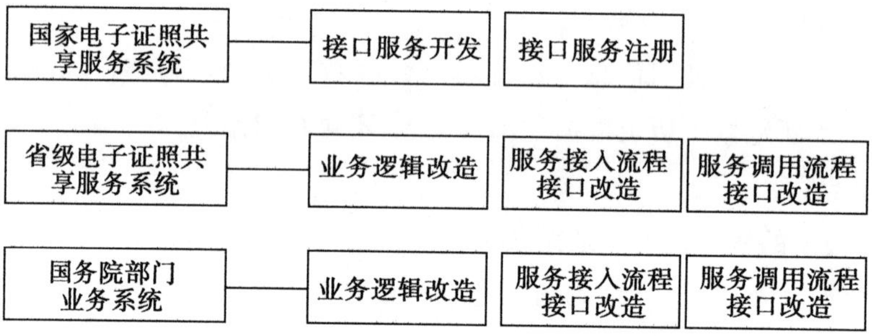

图 10-1　系统接入相关方及前期准备工作

接口服务开发:国家电子证照共享服务系统为完成系统接入应先进行建设或改造,为接入方提供电子证照检索、下载、获取和验证等服务接口。

接口服务注册:国家电子证照共享服务系统应建设接入注册机制,为接入的省级电子证照共享服务系统、国务院部门业务系统创建账号,提供许可证明。

业务逻辑改造:省级电子证照共享服务系统和国务院部门业务系统应进行系统建设或改造,在调阅非本辖区范围内的证照时,需向国家电子证照共享服务系统发送请求。

服务接入流程接口改造:省级电子证照共享服务系统和国务院部门业务系统应按照标准开发包含电子证照下载、获取、验证等接口的 Web 服务,以备接入国家政务服务平台时使用。

服务调用流程接口改造:省级电子证照共享服务系统和国务院部门业务系统应按照标准开发包含电子证照检索、下载、获取、验证等接口的 Web 服务,可调用国家电子证照共享服务系统接口,为本辖区范围内的证照需求方服务。

国务院部门业务系统包含国务院部门电子证照共享服务系统及国务院部门电子证照资源库等系统。

(二)跨区域共享流程

全国电子证照跨区域共享服务流程如图 10-2 所示。

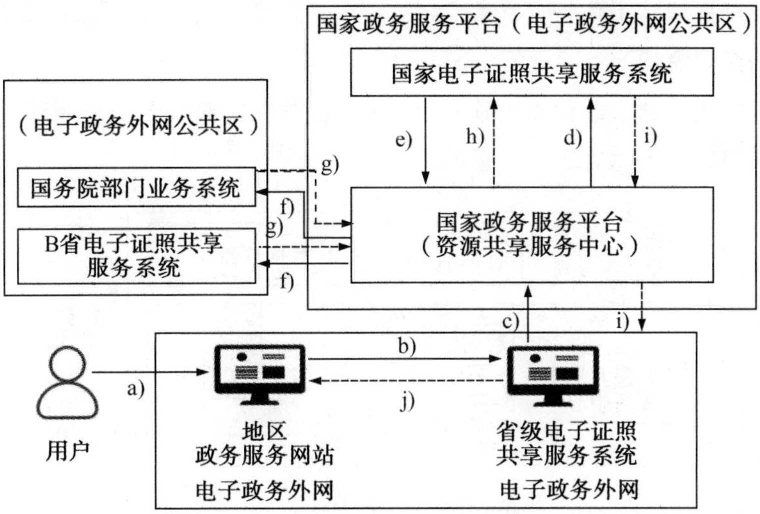

图 10-2　电子证照跨区域共享服务流程

流程说明如下：

(1)用户在地区政务服务网站办理政务事项申请。

(2)地区政务服务网站工作人员在办理业务时,按照事项要求调阅证照时,可向省级电子证照共享服务系统发起调阅电子证照请求。

(3)省级电子证照共享服务系统收到证照调阅请求时,判断需要调用的证照是否为本辖区电子证照。如果否,则向资源共享服务中心发起证照调阅请求。

(4)资源共享服务中心收到省级电子证照共享服务系统的证照调阅请求后,将请求转发至国家电子证照共享服务系统。

(5)国家电子证照共享服务系统在收到证照调阅请求时,根据请求参数信息,结合已汇聚的证照目录信息判断被请求的证照属于哪个省级电子证照共享服务系统或国务院部门业务系统,然后向资源共享服务中心发起调阅(指定目标)省电子证照共享服务系统或国务院部门业务系统的请求。

(6)资源共享服务中心将收到国家电子证照共享服务系统的证照调阅请求转发至(指定目标)省电子证照共享服务系统或国务院部门业务系统。

(7)(指定目标)省电子证照共享服务系统或国务院部门业务系统收到证照调阅请求时,根据请求参数信息,从系统内查出相应的证照数据,并将请求结果(证照数据)返回资源共享服务中心。

(8)资源共享服务中心将请求结果(证照数据)返回国家电子证照共享服务系统。

(9)国家电子证照共享服务系统在收到请求结果(证照数据)后,再通过资源共享服务中心将请求结果(证照数据)返回给省级电子证照共享服务系统。

(10)省级电子证照共享服务系统在收到请求结果(证照数据)后,把证照数据返回展示给地区政务服务网站工作人员。

(三)数据汇聚流程

汇聚全国电子证照目录信息的途径有两种,分别是从省级电子证照库汇聚和从国务院部门电子证照库汇聚,如图10-3所示。

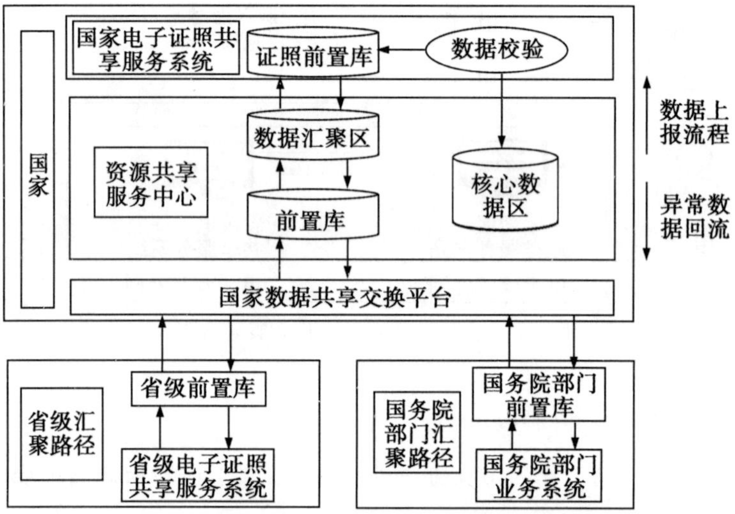

图10-3　数据汇聚流程

数据汇聚流程如下:

(1)省级电子证照共享服务系统或国务院部门业务系统将电子证照目录信息推送至省级或国务院部门前置库。

(2)国家数据共享交换平台从省级或国务院部门前置库抽取证照目录信息并推送至资源共享服务中心前置库。

(3)资源共享服务中心定时从前置库抓取证照目录信息保存至数据汇聚区。

(4)国家电子证照共享服务系统定时从资源共享服务中心数据汇聚区读取证照目录信息,经过一系列校验后,将规范的证照数据保存至核心数据区,将不规范的异常数据回写到前置库中的异常信息表。

(5)资源共享服务中心定时从证照前置库读取异常数据并保存至资源共享服务中心前置库。

(6)国家数据共享交换平台从资源共享服务中心前置库读取异常数据,并推送至各省级或国务院部门前置库。

(7)省级电子证照共享服务系统、国务院部门业务系统定时从省级或国务院部门前置库读取异常数据,作相应修改后重新上报。

(四)服务接入流程

省级电子证照共享服务系统、国务院部门业务系统接入国家电子证照共享服务系统的业务流程如下：

1.创建账号

资源共享服务中心系统管理员为接入的省级电子证照共享服务系统或国务院部门业务系统创建账号。账号基本信息包括接入方的基本信息、管理员信息、系统接入的身份标识和密钥。

2.系统改造

省级电子证照共享服务系统或国务院部门业务系统根据标准改造相关接口服务，为国家电子证照共享服务系统提供数据与服务支持。

3.接入服务

接入方管理员使用步骤：创建和分配的账号登录资源共享服务中心，配置本系统的接口服务并与资源共享服务中心的服务绑定。当接口服务与资源共享服务中心的输入输出数据结构存在差异时，还需配置数据转换规则。

4.接口集成联调

省级电子证照共享服务系统或国务院部门业务系统完成接口改造及接入配置工作后，与国家电子证照共享服务系统开展联调测试工作。

5.上线试运行

完成接口服务改造以及联调测试后，进行生产环境部署，进入上线试运行。

(五)与业务系统关系

国家电子证照共享服务系统的整体业务架构由国家层级和省级、国务院部门层级构成，相互之间的关系如图 10 4 所示。

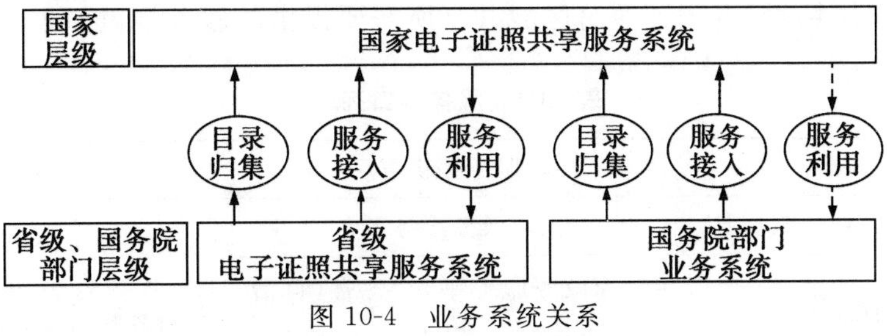

图 10-4　业务系统关系

1.国家电子证照共享服务系统

国家电子证照共享服务系统汇聚全国电子证照目录信息，提供全国电子证照共享服务接入与路由服务。

2.省级电子证照共享服务系统

省级电子证照共享服务系统作为国家电子证照共享服务系统数据与服务的提供者以及跨区域共享服务的使用者。各省(自治区、直辖市)等以省为单位接入国家电子证照共享服务系统,向国家电子证照共享系统上报本省电子证照目录信息,并根据国家电子证照共享服务系统提供的共享服务接入要求完成接口服务改造与接入;同时通过对接国家电子证照共享服务系统,为本省各级业务系统提供电子证照跨区域共享服务。

3.国务院部门业务系统

国务院部门业务系统同样作为国家电子证照共享服务系统数据与服务的提供者以及跨区域共享服务的使用者,负责编制与规范管辖范围内的电子证照类型信息,向国家电子证照共享服务系统上报所汇聚的证照目录信息,并根据国家电子证照共享服务系统提供的跨区域共享服务接入规范完成接口服务改造与接入。

二、电子证照的应用

电子证照作为实现全流程网上审批应用的最后一环,依托"一窗式受理、一站式服务"的政务服务模式,在流程上实现对电子材料、电子证照的生成、应用和共享。自然人和法人在办理过程中可以直接查询所需的电子证照和相关信息,以电子证照作为办事的材料依据,避免材料重复提交。同时实现纸质证照与电子证照同步签发,形成电子证照的全程闭环应用。

部分政务服务中需提供的电子证明材料可通过相关部门电子证照库信息共享接口实现。业务部门提供一个信息查询服务接口,并由电子证照库统一管理这些接口服务。由电子证照库调用部门信息共享接口,获取符合条件的证明材料信息,生成电子证明材料文件予以保存,并将电子证明文件返回给用户用于保存或提交电子证明材料。

(一)总体说明

按照一般应用场景,电子证照跨区域共享所需要提供的服务接口如表 10-2 所示。

表 10-2　服务接口列表

<table>
<tr><th>序号</th><th>服务</th><th>服务提供方</th><th>备注</th></tr>
<tr><td>1</td><td>电子证照检索服务</td><td>国家政务服务平台</td><td rowspan="4">若国务院有关部门和各省(自治区、直辖市)都已汇聚证照信息,优先由国务院有关部门提供接口服务</td></tr>
<tr><td>2</td><td>电子证照下载服务</td><td>国家政务服务平台、各省(自治区、直辖市)、国务院有关部门</td></tr>
<tr><td>3</td><td>电子证照信息获取服务</td><td>国家政务服务平台、各省(自治区、直辖市)、国务院有关部门</td></tr>
<tr><td>4</td><td>电子证照信息验证服务</td><td>国家政务服务平台、各省(自治区、直辖市)、国务院有关部门</td></tr>
</table>

(二)电子证照检索服务

通过持证主体代码检索法人和自然人的电子证照。

(三)电子证照下载服务

1.基于持证主体代码下载服务

通过持证主体代码和证照类型或名称申请下载电子证照文件,此文件可以是根据持证主体代码、申请事由等生成的电子证照加注件或者电子证照原件。

2.基于证照标识下载服务

通过证照标识获取该证照对应电子证照原件或加注件的下载地址。

(四)电子证照信息获取服务

1.基于持证主体代码信息获取服务

根据持证主体代码查询获取证照元数据或照面数据,便于在各业务场景进行证照信息的共享利用。

2.基于证照标识信息获取服务

通过证照标识获取该证照的其他信息。

3.电子证照类型信息获取服务

查询获取电子证照类型信息列表,便于查询国家政务服务平台已发布的电子证照类型列表,用于同步更新单位的证照类型。

(五)电子证照信息验证服务

根据持证主体代码、证照类型代码以及其他指定的证照信息内容,查验该电子证照元数据信息的有效性,如验证结婚证的证照颁发日期等。

第四节　典型案例

一、广东省电子证照应用实践

结合办证用证存在的问题,广东省大力推进"数字政府"改革建设,于2016年按照"省级统一开发、省市两级部署、省市县三级应用"的总体要求开始全省电子证照系统建设,把电子证照系统建设作为突破网上办事瓶颈的重要抓手,以"无介质、等效力、全流通"为目标特性,以"统一标准规范、统一全省目录、统一软件系统、分级实施管理、确保安全可靠"为建设原则,打造覆盖全省"1(省)+21(市)"的电子证照服务体系,实现全省电子证照服务跨域互联、互认通行。

电子证照的"无介质"特性,有效解决"办证繁""纸质证照难保管"问题。广东省电子证照无须实物介质载体,与持证人身份证件号(一号)绑定,提供全天候在线证照服务,办事人凭有效身份证件可到窗口(一窗)办事、登录实名账户可在网上(一网)办事,可将电子证照作为申办材料,无须重复提交纸质材料。

电子证照的"等效力"特性,有效解决"反复提交材料""证照真伪难辨""审批速度慢"等问题。电子证照与实物证照具有同等效力,视为满足法律法规要求的书面形式。政务部门可依职能在线查验电子证照的真实性,可提取和使用证照数据,可减少重复录入,提高审批效率;办事人可减少纸质材料提交。

电子证照的"全流通"特性,有效解决全省证照互认问题。电子证照在全省范围内实现跨层级、跨地区、跨系统、跨部门、跨业务互认通行,有效突破全流程网上办事和在线服务的应用瓶颈,让"信息多跑路、百姓少跑腿",为广东省"数字政府"改革奠定坚实的基础。

(一)主要举措

(1)全省统一目录管理。全省电子证照类型目录由省电子证照管理部门负责统一管理和发布,各地市电子证照管理部门基于全省目录界定本级应开通电子证照范围,确保电子证照服务全省互认通行。

(2)确保增量同步签发。发证部门把电子证照制证签发融入业务办理环节,实现业务办理、制证签发一体化,确保电子证照服务开通后,增量电子证照与实物证照同步签发。具体实践中则是先电子后实物、存量证照逐步进行电子证照转化。

(3)推行依职能在线用证。按照依职能使用、优先使用电子证照的原则,明确采用电子证照后的事项服务优化方案和业务规范要求,可使用电子证照的不再要求办事人提供纸质证照材料,部门工作人员依职能在线查验电子证照和使用证照数据进行业务办理。

(4)"以用促发"专项推进。采取"以用促发、需求倒逼"的策略,围绕提升办事人获得感、提高工作人员行政效能,组织实施一批业务应用专项,衔接供需、协同推进。

(5)标准法规保驾护航。出台电子证照管理暂行规定,明确电子证照与纸质证照具有同等效力,制定电子证照建设实施指南和配套标准规范,指导各地市、各级部门开展电子证照建设实施。

(6)加强建设应用督查。从发证、用证两方面评价各级管理部门、发证和用证部门电子证照建设应用效能,省政府办公厅发文明确省直各部门、各地市电子证照服务开通、电子证照推广应用等考核要求,以评促建、以评促用。

(二)应用实践

1.推出电子税票,提升办税服务

近年来,税票在社会各个领域的作用越来越突显。虽然纳税人大部分涉税事项已可在网上办理,但为取得完税证明还需到实体办税大厅开具税票,因实体办税大厅数量有限，往往需要长时间排队等候。同时，纳税人对税票取得的时效性、便利性要求日趋强烈，纸质税收票证已经不能完全满足纳税人便利办税的需求。

自2018年7月1日起，广东地税局借助广东省政务电子证照系统，在全国率先推出23种电子税票开具服务，纳税人通过广东省电子税务局、微信公众号和自助办税终端即可查询、下载、打印电子税票。同时，电子税票作为法定办事依据和归档材料，在省内各部门互认互通、共享应用，突破区域、层级、部门限制，省内各级政府部门通过电子证照系统或其他共享渠道查询调用电子税票，用于记账核算、电子存档等。

广东省电子税票的“全天候在线开票、全流程无纸化办税、多维度防伪验证、跨部门共享调用”斩获多项全国首创，有效解决纳税人排长队、跑断腿的“痛点”“堵点”“难点”问题，纳税人足不出户、轻动指尖即可自行开票，实现了无纸化办税。截至目前，广东省4600万纳税人、2700万参保人实现“一次也不用跑”，减少上门20%，减少办税时间80%，节约征纳成本约10亿元。

2.签发第一张出生医学证明电子证照

为解决出生医学证明申领排长队、程序相对繁琐、申办效率较低、真伪鉴定困难、存在管理漏洞、信息化不足、携带备查不便等问题，广东省卫健委借助省电子证照系统实施了出生医学证明电子证照项目。该项目将可信身份识别认证（实人＋人脸识别）应用到分娩前孕产妇确认备案、分娩后出生医学信息电子验证、跨系统信息交互和“出生医学证明”网上预约申领等各个环节，实现了孕期—产时—办证的身份识别和闭环管理，最大限度地堵住了代孕及冒领出生医学证等管理漏洞。同时基于微信小程序“粤省事”的出生医学证明申领流程，将出生医学证明申领、签发，由线下搬到线上，让群众在少填、少报的情况下实现线上预约申领出生医学证明、线下签发纸质出生医学证明、线上同步签发电子出生医学证明，极大地减少了群众的办证等候时间，提升了办事便利度。

出生医学证明电子证照与纸质出生医学证明在省内具同等法律效率，可广泛应用于公安、人社、卫计、司法等部门30多个办事场景，群众不用提交纸质出生医学证明，办事部门可实行网上电子证照查验，不再需要进行证件的真伪鉴定和异地信息协查，真正实现了“让数据多跑路、让群众少跑腿”。

3.全国率先推出居民身份电子凭证

以前群众入住酒店都需要携带有效实体身份证件，遇到证件遗忘、遗失甚至被盗抢等情况，都会导致住店不便。广东省公安厅在全国率先推出居民身份电子凭证，对已领取广东签发的省内户籍居民身份证或持有效期内居住证的持证人相应生成居民身份电子凭证和居住证，群众在全省三星级以上宾馆酒店办理住宿登记时，无需携带实体证照即可入住酒店。通过微信小程序，授权关联使用本人的居民身份电子凭证，选择“反光识别”或“读数识别”进行人脸身份验证，通过后点击“查看凭证”，可以查看电子凭证的详细信息;点击"出示凭证",可以获取出示电子凭证的核查授权码。避免群众因无证不可入住带来的时间和经济损失,方便了人民群众,提高了服务水平。同时,广东省公安机关积极向社会有关部门提供全省居民身份电子凭证核查服务,方便群众使用居民身份电子凭证办理其他相关事务。

此外,基于省电子证照系统,广东省交警在"广东交警"微信公众号及"粤省事"微信小程序里,试点推出了电子驾驶证、电子行驶证的电子证照,只要市民通过"网上实名+实人认证",即可一键授权领取电子证照,届时交警扫一扫就能验证行驶证、驾驶证信息。经过系统核实后,不会以"未随身携带驾驶证、行驶证"为由对驾驶人进行罚款、扣车。再者,当事人到交警窗口办理非现场交通违法确认时,当事人忘记携带实体驾驶证、行驶证,允许其出示电子证照,窗口民警在系统核实证件状态无误后,给予办理违法确认。

4."粤省事"助力电子证照移动应用

"粤省事"作为全国首个集成民生服务微信小程序,通过"实人+实名"身份认证核验,无须重复注册,即可通办所有上线民生服务。"粤省事"公众号打造的是全省统一集合式服务大平台,通过微信小程序,统一入口单点登录,将分布在各个业务部门的民生服务通过数据开放共享和流程再造统一管理起来,关注后即可随时随地一键通办,让服务指尖触达。

打开"我的证件",即可查看到政府部门签发的电子证照。电子证照经可信数字签名,与纸质证照具有同等效力,在全省互认通行、不会丢失、安全可靠。截至目前,"粤省事"已上线 35 种电子证照,涉及居民身份电子凭证、出生医学证明、居住证、结婚证、残疾人证等电子证照;同时为残疾人、外来务工人员、老年人等多类特殊群体专门提供系列贴心服务,为全省 540 万残疾人群提供贴心服务,也让 1500 万退休老人在家就能完成养老资格认证,指尖服务使群众办事更方便、更便捷、更有效率。

广东省目前依托电子证照、数据共享,实现群众办事填报数据信息减少 5780 项(压缩 55%),材料提交减少 1435 份(压缩 60%),跑动次数减少 539(少跑 72%),518 项实现零跑动,181 项实现"最多跑一次"。结合电子证照应用,广东以群众办事"少填信息项、少提交材料、少跑现场、快速办完"为目标,对政务服务事项提出流程再造优化方案,一揽子解决"办事难、办事慢、多头跑、来回跑"等问题,提升群众服务满意度。

二、山东省九类高频电子证照全面推广应用

2020 年以来,山东省坚持问题导向、需求导向,扎实推进国家电子证照应用试点工作,并以此为突破口,推动政务服务流程再造,深化"一网通办""一次办好",取得积极成效。

(一)主要举措

1.工作推进机制健全有力

将电子证照应用试点工作纳入数字政府“一个平台一个号、一张网络一朵云”建设重要内容,系统谋划、一体推进。时任省委常委、常务副省长王书坚与32个省直部门主要负责同志签订责任书,明确各部门任务目标,压实工作责任。省政府办公厅、省大数据局牵头组建电子证照工作专班,实行集中办公、全力攻坚。坚持省市联动、部门协同,全面推动电子证照建设应用。建立工作调度督导机制,实行周调度、月总结和适时督导,以工程化方式推进任务落实。

2.共性应用支撑体系完备

依托省一体化大数据平台和政务服务平台,构建形成完备的电子证照应用支撑体系。建成省级及16市电子证照系统、全省统一的电子印章系统,有效支撑电子证照制发应用和电子印章签发。省市电子证照系统实现级联对接,支持电子证照跨层级、跨区域共享调用,并实现与“爱山东”政务服务APP的集成对接,194类证照可通过“爱山东”APP亮证,实现电子证照“亮证即用”。同时,建立电子证照、电子印章以及第三方数字签名系统安全协同机制,严格电子证照制发流程,增强防篡改、防抵赖能力,确保电子证照应用安全。

3.持续推动证照数据归集

完善全省电子证照基础信息资源库,为全面开展证照数据归集和服务应用提供统一支撑。省市电子证照库共归集502类证照、2.4亿条数据,基本实现存量证照数据“应归尽归”。推动各级政务服务平台、各部门业务系统与省市电子证照系统对接,181类证照实现实体证照与电子证照同步制发,证照数据同步落库。及时做好向国家政务服务平台报送工作。

(二)证照落地应用全面推开

围绕企业和群众办事的“难点”“堵点”问题,聚焦高频服务领域,推动电子证照跨层级、跨地域和跨部门共享应用,提高政务服务和便民服务水平。教育入学、道路执法等18个试点场景已全面落地实施,身份证、营业执照、不动产权证、医保电子凭证、社会保障卡和结婚证等九类高频电子证照全面推广应用。其中,身份证电子信息已接入省、市两级128个业务应用系统、累计调用370万余次,在各市政务服务大厅全面部署应用。电子营业执照已接入省、市两级54个业务应用系统。同时,与上海等省市对接,加快推进电子证照“跨省互认”。

政务服务领域围绕方便企业和群众办事,着力减流程、减环节、减材料和压时限。在公积金办理方面,通过应用婚姻、户籍和不动产等电子证照,实现对公积金提取、应用资格的自动核验,实现相关业务快速办理。在工程建设方面,通过应用规划许可证、施工许可证电子证照，实现工程建设项目"一链办理、联合申报"。在不动产办理方面，部分市实现水气暖与不动产同步过户，济南市可直接利用电子证照办理不动产转移登记及抵押登记，实现零证照材料办理。在义务教育入学方面，通过应用不动产权证、营业执照、社会保障卡和出生医学证明等电子证照，在部分市实现入学报名"零跑腿""掌上办"。

行政执法领域全面推动用电子证照代替实体证照，通过手机亮证完成执法检查。在道路交通领域执法应用方面，全省实现机动车驾驶证、行驶证电子证照在危险品运输车辆年度审验、旅客运输车辆年度审验和道路交通执法中的应用。

在建筑领域行政执法方面，实现对建造师执业资格证、建筑施工特种作业人员操作资格证电子证照的全面应用。在成品油零售经营等特殊行业执法检查方面，企业可通过出示电子证照替代纸质证书进行核验。在食品安全执法方面，企业出示食品生产、食品经营许可电子证照，执法人员扫码核验后即可开展检查。

社会应用领域大力推动身份证电子信息、社会保障卡和医保电子凭证等电子证照在社会各领域的广泛应用，不断增强公众获得感。8个市实现公众通过手机出示身份证电子信息，即可进入公园、景区及文化体育场所。医保电子凭证实现"全省通用、一码通刷和异地支付"，覆盖全省70%以上的定点药店。部分金融机构完成与省电子证照系统对接，企业和群众办理业务时，实现"亮证扫码"，无须提交实体证照。

第十一章　网上中介服务超市

第一节　网上中介服务超市的内涵

长期以来，投资审批中介服务在为企业提供专业技术服务、促进政府部门依法审批等方面发挥了重要作用，但也存在环节多、耗时长、服务差、收费乱和垄断性强等问题，并成为投资项目审批难、落地难的瓶颈和“拦路虎”，在一定程度上消解了行政审批制度改革的成效，加重了企业负担，扰乱了市场秩序，甚至成为腐败滋生的土壤。如何有效规范投资审批中介服务机构，彻底整治中介乱象，坚决消除行政审批“灰色地带”，营造公平开放、竞争有序、廉洁高效的中介市场环境，已成为各级政府改革创新服务、优化营商环境、激发“双创”活力所亟待解决的关键问题。

一、工作背景

随着简政放权、放管结合、优化服务改革不断向纵深推进，行政审批过程涉及的中介服务程序复杂耗时、成本虚高的情况依然没有改变，清理规范行政审批中介服务，促进中介服务市场健康发展，深化行政审批制度改革，让“审批更简、监管更强、服务更优”势在必行。

自 2013 年 7 月起，浙江、广东、云南、江苏等地区创新性地设立了中介超市，通过将中介服务机构集中到政务服务中心，成立统一的办事大厅并建立中介超市，提供中介服务的一站式服务，这一做法成为社会广泛关注的热点。国务院于 2015 年 4 月正式开启行政审批中介服务改革，要求各级人民政府结合实际，清理行政审批中介服务事项、破除垄断、切断利益关联、规范收费、实行清单管理，加强对中介服务的监管。此后，全国各地多个“线上＋线下”的中介超市应运而生。

国务院印发了《深入推进审批服务便民化的指导意见》，对深入推进审批服务便民化工作作出部署。其中提到深化行政审批中介服务改革：开发建设中介服务网上交易平台，中介服务机构“零门槛、零限制”入驻，实现网上展示、网上竞价、网上中标、网上评价；

强化中介服务监管，全面开展中介服务信用评价，建立健全中介服务机构退出机制，营造公平竞争的中介服务市场。

二、中介超市的概念

（一）中介

中介是中介服务机构的简称。本书中的中介服务机构只指市场中介组织，一般是指那些介于政府与企业之间、商品生产者与经营者之间、个人与单位之间，为市场主体提供信息咨询、培训、经纪、法律等各种服务，并且在各类市场主体，包括企业之间、政府与企业、个人与单位、国内与国外企业之间从事协调、评价、评估、检验、仲裁等活动的机构或组织。

中介服务在本书中是指中介服务机构应委托人的委托，根据相关法律法规、行业规范及技术规范独立提供用于第三方作出行政审批、行政奖励、行政给付、行政处罚等行政决策性行为所依据的审查意见、结果认定、书面报告、设计图纸等咨询服务。

（二）中介超市

中介超市是近年来各地政府为贯彻落实全面深化改革工作的政府治理创新举措，是在多项政府改革相互交融中诞生的。这些政府改革包括行政审批制度改革、公共资源交易体制改革、社会信用体系建设、“放管服”“公平竞争审查机制”“降成本”等。

在中介超市建立初期，相当多的政府部门以及中介服务机构对于中介超市的出现表示了不满。但是，笔者认为中介超市的出现是具有应然性的。

第一，中介超市是政府采购改革和公共资源交易体制改革的必然补充。前文提到项目单位在使用财政性资金采购中介服务且未达到招标采购限额的，项目单位可以自行采购，有特殊规定的情况除外。在这个过程中，项目单位可指定任意中介服务机构作为中介服务的提供者。在这个无明确法律法规的“真空地带”，一个能有效管理限额以下自行采购行为的举措至关重要。对于自行采购这个游离在政府采购以及公共资源交易之外的行为，政府必须进行监管，社会必然要求监督。

第二，中介超市是行政审批制度改革步入深水区的必然结果。为进一步深化行政审批制度改革，促进中介服务市场健康发展。《国务院办公厅关于清理规范国务院部门行政审批中介服务的通知》（国办发[2015]31号）提出明确要求，全面清理中介服务事项、破除中介服务垄断、切断中介服务利益关联、规范中介服务收费、实行中介服务清单管理、加强中介服务监管。

第三，中介超市是中介服务市场实现公平竞争的必然手段。中介服务机构由于原有制度的原因，大多数都是在计划经济体制下通过政府机构行政主导发展起来的，一些中介服务机构直接就是由政府机构创办的，一些则依托政府机构成立，多数具有官办体质。

目前，虽然多数中介服务机构已与政府部门脱钩，但部分中介服务机构仍与政府部门保持千丝万缕的联系，具有一定的行业垄断性，破坏了公平竞争的市场环境。一些中介服务机构被讽刺为“戴市场的帽子，拿政府的鞭子，坐行业的轿子，收企业的票子，供官员兼职的位子”。将中介服务机构纳入一个平台统一管理，破除地域性、行业性垄断，实现中介服务市场公平竞争，是政府必须要施行的工作举措。

第四，中介超市是政府廉政建设的必然抓手。2013 年 1 月，习近平总书记在中纪委全体会议上提出：“要加强对权力运行的制约和监督，把权力关进制度的笼子里，形成不敢腐的惩戒机制、不能腐的防范机制、不易腐的保障机制。”2014 年，习近平总书记提出：“要善于用法治思维和法治方式反对腐败，加强反腐败国家立法，加强反腐倡廉党内法规制度建设，让法律制度刚性运行。”自行采购这个缺失严密规章制度且容易滋生权力腐败的行为，就应该放到阳光下，关到笼子里。让权力在阳光下行使，让特权无处可行。政府必须通过某一个制度或平台作为重要抓手，将自行采购的行为纳入监督管理，中介超市应运而生。

中介超市是政府为贯彻落实全面深化改革部署工作，以“互联网＋政务服务”理念为核心，运行“互联网＋”手段，通过搭建“线上＋线下”电子政务管理平台，实现中介服务市场公平竞争的政府治理创新举措。

从政府部门管理运行来看，中介超市是为政府行政机关、事业单位以及村(居)委会提供公开选取中介服务机构，为中介服务机构提供统一入驻、交易管理、信用奖惩等服务的“线上＋线下”的综合性服务管理平台。

从项目资金分类来看，中介超市是政府为财政性资金以及社会资金选取中介服务而建立的一个具有“线上＋线下”功能服务的一个综合性管理平台。

从业务需求导向来看，中介超市需求导向分为中介服务机构资质导向和中介服务事项导向。

综上所述，可以将中介超市概括为：政府为推进全面深化改革工作，以“互联网＋政务服务”理念为核心，运用“互联网＋”技术手段，通过衔接中介服务机构资质分类、梳理中介服务事项清单，搭建具有“线上＋线下”功能服务的中介超市管理平台，是为政府部门、企业、个人采购中介服务提供一站式服务的政府治理创新举措。

三、政府治理创新和中介超市的关系

政府治理创新的是政府部门采用新思路、新方法、新思维不断提高公共服务质量的过程，而中介超市就是现在各地政府为满足社会发展需要所提出的新思路、新方法、新思维。

中介超市是政府为了进一步规范中介服务机构的管理，提高和增强中介服务机构的服务质量和效率,推进法治化、国际化营商环境建设,建设廉政阳光工程而提出的一个新型举措。

中介超市是政府在网上办事大厅建设经验的基础上,融合投资项目审批制度改革、政府采购改革和公共资源交易体制改革,建成的多级政府一体化运行模式的管理应用平台。

中介超市创新打造了从中介服务机构资质管理到中介服务机构服务全流程管理的"互联网+信用"管理体系,有效化解"红顶中介""中介不中"等"痼疾",实现了对中介市场"放管服"的有机统一。

中介超市正是政府治理创新的一个典型举措。中介超市运用"互联网+思维"推动了各项改革工作的进程,不断吸收以及应用新平台、新策略,优化应用效果。它是政府为了不断提高行政效率和增进公共利益衍生而成的一个新成果,它的每一个活动和运作都是政府治理创新的体现。

第二节　网上中介服务超市的管理

为做好网上中介服务超市运行、服务和监管,需做好中介超市的管理工作。中介超市按照"一个平台、全省共用,一地入驻、全省通行,一处失信、全省受限,一体管理、分级使用"的原则,进行运营、服务和监管。

一、明确职能分工

(1)原则上县级以上政务服务主管部门为本级中介超市管理机构,各级公共资源交易中心为本级中介超市运营机构。

中介超市管理机构的主要职责为:

①贯彻执行国家有关中介服务网上交易平台的法律法规和相关政策。

②组织制定全省中介超市管理制度,研究制定全省中介超市发展规划,推进中介超市标准化、扁平化、集约化建设和管理。

③组织技术力量为中介超市的建设、运维和信息安全等提供信息化技术支撑。

④研究、协调解决全省中介超市重大问题。

⑤监督管理全省中介超市及其运营机构和有关当事人行为。

⑥按职责分工受理和处理有关投诉,并协调本级行业主管部门处理有关投诉。

中介超市运营机构的主要职责为:

①具体承担中介超市日常运营及服务工作,组织省级项目业主选取活动。

②建设和维护全省中介超市统一中介服务事项库、统一项目业主库、统一中介服务

机构库、统一中介超市信用信息库等数据库。

③制定全省中介超市运营配套制度，指导全省各地中介超市运营机构业务操作和服务的标准化、规范化建设，优化业务流程。

④组织实施省级中介超市服务评价工作，受理和处理有关咨询，协调项目业主和行业主管部门处理有关咨询，协助处理有关投诉。

⑤组织开展全省中介超市运营机构工作人员业务培训。

(2)省级行业主管部门负责统筹本行业中介服务事项清单，各级行业主管部门负责梳理、编制、公布和不断完善本部门中介服务事项清单，按照标准化、规范化要求，明确中介服务事项的名称、类型、设立依据、涉及的行政审批事项、价格管理方式等要素，对本部门中介服务事项的合法性、规范性、有效性和准确性负责。

涉及资质(资格)监督管理的省级行业主管部门负责梳理本行业中介服务机构入驻中介超市所需资质(资格)、从业人员条件等要素的核对标准。

涉及资质(资格)监督管理的各级行业主管部门对发现不符合入驻条件的中介服务机构，通知中介超市管理机构按规定将其从中介超市予以清退，对取消资质管理的中介服务机构按有关规定执行；切实履行行业监管职责，依法依规对本行业中介服务机构开展监督检查和行政执法，加强“双随机、一公开”监管和行业信用管理；处理有关中介服务咨询和投诉，查处入驻中介服务机构的违法违规行为，将有关处理结果反馈给中介超市管理机构和运营机构。

(3)省社会信用体系建设牵头部门依托省公共信用信息平台，为中介超市信用管理提供公共信用信息核查服务，并依法依规归集共享中介超市产生的信用信息。

(4)各级政府价格主管部门对纳入政府定价管理的中介服务收费项目制定相关收费政策并实施，各级市场监管部门依法对价格活动进行监督检查，并根据《中华人民共和国价格法》《中华人民共和国反垄断法》等相关法律法规对价格违法行为进行处理，维护中介收费秩序。

(5)各级财政部门为财政性资金项目提供经费保障，凭财政性资金项目合同和中选通知书支付中介服务费，或拨付所需经费由项目业主自行支付。对辖区内相关机关、事业单位使用财政性资金在中介超市购买中介服务的执行情况进行监督检查，依法依规查处财政性资金购买中介服务过程中的违法违规行为。

(6)各级审计部门依法依规对涉及中介超市和中介服务的相关事项实施审计监督。

二、入驻流程

(1)项目业主、中介服务机构提交入驻申请后，中介超市运营机构应当对有关内容和材料的一致性进行核对。

已入驻的项目业主、中介服务机构提交注册信息变更申请后,中介超市运营机构应对有关内容和材料的一致性进行核对。

注册地为省外和省本级的中介服务机构,由省级中介超市运营机构负责核对。注册地为市、县(区)级的中介服务机构,由注册所在地市、县(区)级中介超市运营机构负责核对。

除涉及国家秘密、商业秘密和个人隐私的信息外,申请入驻的中介服务机构信息经核对后,应当在中介超市公示,并接受社会监督。

(2)中介服务机构存在以下情形之一的,应当予以清退:

①不符合入驻条件的。

②出现严重失信行为的。

③其他违反法律法规规定被暂停或责令不得开展中介服务的。

因出现上述第②③情形被清退出中介超市的中介服务机构,应在限期内不得申请入驻。

三、选取流程

(1)项目业主在中介超市选取中介服务机构主要有下列方式:

①择优选取。项目业主通过对比报名参与项目的中介服务机构的信用评分、响应方案等,选取服务优、评分高、信誉好的中介服务机构。

②随机抽取。中介超市采用电脑随机摇号方式从报名参与项目的中介服务机构中随机抽取中选方。

③竞价选取。中介服务机构通过一次或多轮次报价的方式参与项目,中介超市按最低价中选原则自动确定中选方。如果规定时限过后,存在两家以上相同报价的,中介超市通过随机抽取方式自动确定一家作为中选方。

④直接选取。项目业主邀请三家以上符合条件的中介服务机构报名参与项目,直接选取中选方。

(2)项目业主通过中介超市填报和提交有关采购项目信息,中介超市运营机构应当在承诺的时间内进行形式核对,发布采购公告。

(3)选取结果产生后,中选结果由中介超市系统自动发布中选公告,并予以公示,公示期满后向项目业主和中选中介服务机构出具电子中选通知书。

(4)中选中介服务机构应当按合同约定范围、时限向项目业主提供服务。除依法应当保密的内容外,财政性资金项目服务成果应当上传中介超市。社会性资金项目服务成果由项目业主和中介服务机构自行商定。

四、信用管理

(1)项目业主应当在中介服务机构履行服务后,在中介超市对中介服务机构进行满意度评价,评价结果计入该中介服务机构的信用评分。

(2)中介服务机构存在不良行为,情节未达到一般失信行为的,中介超市运营机构核实后,在中介超市发布失信预警公告。

(3)中介服务机构存在下列行为之一的,中介超市管理机构会同有关部门核实后,记为一般失信行为:

①无正当理由放弃中选结果或不按时与项目业主签订合同的。

②擅自提高服务收费或变相要求项目业主增加服务费用的。

③无正当理由不按合同要求的服务时间完成服务的。

④未按从业规范提供服务,服务质量不达标,因服务成果不符合从业规范要求而被行业主管部门退回的。

⑤存在应当回避情形却未回避的。

⑥经查实未履行有关守信承诺的。

(4)中介服务机构存在下列行为之一的,中介超市管理机构会同有关部门核实后,记为严重失信行为:

①提供虚假材料入驻中介超市的。

②与项目业主或其他中介服务机构相互串通而扰乱公平竞争秩序的。

③在提供中介服务时,利用执业之便,谋取不正当利益的。

④贿赂项目业主、交易当事人和其他有关人员的。

⑤违法违规或违反合同约定将项目进行转包或分包的。

⑥利用监理、评审、审核等服务优势干预其他中介服务机构日常经营或要求其他中介服务机构进行利益输送的。

⑦捏造事实、提供虚假材料、以非法手段取得证明材料进行投诉的。

⑧被有关行业主管部门列入有关失信联合惩戒黑名单的。

⑨无正当理由,拒不接受中介超市管理机构、行业主管部门询问核查、处理结论的。

中介服务机构在中介超市出现一般失信行为和严重失信行为的,应与暂停其参与承接中介服务挂钩。失信行为记录作为信用评分的依据。依法应当公示的信用信息,应当及时进行公示。

五、咨询监督

(1)政务服务咨询投诉平台、各地市“12345”热线和中介超市系统应该及时受理咨询。咨询答复应当在承诺时间内办结，无法按时办结的，应当在办理期限届满前提出延期申请。

（2）投诉人可以直接向交易地中介超市管理机构或有关行业主管部门提出投诉，也可以通过中介超市系统提出投诉。

（3）投诉人通过中介超市系统提出投诉的，中介超市系统根据投诉事项类型，按职责分工进行转办。

中介超市管理机构受理和处理中介超市入驻过程及结果、选取过程及结果、中介超市运营机构服务质量、服务时效等投诉事项，并在收到投诉后决定是否受理。决定受理的，应当在作出受理决定后承诺的时间内作出处理决定。不予受理的，应当说明理由。

行业主管部门受理和处理违反行业监管法律法规的投诉事项，并将有关受理和处理结果反馈至本级中介超市管理机构。

（4）除法定需保密的事项外，有关投诉处理的决定应当及时在中介超市公布。

第三节　典型案例

一、浙江网上中介超市建设实践

近年来，浙江省围绕“放管服”改革，深入推进行政审批制度改革，审批事项大幅减少，审批效率大幅提升，但是，为审批提供服务的前置中介服务仍存在事项多、时间长、收费高等问题，严重阻碍了审批提质增效。以一般的企业投资项目审批为例，往往需要环评、能评、地籍测绘、选址论证、水资源论证、施工图设计、安全评价等众多中介服务事项，其服务时间、收费占项目办理总时间、总费用的60%以上，部分事项办理需要3～6个月。中介事项设立不规范、部分领域可选择中介机构少、中介市场竞争不充分、缺乏统一信用监管等是造成这一现象的重要原因。为此，浙江各地积极推进中介超市建设，建立了64个实体中介超市、68个网上中介超市，实现全省全覆盖。

（一）主要举措

浙江出台了《浙江网上中介超市建设方案》，围绕“一个原则、二个目标、三个‘码’、四个‘库’”，统筹全省网上中介超市建设，推进行政审批中介市场化改革，助推“最多跑一次”改革。

1.一个原则——“统分结合、竞争充分、评价有效”原则

浙江网上中介超市按照“统分结合、竞争充分、评价有效”原则开展建设，由省级网上中介超市平台（简称“省平台”）和各市、县（市、区）网上中介超市平台（简称“市县平台”）共同组成。省平台依托浙江政务服务网，对全省行政审批中介服务事项、中介机构、信用

评价、专家等信息进行归集和公开，对中介机构进行综合信用评价，统筹指导市县平台运行。市县平台重点实现本级或本级辖区行政审批中介服务事项管理、中介机构管理、双向选择（交易）管理和信用评价管理。浙江网上中介超市平台与投资项目在线审批监管平台、省公共信用平台（信用浙江网）对接，省平台与市县平台纵向联动，实现行政审批中介服务事项信息、中介机构信息以及信用评价信息的共享。

2.二个目标——“一地备案、全省公开”“一地失信、处处受限”

浙江网上中介超市重点实现两个目标：一是“一地备案、全省公开”。中介机构在一地备案，通过浙江网上中介超市实现中介机构信息在全省公开、共享，以此促进打破中介机构区域、行业、数量等垄断，形成充分竞争市场。二是“一地失信、处处受限”。中介机构在一地失信，通过浙江网上中介超市综合信用评价对外公开、共享，以此加强信用监管，形成信用联合奖惩机制。

3.三个“码”——中介服务事项编码、统一社会信用代码、企业投资项目代码

浙江网上中介超市重点抓好三个“码”：一是行政审批中介服务事项编码。制订行政审批中介服务事项编码规则，对行政审批中介服务事项进行统一编码，推动行政审批中介服务事项标准化，实现省、市、县中介服务事项名称、时限、收费标准统一。二是统一社会信用代码。通过统一社会信用代码提取中介机构相关基础信息，并采集中介机构在不同地区开展业务的业绩、资质、信用等信息，加强对中介机构统一监管。三是企业投资项目代码。对接投资项目在线审批监管平台，通过项目代码将中介服务信息与投资项目审批监管信息在投资项目在线审批监管平台和中介超市共享，并实施全流程跟踪监督，以减少项目单位、中介机构、审批机关之间的跑动，助推投资项目“最多跑一次”改革。

4.四个“库”——行政审批中介服务事项库、中介机构库、信用评价库、专家库

面向委托人（项目单位）、中介机构、行政服务中心（审改办）、审批部门等用户，建立行政审批中介服务事项库、中介机构库、信用评价库以及专家库四个数据库，提供网站信息服务，开展信用评价，进行行政审批中介服务事项管理及后台运行管理等管理服务功能。一是行政审批中介服务事项库。针对目前各市县行政审批中介服务事项杂乱问题，由省平台进行统筹建设、统一定义和管理，根据权责清单进行清理规范、动态调整。二是中介机构库。主要是归集各市县平台中介机构信息基本指标，并做到信息共享和动态调整。三是信用评价库。主要是归集各市县平台中介机构信用评价基本指标，并做到信息共享和动态调整。四是专家库。通过归集省级行业部门评审专家信息实现共享，供市县参考，解决市县中介评审专家短缺问题。

（二）建设成效及经验

一是搭建超市平台，完善服务环境。全省各地以市、县或市县一体形式建立了68个网上中介超市和64个实体中介超市，覆盖全省所有市县，按照“非禁即入”原则，面向全

国，凡符合条件的审批中介机构均可入驻，建立业主和中介机构双向自由选择机制，平均每个中介超市入驻中介机构数约200家。丽水市网上中介超市建立了竞价平台，已累计完成竞价项目8720个，成交金额达5.37亿元，为项目业主节约资金约1.4亿元。嘉兴市网上中介超市建立了"会员制管理、网上网下结合、淘宝店式经营"信用评价新模式，简明、实用、高效。

二是建立中介清单，规范服务行为。按照国务院清理规范中介服务事项的要求，省审改办对全省行政审批中介服务事项进行清理规范，印发《关于公布和规范行政审批中介服务事项的通知》，公布了全省事项目录，明确了办理时限、收费标准和规范要求，减少中介服务事项41项，保留97项中介服务事项。各地制定了入驻中介服务管理办法，金华等地还制定了入驻中介事项技术服务示范合同文本，推动中介服务管理标准化和规范化。公开中介机构清单是业主选择中介服务的基础，各地建立入网中介机构数据库，完善中介机构名单、业绩、服务时限、办事流程、收费、信用等级等信息数据并对外公布，实现信息查询、选择询价、服务评价、日常监管等功能。

三是创新联动机制，提升服务效率。各地对入驻中介机构组织开展同步、联合办理相关事项，提升服务效率，减轻企业负担，如对项目前期所涉及的文物、水保、地质灾害、压覆矿等中介评价事项，组织入驻中介机构开展联合评价。积极推行区域评价、施工图联审、建筑工程"竣工测验收合一"、联合测绘等中介服务管理制度，配套推进中介服务改革，提升中介服务效率。

四是加强信用监管，完善服务保障。各地对入驻中介机构采取集中监管、网上监管等方式，规范中介服务行为。丽水市通过全程电子监察，从网上竞价到部门完成审查全程留下痕迹，有效解决中介服务时限长短、质量优劣不可溯查的问题。积极推行入驻中介机构信用等级评定制度、失信联合惩戒机制和红黑名单制度。长兴县以执业记录、服务效率、成果质量、投诉情况、社会满意度等为基础数据，实行ABCD信用等级评价，开展分类监管。杭州、丽水等地细化了具体措施，制定了审批前置中介服务不良行为的认定标准。三门县根据信用等级评定结果清退了两家失信中介机构。信用监管、网上监管提高了中介服务质量和效率。

二、广东网上中介超市建设实践

广东省中介超市于2018年6月成功试运行。自运行以来，广东省中介超市在解决全省中介服务机构数量结构性不足、供给质量和区域行业不均衡、供给价格偏高以及规范中介机构服务行为等方面发挥了积极作用，优化了中介服务公共资源市场化配置机制和开放竞争、公平交易的营商环境。

(一)工作举措

1.增加中介服务供给数量

一是全省统一受理中介服务机构入驻。根据“一地入驻、全省通行”的原则,广东省中介超市以“全面开放、自愿入驻、资源共享、分类推进”为举措,通过网上中介超市平台面向全国广发“英雄帖”,邀请省内外各行业符合执业条件的中介服务机构入驻中介超市。从2018年6月起,先后发布了6次中介机构入驻邀请,分批推动全国中介服务机构进驻中介超市。截至2020年7月,已发布58项中介服务种类,共有7100家中介服务机构和1.73万家项目业主进驻中介超市。二是省、市中介超市平台互通互联。为实现中介服务机构“一地入驻、全省通行”,广东省中介超市对原有5个已建地市(惠州、佛山、清远、韶关、中山)中介服务平台按照省统一对接标准进行了中介服务事项、中介服务机构、项目业主、采购项目等数据对接,其中中山市则直接放弃使用本地中介超市平台,转为统一使用省中介超市。

2.优化中介服务供给质量

一是推进梳理行政管理工作涉及的各类中介服务事项清单。广东省中介超市建设之初就对全省大部分市县行业主管部门开展了一轮业务培训,推动行业部门全面梳理中介服务事项,设立依据及中介服务机构资质要求。截至2020年7月,全省21个地市共计发布中介服务事项1.45万项。二是形成全省“超市”运营管理模式。全省各地运营机构集中开展了业务交易和系统操作培训,统一中介机构入驻业务流程、操作手册和常见问题解答等服务标准,并通过日常电话、QQ群和微信群等方式建立起日常工作联系机制,力求全省运营机构办理业务时统一标准。

3.提升中介超市服务效率

一是构建阳光化交易平台。从实现公共资源交易项目的使用功能与全周期全流程互联网数字化管理出发,目前广东省中介超市已实现公开各中介机构的入驻信息,每一项目选取结果当场发布公告;每一项采购服务能够自动反馈有关信息,杜绝人为干预的可能;竞价选取和随机抽取采取网上系统自动操作,防止线下内定作假;所有网上交易全程实行音视频监控,防止营私舞弊。通过打造“阳光化”交易平台,截至2020年7月底,累计发布项目采购公告13.56万个,成交项目12.78万个,成交金额47.54亿元,资金节约率31%。同时,推进各行业部门相关中介服务数据与中介超市系统数据互认共享,目前已经初步完成与省统一身份认证平台、省政务信息共享平台、省电子证照系统、信用广东、省政务服务网、省投资项目在线审批监管平台、“粤商通”APP和17个地市工程建设项目联合审批平台等25个外部系统的对接工作,为支撑项目业主和中介机构“少走快办”提供便利,也为广东全省“一张网”打下坚实基础。二是建立健全中介超市信用监管体系。为发挥公共资源交易依法监督和规范市场公平竞争交易秩序的公共属性,根据

"一处失信、全省受限"的原则,广东省中介超市依托"信用中国/信用广东",整合中介机构的行政处罚和黑名单等信用信息。2018 年 6 月,完成了与"信用广东"平台数据对接,实现在中介服务机构入驻时调用"信用中国/信用广东"数据进行把关。2020 年 3 月,实现获取行政处罚信息进行联合惩戒。

(二)推进建设广东省中介超市的对策措施

按照公共资源交易平台建设的预期目标,为完善公共资源要素市场化配置机制,提高公共资源交易配置的效率效益,广东省中介超市要在不断推进创新、优化中介服务资源数字化交易和监管体系的新路径方面下工夫,要进一步发挥超市平台专业化的交易服务功能,通过专业化的方法、要素和标准,科学寻源、评价、选择与中介服务项目专业个性需求相匹配的交易选取方案以及相应资质资格能力的中介服务对象。

1.进一步优化完善中介服务市场化配置机制和开放竞争、公平交易的营商环境

(1)有效推进广东省中介超市管理体制,明确采购范围。中介服务资源市场化配置是深化"放管服"改革的必然选择,也必然触及一些政府部门的现实利益,同时各类资质资格的中介服务又分属多个政府部门管理,需要统一协调、统一实施和统一监管才能顺利完成。

要进一步明确中介超市管理运营机构、行业主管部门及各级监管部门的职责分工,建立职能管理服务、市场交易和执法监督相对独立、相互衔接的管理体制。要建立起省、市、县(区)三级中介超市管运架构,市、县(区)政府应明确本地中介超市管理机构和运营机构,并报省中介超市管理机构备案。若县(区)政府未设管理机构和运营机构,也可由当地市级管运机构统一管理。

另外,在采购范围上,使用财政性资金购买的、政府集中采购目录以外且未达到采购限额标准的中介服务,项目业主必须在中介超市选取中介服务机构,法律法规另有规定的除外。由于各级财政部门的采购限额标准不同,为此,各级中介超市管理机构应根据本地财政部门通知,将本级政府进驻中介超市公开选取的限额标准在中介超市进行公布。对于社会性资金购买的中介服务,项目业主则按照自愿原则在中介超市选取中介服务机构。

(2)建立健全广东省中介超市管理运营制度体系。为了中介服务机构充分参与竞争,提供优良营商环境,形成中介超市各项管理运营工作有法可依、有据可依,建立健全交易服务规则和交易服务标准体系,以此形成"1+N"的中介超市管理运营制度体系,出台具体实施细则、中介服务信用管理、中介超市咨询投诉管理、交易方式使用规范等管理规则,以及中介服务机构进驻等操作流程规程标准。省市各级行政管理部门和中介超市管运机构应结合实际,出台符合实情的相关制度和规范性文件,确保网上中介超市"一张网"高效运营。

(3)建立广东全省统一中介服务事项目录清单。中介服务机构既是市场主体,也是

社会主体，把握政府与中介服务机构的关系就是把握部门行政管理活动与中介组织的关系。处理好两者关系的基础首先要梳理编制中介服务事项清单，以此厘清双方职责边界，进一步发挥中介服务机构在政府管理、服务市场以及社会中的桥梁和纽带作用。

要建立广东全省统一的中介服务事项目录清单并实行动态管理。中介服务事项涵盖行政相对人或行政管理单位（两种项目业主类型）应当委托中介服务机构独立承担的有关工作。梳理编制中介服务事项清单要以行政管理工作即权责清单为索引，包括目录清单和使用清单。目录清单由省级中介超市管理机构组织各部门梳理，定期发布并动态更新。目录清单应包括中介服务事项名称、目录编码、设定部门、设定依据、项目业主类型、中介服务内容、中介服务类型、法定从业人员职业（执业）能力要求等基本要素。全省同一中介服务事项在纵向不同层级、横向不同区域之间应保持目录清单基本要素一致；使用清单由各级各部门在目录清单基础上进一步细化编制，使用清单应包括涉及本部门实施的行政管理事项名称、行政管理事项编码、中介服务机构资质资格等基本要素。

2.优化完善中介服务市场化、专业化电子交易服务系统

(1)优化和提升中介超市平台服务功能。网上中介服务超市的本质是“互联网＋中介服务”，是“互联网＋政务服务”改革的领域拓展，更是目前我们在中介服务领域利用“互联网＋”、大数据等信息化手段推动政府职能转变的有效实践。广东省中介超市是打破地域、行业垄断和保护，面向全国开放的中介服务市场。要在现有的广东省内行业信息数据基础上，面对全国中介服务机构进驻，继续优化中介超市平台的服务功能，完善互联网络公共通道、智能互联生态节点、中介超市交易主体进入平台交易站点与数据交互接口等公共网络技术服务。一是通过公共互联网络通道，促进中介服务机构统一身份认证，逐步实现全国互认，结合手机扫码、人脸识别等技术，实现便捷身份认证和签字公共服务。二是实时交互和共享中介服务机构资质资格和业绩信用等信息。要求各行业主管部门及法律法规授权的社会组织应当将本行业的中介服务机构数据库与省电子证照库数据互认共享，建立相关机构资质（资格）和执业（职业）人员信息的自动推送、比对机制。对此，在现有对接基础上，要进一步完善有关行业资质（资格）和从业人员信息数据的对接及交互使用，这也为广东全省运营机构统一入驻标准提供了支撑和保障。只有以行业主管部门的数据源为依据，才能专业、准确和权威，各地中介超市运营机构依此进行一致性核查，才能形成广东全省统一的核查标准。

(2)优化和完善中介超市平台电子交易功能。由于中介服务市场存在项目行业跨度大的差异性，中介超市交易系统应当体现行业差异和项目专业个性购买需求，发挥电子交易系统专业服务的本源功能和服务价值。围绕中介服务专业化和精准化交易服务的采购需求，进一步完善中介超市商品采购要素，体现出中介服务的差异化和个性化。目前，中介超市在描述中介服务事项涉及的中介服务要求时，主要填写对中介服务机构存

在的资质要求、机构人员资质/职称要求,以及是否存在备案要求等。具体到中介超市项目采购中,采购需求在对应中介服务事项需要选取的中介服务机构时,仅凭以上要求是远不够甄别中介机构服务水平的。就像线下生活超市里陈列的商品一样,顾客在挑选同一类商品时,对于商品说明书中涉及的产地、成分、标准等要素会多方进行对比。对此,中介超市对中介服务机构存在的"商品"多样化及个性化也应从多角度完善要素展示,除中介服务机构及其人员具备的资质资格以外,中介机构的服务业绩、获奖情况、信用记录等要素都应陈列到中介超市的服务柜台上,录入中介超市电子交易系统,构成中介服务选取时的参考因素,以此促进中介服务机构充分展示和发挥其专业化优势,并通过中介超市提高中介服务质量,从而为政府有效管理和优质服务提供有力的支撑和保障。

(3)优化和加强中介超市省市互联。广东省中介超市按照"一个平台、全省共用"的原则,实现省市互联互通。省中介超市建成以后,各地市不得再单独建设中介超市系统,对于四个继续保留的地市自建中介超市,要按照省制定的中介超市平台统一标准规范,加快做好中介服务事项、中介服务机构、项目业主等数据和业务的对接,尽快实现信息共享和互联互通,实现"一个平台、全省共用"。省市统一规范要求包括广东全省中介服务事项实行"一张单"管理,已建地市中介服务事项清单应同步在省中介超市公示;中介服务机构应统一到省中介超市入驻,在省平台入驻后参与已建地市中介超市的项目选取;已建地市中介超市涉及项目采购公告、报名情况、中选公告、合同情况等全过程交易信息应同步在省中介超市公示,纳入省中介超市监管;已建地市中介超市登记的中介服务机构失信行为记录应同步汇聚至省中介超市,执行省中介超市信用管理,实行"一处失信、全省受限"。

3.加快完善中介服务超市信用监管体系

按照实施协同监管、强化信用监管和开展智慧监管的有关要求,广东省中介超市要创新监管机制,推进中介服务市场交易服务、管理与监督职能各司其职、互相协调、密切配合,探索市场监管、行政监管、纪检监管"三位一体"的监管体制。具体而言,一是体系框架由中介超市管理运营机构为中介服务交易活动提供管理服务;各行政主管部门对中介服务交易活动和过程进行行业监管;监察、审计部门对前述部门履行职责情况进行行政监察。二是进一步完善信用定时巡查制度。"信用"是中介服务机构的生命线,只有紧紧抓住信用监管才能实现精准治理。对已入驻中介机构信用信息保持动态更新,同时中介机构信用信息也推送至"信用广东"或"信用中国"进行公示,实现守信联合激励和失信联合惩戒,充实社会信用系统的中介机构信用信息。三是广东省中介超市通过数据交互接口实时对接数字政府公共支撑平台,通过对接该平台连接各行业监督系统,由此进入广东全省公共资源交易"一张网"交易平台,同时在与各行政监督部门电子监察系统对接时,同步设置中介服务交易监督检查节点和监督检查规则,采取自动预警结合手动预警的方式实现全程电子监察,以此提高发现问题的能力,增强监督的效力。

第十二章　政务信息资源共享交换

第一节　政务信息资源共享交换的概念

一、工作背景

数据共享是“互联网＋政务服务”顺利开展的基础条件。“互联网＋政务服务”的根本目标是通过政务部门间互联互通、数据共享、协同联动，实现跨部门数据流动，提升公共服务的整体效能，让居民和企业少跑腿。推进“互联网＋政务服务”，实现“一号申请、一窗受理、一网通办”的目标，需要强化政务部门间的数据共享能力，但同时也要避免信息孤岛、数据割据、业务隔绝。如同政府的市场监管、宏观调控、社会管理一样，“互联网＋政务服务”也需要着力于培育数据共享、业务协同机制，强化业务协同联动，打破“信息孤岛”，推动信息互联互通、开放共享，发挥数据流在简政放权、放管结合、优化服务过程中的基础性作用，使共享协同在提升公共管理能力、提高国家治理水平、创新公共服务、优化公共政策等方面发挥重要作用。

2016 年的政府工作报告提出：大力推行“互联网＋政务服务”，实现部门间数据共享，让居民和企业少跑腿、好办事、不添堵。《国务院关于加快推进“互联网＋政务服务”工作的指导意见》(国发[2016]55 号)提出：打通数据壁垒，实现各部门、各层级数据信息互联互通、充分共享，尤其要加快推进人口、法人、空间地理、社会信用等基础信息库互联互通。梳理编制网上政务服务信息共享目录，尽快向各省(自治区、直辖市)网上政务服务平台按需开放业务系统实时数据接口，支撑政务信息资源跨地区、跨层级、跨部门互认共享。《国务院关于加快推进全国一体化在线政务服务平台建设的指导意见》(国发[2018]27 号)提出：推动线上、线下深度融合，充分发挥国家政务服务平台的公共入口、公共通道、公共支撑作用，以数据共享为核心，不断提升跨地区、跨部门、跨层级业务协同能力，推动面向市场主体和群众的政务服务事项公开、政务服务数据开放共享，深入推进“网络通”“数据通”“业务通”。

可见，数据共享、业务协同是“互联网+政务服务”建设的关键，提升政府部门间的数据共享和协同能力，特别是构建跨部门、跨地区、跨层级协同的体制机制，是实现“互联网+政务服务”建设目标的必然要求。

二、政府数据共享现状

目前，我国信息数据资源80%以上掌握在各级政府部门手里，但由于传统行政观念和部门利益的影响，长期以来对信息资源的归属、采集、开发等管理规章和制度不明确，造成了信息资源部门化、部门资源利益化、利益产权个人化，致使大量政府数据“深藏闺中”，造成了信息资源极大的浪费，对业务协同造成了较大影响。传统的政务服务“办事难、办证难、证明多、证明繁”的问题已经成为社会公众反映的突出问题，政府管理和服务中不规范、不作为、不透明的问题仍然存在。无论是河北小伙往返家乡6次办护照，还是广州市政协委员曹志伟的一张投资项目审批流程“万里长征图”，都淋漓尽致地体现了中国式办证难的困境。数据共享和业务协同的困境已成为阻碍创新发展的“堵点”、影响干事创业的“痛点”和监管服务的“盲点”，影响了“互联网+政务服务”的效率，降低了“人民点菜、政府端菜”的质量，拖缓了“放管服”改革初衷的进度。

（一）缺乏立足全局的数据资源管理规范

从数据资源管理的规范层面来看，数字政府建设过程表现出政务数据立法较为分散的特点。目前，各地方在数据资源管理方面的政策文件多聚焦于政务数据的共享、开放、安全使用等特定方面，而缺乏专门针对政务数据的综合管理办法。政务数据共享是一项系统工程，但是目前在政务数据方面的规范表现出仅关注局部而缺乏总体性、系统性的特点。尽管部分地方在数据资源管理方面已经初步具备了一定的政策法规和标准规范体系基础，但数据资源管理部门自身仍然缺乏对本地数据资源的系统性摸底和统筹管理，其围绕数据共享、开发、应用、安全等方面的政策仍然较为分散，并没有整合、体系化，更很少有一部立足全局的政务数据管理规范。根据中国软件测评中心《政务数据质量管理调查白皮书(2019)》的报告，在全国32个省(自治区、直辖市)中，只有重庆和贵州专门制定了针对政务数据的综合管理办法。地方在政务数据综合管理方面立法的落后与国家层面相关立法较为滞后有关。由于发展改革委、公安部、财政部、审计署、国资委等中央部门根据履职需要，已经、正在或将在中央企业侧建设数据采集系统，中央部门层面的数据共享缺乏“一盘棋”的统筹规划，造成地方各部门间信息化建设标准各异，对数据申请要求不一、流程不同，申请工作复杂烦琐、周期长，跨部门数据共享目录和交互标准有待进一步优化。由于缺乏针对政务数据的综合管理办法，在政务数据共享的监管和测评管理等方面的相关规范体制也较为混乱，使得各领域数据共享无章可循。

(二)数据共享交换平台的利用深度和广度仍需提升

在数字政府建设过程中，尽管各地方已经依托数据共享平台初步形成数据共享的枢纽，但实践中数据共享平台的利用深度和广度并不充分，在一定程度上影响了共享的效果。多数地区数据共享交换平台并未发挥应有的作用，不能体现良好的服务性和集约性，相反还会导致“信任危机”，限制了不同部门数字政府建设的进程。一方面，平台上已汇聚的数据多是用于简单的统计、查询，而在深度挖掘数据价值、开展决策分析、解决痛点难点等方面存在一定的缺陷。结合实际情况可知，共享平台设置的信息目录中有一部分并未与资源对接，导致不同地域、不同层级、不同部门之间无法实现数据的共享。有数据需求的机构或个体通常需要重复注册多个账户，也无法获得优质的服务体验，查询流程并不合理，所以还需进行改善与优化。另一方面，受到统一规范缺失的影响，多个部门的电子政务系统存在较大的差异，不管是调用渠道还是数据存储的路径都各不相同。连接数据共享平台的部委垂直数据系统、省级业务数据系统和同级业务数据系统数量仍有待增加，当前多个平台或数据库都无法实现联网互通，调取数据遭遇阻力，这些都对共享交换平台的实践应用造成了一定的消极影响。

(三)数据资源采集的信息化普及不够

尽管各地在数字政府建设过程中已经逐步建立起了涵盖内容广泛的信息资源库，但在数字政府建设过程中，数据资源的信息化采集方式普及率不高，数据质量也存在着各种各样的问题。除此之外，虽然数据资源完成了网上传递，但是具体的内容冗余重复，无法深入发掘信息资源的价值，导致真实的资源共享效率不尽如人意。由于数据分别在各部门独自的系统产生和管理，数据的采集和提供大部分依赖于手工方式，各部门间的数据很难核对，因而存在共享平台数据重复采集、更新不及时、不完整不准确、格式不统一的情况，尚未实现同类型数据的汇聚治理，很大程度上影响了数据共享工作的深入推进。以近期疫情防控流动人口数据采集为例，重复、繁重的手工填表给很多基层一线工作人员带来极大不便，引发群众不满。再如公安、民政和人社等部门都涉及人口信息的采集(如人口状态信息)，二者之间也存在数据误差的现象，不能保证“一数一源”。

主要表现如下：

(1)高价值数据资源少。数据接口开通比例低、接口运行稳定性差、挂接数据资源少、共享清单落实率低等现象，导致可共享的数据量明显不足。据调查，截至 2019 年 7 月 15 日，国务院部门和单位数据接口开通比例仅为 13.18%，接口运行稳定率为66.67%，信息目录挂接数据资源比例较低，仅为 56.17%，共享清单落实率为 53.43%，通过平台共享的数据量占比仅为 27.50%，导致可供共享的数据相对不足。

(2)数据质量低。政务数据共享过程中仍存在数据准确性和完整性不高、一致性和规范性不足、更新及时性和同步性不到位等问题，一定程度上制约了政务数据共享成效的发挥。据相关调查数据显示，截至2019年7月15日，国务院部门和单位信息资源更新机制建立的比例约为62.71%，信息资源准确率仅为56.27%。

（四）数据供需对接不畅

在国家层面，数据资源与实际需求脱节。据调查，在2019年国务院60个部门和单位已开通的所有服务接口中，仅有23.27%被成功调用；在已挂接的数据资源目录中，仅有54.45%成功被申请；在所有部门和地方的数据需求中，仅有18.10%得到了满足。这表明数据供给与需求发生了错位，出现了“提供的数据不需要，需要的数据没提供”的尴尬局面。据浙江省反馈，全省对国务院部门和单位数据共享的需求逐步增加，迫切需求的国家数据有150类，涉及22个部门和单位，亟须依托国家数据共享交换平台得到满足。此外，数据共享需求仍存在依据不充分、超出部门掌握范围，或与现有制度相冲突的情况。据统计，2018年，国务院61个部门和单位共提出了1883项数据需求，其中，有9.45%的需求（178项）描述不明确，12.37%的需求（233项）没有列明依据，约6.85%的数据需求（129项）与数据提供部门的规章制度相冲突。如国家税务总局向中国人民银行提出共享大额资金往来信息，但中国人民银行认为该行为违反其对用户作出的个人隐私保护承诺，因此，只同意开放个案查询，没有实现批量共享。

在地方层面，尽管各地在推动政府各部门之间以及政府与社会之间的数据共享上做出了一定的努力，但是由于数据供需对接的不畅通，仍然存在政府部门之间以及政府与社会之间的“信息孤岛”现象。这种现象不利于部门之间的业务沟通，导致信息资源的共享受阻。以某市为例，尽管在数字政府建设过程中有意构建实现全市24个部门的数据共享交换平台，并且也不断推广政务数据应用以实现政务数据向个人、企业、社会的开放和服务，但由于长期以来标准不一、各自为政、自成一体、不联不通，仍然存在大量地方政务服务急需的数据“拿不到”或“拿不全”、部门提供的数据“无人问津”的现象，“条”“块”共享协同不畅问题依然没有得到根本解决。与此同时，由于关键业务领域数据分散在卫生、公安、民政等各个主管部门，致使不少部门数据归集、共享受到部委规章或规范性文件制约，共享权限也在部委层面协调推进不易。其体制改革往往会遭遇一定阻力，受到体制因素的影响，再加上利益驱使的干扰，导致该地区的信息资源仅仅掌握在少数部门手中，被分割成多个模块，不利于资源的共享。

（五）数据管理安全风险日益凸显

一是针对党政机关关键信息基础设施的攻击成高发态势。由于党政机关信息系统、关键信息基础设施承载服务、信息的高价值性，针对关键信息基础设施的网络窃密、远程破坏攻击、勒索攻击持续增加，组织性、目的性更加明显，风险和危害程度不断加大。二是过度集中汇聚数据风险加大。随着5G、云计算、人工智能等新技术在电子政务中的深入应用，基础设施云化、业务系统上云已成趋势，政务数据指数级增长和集中化趋势凸显。一方面，数据共享交换平台汇聚了海量共享交换数据，成为极有价值的攻击目标，从底层、硬件、操作系统到数据库、应用系统，任何一层出现问题，都会对数据构成致命威胁，数据遭受攻击、窃取、非法使用的风险剧增。另一方面，政务数据具有非涉密数据大量汇聚后可能涉密、多主体参与、数据持续流动等业务特点。集中的非敏感数据通过二次组合关联或聚合分析，形成衍生敏感数据，保护强度不够将加大失泄密风险，且责任难以界定。

第二节　政务信息资源共享交换的建设内容

一、统一数据交换

依托国家数据共享交换平台和各地方已有的数据共享交换平台等信息基础设施资源，构建全国一体化政务大数据体系，有助于推动政务数据等各领域数据间的多源汇聚、深度融合、有效共享和有序开放，进一步发挥数据作为国家基础性战略资源的作用，助力政务数据全流程的构建。

(一)目录与交换体系

1.目录体系

政务信息资源目录体系是为整合利用各类政务信息资源而建设的信息服务体系。根据业务需求，按照统一的信息资源目录体系标准，对相关政务服务信息资源进行编目，生成政务服务公共信息资源目录，记录政务服务信息资源结构和政务服务信息资源属性。政务服务信息资源结构通过树状的目录结构，展示政务服务信息资源之间的相互关系，政务服务信息资源属性则描述信息资源的管理属性。

政务服务公共信息资源目录信息包含六类信息：自然人基本信息、法人信息、证照信息、投资项目信息、政务服务事项信息、办件信息。

2.交换体系

交换体系是为消除部门间、地域间、层级间政务服务信息共享困难、信息不一致、信息实时性不强而建设的信息服务体系。按照政务服务信息资源交换标准，根据各地区、各部门应用系统的需求，科学规划共享信息，为部门内的业务应用系统和跨部门的综合应用系统提供信息定向交换服务和信息授权共享服务。

3.相互关系

目录体系和交换体系既相对独立，可独立建设，又相互依赖，可互相提供服务。一方面，通过目录体系建立起的政务信息资源目录及接口可对政务信息资源进行查询和检索，从而为政务信息交换奠定基础；另一方面，通过交换体系，可对政务信息资源编目进行传送和对信息资源进行访问、获取。应用系统根据需要可以选择目录体系提供的目录服务,或交换体系提供的交换和共享服务,也可选择两个体系提供的所有服务。

4.层次结构

可采用集中与分布相结合的方式进行信息资源目录服务和数据交换服务,其体系主要分为国家、省、地市三级节点,实现国家、省、市、县级数据交换。在国家级节点存储和提供政务信息资源总目录和国家级政务数据交换服务;在省级节点存储和提供相关省级政务信息资源分目录和省级交换服务;在地市级节点存储和提供地市级及以下政务信息资源分目录和地市级及以下交换服务。下级节点应当利用上级节点进行本级政务信息资源的注册和跨区域的数据交换。层级结构如图 12-1 所示。采用统建模式、分建模式的地区可根据实际情况组织各层级数据交换平台建设。

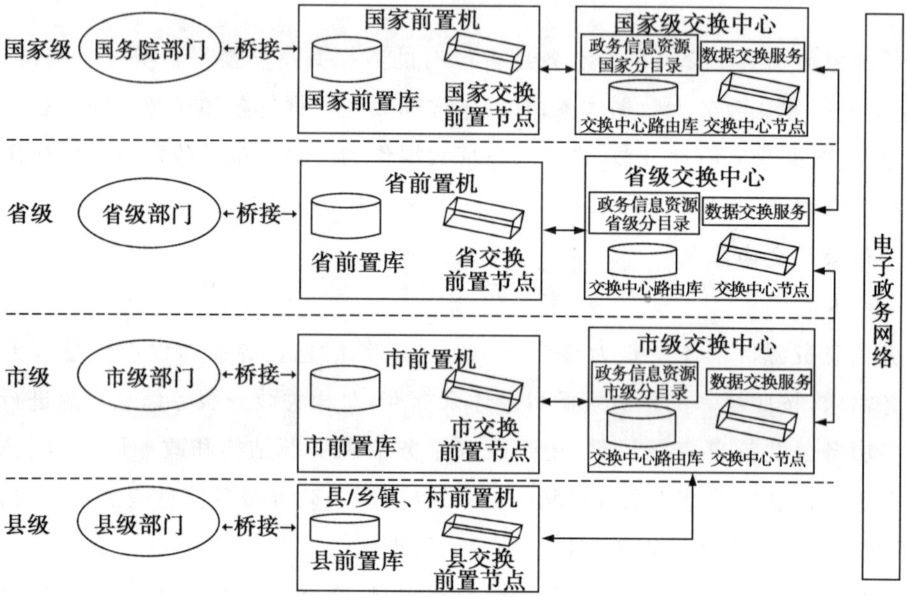

图 12-1　数据交换体系层级结构图

5.交换方式

国家级、省级、地市级节点内部采用集中交换和分布交换相组合的形式。

集中交换模式将信息资源集中存储于共享信息库中,信息资源提供者或使用者通过访问共享信息库实现信息资源交换。对于信息共享程度较高的信息资源,可采用集中交换模式。在集中交换的基础上进行数据清洗、加工、整合,并为其他部门提供服务,便于各类主题信息的统计分析和提高信息查询效率。分布交换模式将信息资源分别存储于各业务信息库中,以目录的方式进行数据共享,信息资源提供者和使用者通过交换节点提供的交换服务实现信息资源的跨部门共享,实现一数一源、一源多用、跨部门共享。集中与分布相结合,从而支持多种服务模式。国家级、省级、地市级节点之间通过国家级政务服务平台和省级政务服务平台实现数据跨域交换。

统一数据交换平台均可根据不同的场景提供数据库表、Web Service、文件等数据交换方式。

(1)数据库表方式:在统一数据交换平台能直接访问前置机数据库的情况下,数据交换双方均将数据推送至前置机数据库表中,并从前置机数据库表读取交换给本方的数据。

(2)Web Service 方式:数据交换双方通过 Web Service 发布数据读写接口,并通过调用该接口完成数据的双向交换。

(3)文件方式:对于非结构化的信息资源,统一数据交换平台可以读取非结构化信息资源,通过消息中间件实现非结构信息资源的数据交换。

(二)平台架构及功能

统一数据交换平台是交换体系建设的基础,通过统一数据交换平台建设能够为政府各部门提供跨层级、跨部门的数据共享交换支撑。

1.平台架构

统一数据交换平台由平台前置层、共享交换层、平台支撑层、基础资源层组成,如图 12-2 所示。

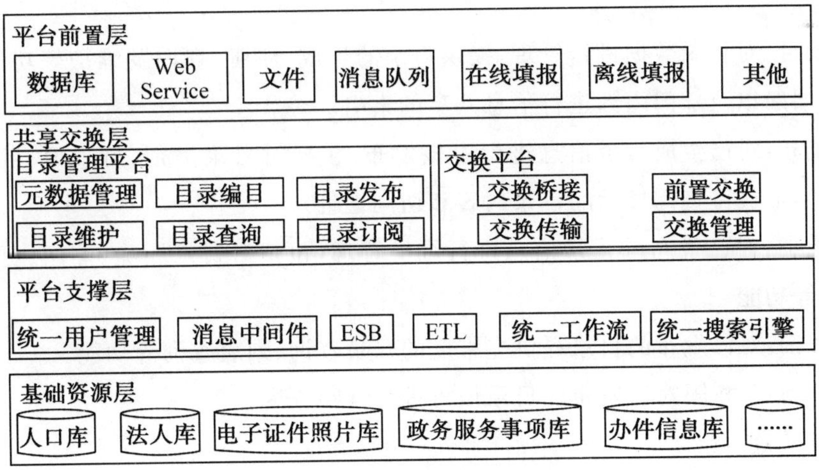

图 12-2　统一数据交换平台架构图

1)平台前置层

平台前置层是指跨部门、跨层级、跨区域交换共享的政务信息数据前置区域,承担着整个平台对外服务,包括数据库、文件、消息队列、在线填报、离线填报、Web Service、Web 浏览等交换方式。

2)共享交换层

共享交换层由资源目录管理平台和交换平台构成。目录管理平台提供元数据管理、目录编目、目录发布、目录维护、目录查询、目录订阅等功能；交换平台提供交换桥接、前置交换、交换传输、交换管理等功能，为信息定向交换传输和形成基础信息资源库提供支撑。

3)平台支撑层

平台支撑层主要提供消息中间件、ESB、ETL、调换调度等工具，实现接口封装、数据抽取、数据清洗、数据转换、数据关联、数据比对等功能。

4)基础资源层

基础资源层汇聚政务服务事项库、办件信息库，共享利用人口、法人、电子证照、信用信息等基础资源库。

2.主要功能

1)目录管理平台功能

目录管理平台包括元数据管理、目录编目、目录发布、目录维护、目录查询、目录订阅等功能。

元数据管理：对政务信息资源的标识、内容、分发、数据质量、数据表现、数据模式、图示表达、限制和维护等信息进行统一管理，提供元数据的定义、存储、查询及维护等功能，以利于发现与定位信息资源、管理与整合信息资源，改进系统有效存储、检索和移动数据的能力。

目录编目：对目录数据进行管理，提供目录的生成、注册、查询及维护等功能，以利于跨部门、跨层级以及部门内部进行信息共享的索引。

目录发布：对已生成目录信息进行审核发布，包括对目录类别、目录项、目录文字等的审核发布，形成可查询显示的目录内容和访问地址。

目录维护：对已发布的目录信息进行维护管理，包括对目录删除、停用、更新、重组、备份、恢复等功能。

目录查询：对已发布的目录提供多维度的目录查询、列表查询等功能。

目录订阅：分权限对已发布的目录信息进行订阅查询。

2)交换平台功能

交换平台包括交换桥接、前置交换、交换传输、交换管理等功能。

交换桥接：主要完成部门业务办理系统与数据交换系统之间的信息桥接，与部门业务办理系统为松耦合结构，可以在保证部门审批业务信息系统可靠、安全的前提下，实现部门业务办理信息数据库与前置交换信息库之间在线实时交换。

前置交换：为确保各部门现有系统的运行不被资源整合所影响，保障现有系统的数据安全，以前置交换作为各部门与数据交换平台进行数据交换的窗口，一方面从各业务系统提取数据，向数据中心提交；另一方面从数据中心接收数据，并向业务系统传递数据。

交换传输：在前置交换之间构成信息交换通道，根据部署的交换流程，实现交换信息的打包、转换、传递、路由、解包等功能。通过消息总线模式，实现部门前置交换信息库之间的信息处理和稳定可靠、不间断的信息传递。

交换管理：作为交换平台的中心管理模块，提供图形化的配置工具，实现对整个信息交换过程的流程配置、部署、执行和整个交换平台运行进行监控、管理。具体包括数据交换适配管理、交换节点管理、交换流程管理等。

（三）备份机制及运行保障

1.备份机制

对统一数据交换平台中重要的交换数据、日志进行备份，备份系统选配相应的数据备份与恢复软件以及数据备份服务器、磁带库等设备，通过定义备份策略，如全备份、增量备份、差异备份等，定时将平台中的数据备份到备份介质，以便系统出现故障（如数据误删除、病毒感染、自然灾害等）后能够及时恢复数据，保证系统运行。

2.运行保障

制定平台管理办法，明确数据服务提供方和使用方的权利和责任，确保为各部门提供满足需求、响应及时、安全可靠的运行保障服务。

二、相关业务办理系统对接

（一）分类、分层级对接

推动政务服务管理平台同各地区现有的政务服务相关业务办理系统对接。

各部门已经自建的政务服务相关业务办理系统，按照数据对接标准升级改造；新开发业务办理系统的，在设计开发时要遵循数据对接标准，在本级实现数据对接。推动上级部门集中部署的业务办理系统对接统一数据交换平台，本级政务服务管理平台通过垂直数据交换通道实现与本级相关部门业务数据的对接。

（二）部门业务办理系统对接

按照政务服务的业务流程，政务服务管理平台负责受理和结果发放，部门业务办理系统负责内部业务审批。政务服务管理平台和部门业务办理系统之间的对接流程示意如图 12-3 所示。

政务服务管理平台受理申请后，按照对接数据标准，将办件申请及受理信息送至部门业务办理系统，部门业务办理系统把审批过程信息和审批结果信息返回给统一平台。同时，如果窗口人员在受理时需要部门业务办理系统辅助的，部门业务办理系统提供实时查询验证接口，由政务服务管理平台整合到统一受理功能中。

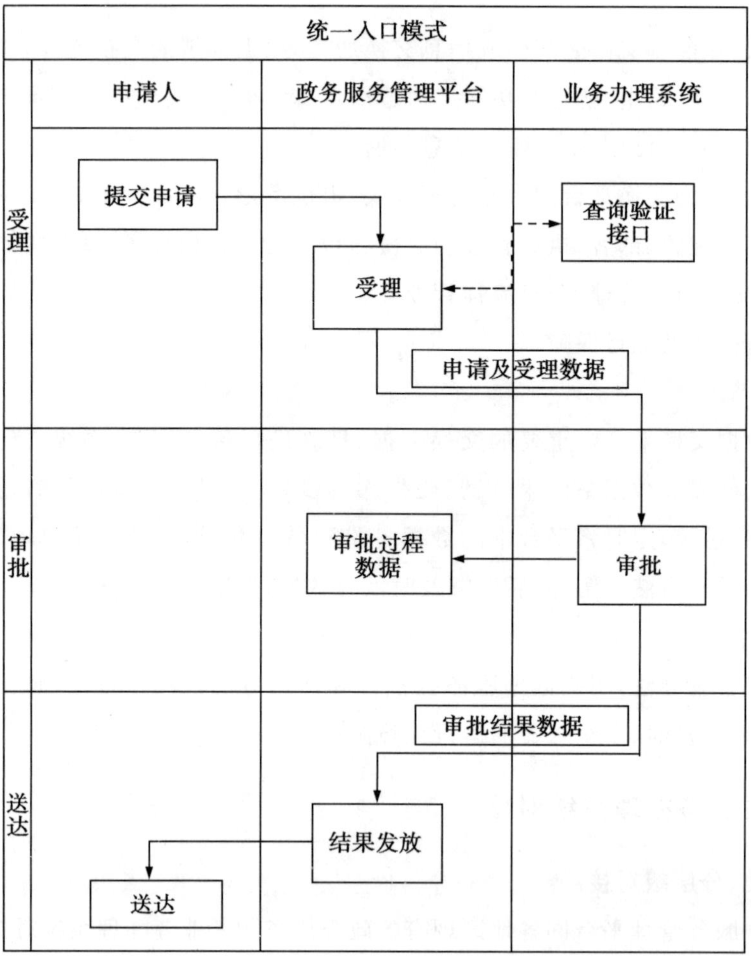

图 12-3　业务办理系统对接流程图

(三)数据交换内容

政务服务数据交换的内容包括事项信息、受理信息、申请材料信息、办理环节信息、特别程序信息、办结信息。

三、省级平台与国务院部门相关系统数据对接

推动省级政务服务管理平台与国务院部门相关信息系统(政务服务业务办理系统、基础信息资源库等)的数据对接和共享共用。

(一)对接要求

各地区、各部门根据各自政务服务需求,梳理省级平台与国务院部门相关统建系统相互之间需要对接的事项,细化明确需交换信息的内容、标准、格式等。省级政务服务平台和国务院部门相关信息系统之间的数据交换通过国家政务服务平台实现。

(二)对接方式

国务院相关部门应根据政务服务需要,推动纵向业务办理系统和政务服务数据资源与地方政务服务平台按需对接。根据国务院部门统建系统和网络实际,可提供系统数据实时交换、批量导入导出、人工录入等不同方式。

1.系统数据实时交换

(1)接口实时交换:通过 Web Service 接口等方式实现国务院部门统建系统和省级平台对接,实现数据自动实时交换,优点是实时性强、交换效率高、数据质量有保障,适用于对实时性要求高的交换。

(2)前置库实时交换:通过前置机数据库的方式实现国务院部门统建系统和省级平台对接,优点是系统改造成本小、交换效率高、数据质量有保障,适用于大批量、实时性要求较高的交换。

2.批量导入导出

通过人工方式批量导入导出或大批量数据的异步传输,实现国务院部门系统与省级平台对接,优点是能够保证数据的准确性和完整性,但效率低、实时性差,适用于系统数据实时交换实现难度大、网络不畅、大批量、对于实时性要求低的交换。

此外,可采取人工二次录入的方式,将要交换的数据在国务院部门系统和省级平台中分别录入,优点是无须进行系统对接及升级改造,缺点是数据的实时性、准确性、完整性都难以保障,且重复性工作,适用于国务院部门和省级平台无法实现数据实时交换及批量导入导出的交换。

四、基础资源库共享共用

积极利用人口、法人、地理空间信息、信用信息、电子证照等基础信息资源库和业务信息库,依托统一数据交换平台实现基础资源库的共享共用。

(一)共享共用模式

基础资源库由数据源、信息资源目录、数据服务接口三部分组成。

数据源可以是集中的数据库,也可以是独立的数据库。由政务服务管理平台生成的数据应集中存储,如政务服务事项库、投资项目库、电子证照库等;由其他业务系统管理的数据可以独立存储,如人口、法人、信用信息库等。在市级平台生成的项目信息、电子证照信息应汇聚到省级平台。

信息资源目录记录了所有信息的元数据和访问地址,所有基础数据都应该注册到信息资源目录中。

数据服务接口是外界访问基础信息资源的通道,所有信息资源数据通过数据服务接口统一对外提供访问服务。数据服务接口的形式有多种,可以是 Web Service 接口、前置机或人工操作的查询界面。

国家政务服务平台承担基础资源访问引导功能，实现跨省(自治区、直辖市)访问基础政务服务数据资源。具体的数据访问流程如图 12-4 所示。

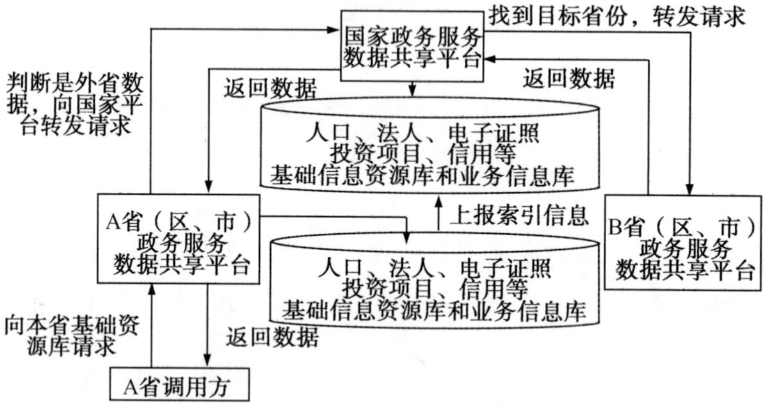

图 12-4　跨省访问基础数据资源流程图

(二)访问方式和访问流程

1.访问方式

数据访问的方式有应用系统调用和人工查询两种，如图 12-5 所示。

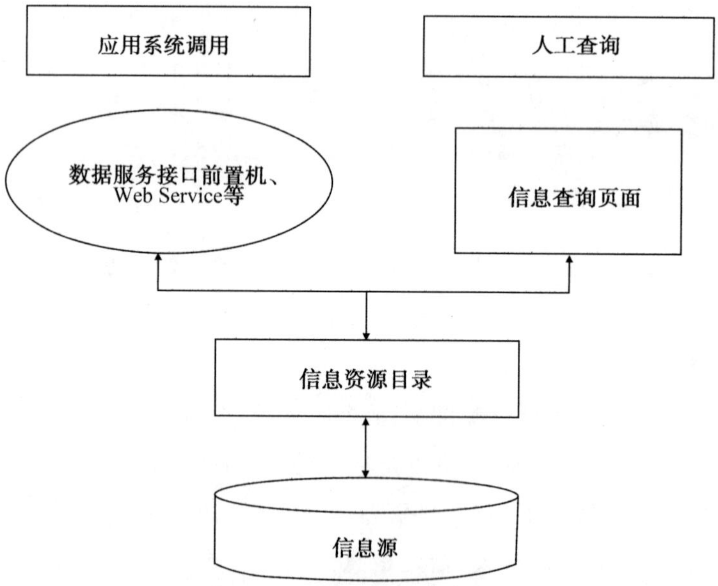

图 12-5　数据访问方式示意图

数据服务接口提供多种数据访问模式。

精确匹配返回单条信息：如根据身份证号码获取自然人基本信息。

根据筛选条件获取批量数据：如获取政务服务事项库中某部门某时间段后新增或变更的事项。

验证信息真伪:如提交企业统一社会信用代码和注册金额,验证是否真实。

2.访问流程

数据访问由信息请求方发起,通过调用注册到信息资源目录中的数据服务接口,进行信息流转,确认信息源后反馈请求信息,并将封装好的信息传输给请求方。

具体流程如图 12-6 所示。

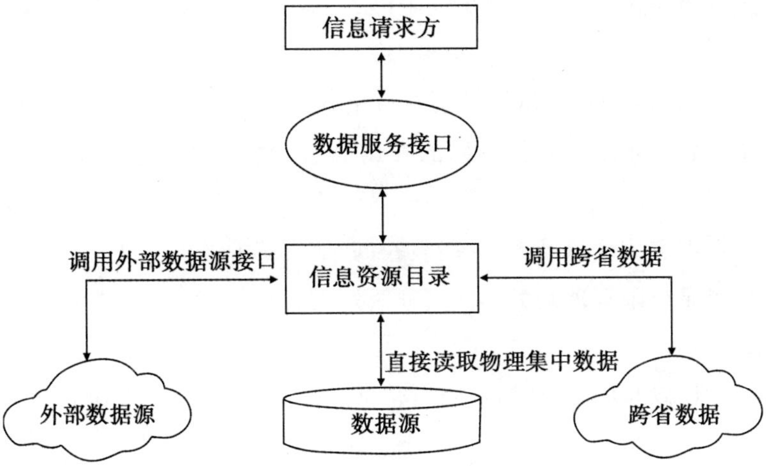

图 12-6 数据访问流程图

(三)基础资源目录管理

基础资源目录管理主要包括信息资源的元数据管理、编目、订阅、发布、管理、查询、服务调用等功能,可实现对政务服务基础数据资源的管理和共享。

1.元数据管理

对政务信息资源的标识、内容、分发、数据质量、数据表现、数据模式、图示表达、限制和维护等信息进行统一管理,以利于发现与定位信息资源、管理与整合信息资源,改进系统有效存储、检索和移动数据的能力。

元数据管理包括以下功能:

元数据定义:包括基础分类信息制定、元模型制定、数据分层定义、数据主题管理、模型规范制定。

元数据存储:元数据存储的信息管理范围包括数据源接口、ETL 和前端展现等全部数据处理环节,并提供对技术元数据及业务元数据存储。

元数据查询:须支持对元数据库中的元数据基本信息进行查询与检索的功能,可查询数据库表、指标、过程及参与的输入输出对象信息,以及其他纳入管理的对象基本信息,并将所查的元数据及其所属的相关信息按处理的层次及业务主题进行组织。

元数据维护:平台的元数据是动态更新的,因此,元数据的维护需提供对元数据的增加、删除和修改等基本操作。

2.目录管理

目录管理系统主要实现目录分类、编目、审核发布、查询、权限及维护等功能。

目录分类：将一级政务服务信息资源目录分为自然人信息、法人信息、证照信息、投资项目信息、政务服务事项信息、办件信息六大类。也可根据实际的应用需要进行分类。

编目：一级政府资源目录由管理部门维护，用于跨部门、跨层级部门信息共享的索引，二级部门内部目录由部门自己设定，用于部门内部信息共享的索引，编制完成之后提交审核。

审核发布：包括对目录类别的审核、对目录项的审核、对目录文字的审核、对目录流程图的审核、资源目录项中标识符编码的查询显示、数据资源目录项中标识符编码的人工修改。

目录查询：包括多维度目录查询、列表查询、信息资源访问功能。

目录权限：目录权限管理是为不同用户级别进行授权，满足不同用户对目录浏览、检索的权限要求。

目录维护：对已发布的目录进行维护，包括删除、停用、更新、重组目录等操作。

3.资源管理

资源管理是对抽取的各个业务部门的信息资源进行统一管理，主要功能包含：

资源编码管理：根据设定的规则，自动生成信息资源编码。

资源版本管理：对于资源的任何变更进行版本管理，所有历史版本都保留备查。

部门资源管理：包括新增资源、未发布资源、已发布资源、历史资源、应用程序管理、资源数据展示。

资源服务：所有人工或者自动初始化的资源会自动生成一个标准服务，供共享调用。

资源调用：对于完全共享的信息资源以及审核备案通过的信息资源，可以查看、调用该资源的服务，实现资源共享使用。

资源申请审核：对于非完全共享的信息资源，如需要使用其信息资源，需要进行申请，管理人员进行审核备案。

资源与目录关联：维护资源分类，实现资源与目录自动关联，将资源显示到目录。

资源订阅管理：主要是对资源的订阅、收到的资源需求和提出的资源需求进行管理。

五、建立数据共享利用长效机制

以统一网上政务服务平台建设为抓手，建立相应管理制度，规范信息资源共享管理过程，促进政府部门间信息交换和共享服务制度化、规范化。

主要原则有：

(1)明确政务信息资源的共享原则。规定政务信息资源的范围，明确需求导向、统筹管理、无偿共享、保障安全等共享原则，明确主管部门及其他机构的共享职责。

(2)确定政务信息资源的共享内容。确定编制政务信息资源目录的程序，列入目录的内容，除依法需要保密的外，须通过共享平台向有共享需求的机构无偿提供。政务部门有权从其他政务部门获取其履行职责所需的信息，也有责任向其他政务部门提供履行职责所需的信息。

(3)规定政务信息资源的共享程序。规定有共享需求的机构应当向提供单位提出共享要求，并商定共享内容，不能达成一致的，由信息共享主管部门会同机构编制、保密等有关部门，直接协商确定有关共享事项。

(4)建立信息共享监督检查和考核通报机制。建立相应的监督考核机制，对网上政务服务信息共享工作的实施过程和效果加强监督检查，各部门应主动接受监督。

第三节　政务信息资源共享交换的关键

为了进一步推进跨部门、跨地区、跨层级、政务数据共享工作，建议在统筹协调机制、管理制度、技术支撑、队伍建设等方面加以强化，全面提升我国政务数据共享成效。

一、建立权威高效的统筹协调机制

(一)健全国家政务数据共享统筹协调机制

以国务院组成部门和单位政务数据共享为重点，建立政务数据共享统筹协调机制。在国务院统筹领导下，明确专门机构开展政务数据共享顶层设计和组织实施，完善政务数据共享管理办法，持续实施部门数据共享责任清单，指导推进、敦促检查各地区、各部门政务数据共享工作，具体协调跨部门、跨层级政务数据共享工作。明确各部门数据采集、管理、共享、使用和安全等方面的具体职责，确保政务数据共享权责清晰。建立中央对地方数据反哺机制，为跨层级数据共享提供机制保障。

(二)进一步强化地方大数据管理机构统筹协调职能

强化地方政务数据管理部门在数据资源整合指导、管理、协调、审核等方面的牵头作用，厘清各业务部门在政务数据更新、共享、管理等各环节的职责权限，明确各业务部门和地市的主体责任，形成职责清晰、分工有序的政务数据整合协同管理推进机制。建立工作对接机制，定期会商、协调、督促政务数据共享工作落实。

二、完善政务数据共享管理制度

(一)完善目录管理机制

引导各地区、各部门持续优化完善政务信息资源目录，明确政务数据分类、格式、属性、更新实现、共享类型、共享方式、使用要求等内容，指定专人负责目录编制和维护，构建集中管理、统一发布、动态更新、共享使用的政务数据目录管理机制。加快政务数据分类分级管理，让更多行政人员掌握政务数据资源图谱建设能力，摸清政务数据家底，提升政务数据目录管理质量。

（二）完善政务数据质量管理制度

开展政务数据质量管理，建立多元数据动态对比和跨地区、跨部门异议处理机制，提高数据的可得性、完整性、时效性、可用性、可信性和可追溯性。面向各级行政机构开展政务数据管理能力评估诊断，提出有针对性的数据战略规划，提升数据管理能力。

（三）优化政务数据共享工作流程

建立政务共享数据更新、优化机制，确保政务数据可及时更新调整。建立数据共享监管机制，确保各项举措落实到位，特别是供需双方及时协调解决冲突。建立容错免责机制，为政务数据共享相关人员消除思想包袱，开展创新性工作。

（四）建立健全数据全生命周期监管机制

理顺政务数据采集、汇聚、存储、共享、开放、开发利用各环节参与主体及其权责体系。按照"谁采集、谁负责""谁校核、谁负责"的原则，明确各环节数据质量要求。深化政务数据统一目录管理，明确数据更新周期，保证公共数据的完整性、准确性、一致性和时效性。探索数据流通溯源，建立基于政务数据全生命周期的"可有、可用、可溯、可控"的质量管理体系。

三、深入推进政务数据共享和互联互通

（一）完善数据共享全链条标准体系和操作规范

制定完善政务数据采集、处理、提供、修改等各类标准，对现有数据进行标准化处理。围绕政务数据采集、导引、整合、比对、交互等方面，制定标准规范和操作流程，扫除技术障碍。加强对数据共享类型、方式、内容、对象和条件的规范。按照责任清、需求清、权限清、资源清、对象清的要求，明确处理流程，梳理数据资源，形成可用的数据集。

（二）建设政务信息资源库

以政务信息资源目录为依据，持续归集各级各部门的人口、法人、电子证照相关数据，在此基础上持续完善统一的人口、法人、电子证照基础数据库，并根据政务服务对数据共享的需求建设相关主题数据库，建立政务大数据平台和各业务部门的动态数据交换机制。

（三）开放服务，促进政务信息资源共享

利用人口、法人、电子证照基础数据库和各类主题数据库资源，开发面向政务服务场景的数据共享服务，发布到统一的服务平台上，供政务服务应用调用，实现办事免填表（少填表）和证照一网通。公众或企业在网上填报申办资料时，只需要输入个人身份证号

码或者企业信用代码，就能自动获取最新的个人或企业相关信息和证照、证明材料，极大地方便了申办人员。部门在进行业务审批办理时，同样可以通过开放的服务接口实现跨部门的数据共享交换，并对申报数据进行自动验证、比对，极大地提高了业务办理效率。

四、提高安全技术支撑能力

（一）建立全流程的技术管控体系

深化政务数据共享防护体系建设，实施政务数据共享全生命周期安全保障，建立覆盖政务数据汇集、存储、共享、传输、交换等环节的安全技术保障措施，实现数据安全预警和溯源。重视安全可靠的关键技术和产品研发，提升数据处理设备、大数据平台等安全可靠水平。

（二）营造安全可靠的政务数据共享环境

加快推进数据上链、跨链互认等技术的创新应用，打造全链共享闭环，强化区块链在固化政务数据共享制度机制方面的作用。探索通过数据沙箱等技术手段，在数据不搬家的情况下，满足较为复杂敏感的数据分析应用需求。探索“存算分离”的政务数据共享环境，设立超算中心，推出通用数据模型和算法，为政务数据建模分析提供公共计算环境。强化数字水印、数据脱敏、匿名化、差分隐私、可信计算和同态加密等领域研发能力建设，提升数据安全防护技术实力。

第四节　典型案例

一、贵阳大数据政务服务的探索与实践

贵阳市围绕政务服务进行积极探索和实践，走出一条借助大数据手段提升政府管理和社会治理能力的智慧化路径。以政府数据共享交换平台、政府数据开放平台为核心，以“数据铁笼”“社会和云”“筑民生”等服务平台为典范，最大化地释放数据价值，打造“一擎双翼”数字政府。

（一）政府数据共享开放：赋能智慧治理

为进一步加快破除信息孤岛、促进技术应用融合、实现服务管理协同，贵阳市按照“物理分散、逻辑集中”数据共享交换建设思路，搭建“一网一目录、一企五平台”。

统网络方面，通过电子政务外网，横向联通贵阳市党政部门、群团组织，纵向打造“五级”（“五级”指国家、省、市、区、乡五级部门）电子政务一张网。

搭平台方面，以“云上贵州”贵阳分平台为抓手，引导各部门、各领域业务系统在云上汇聚；以政府数据共享交换平台为载体，提升政府数据互联互通能力；以政府数据开放平

台为窗口，向社会分享大数据发展红利；以数据安全监管平台为保障，确保数据流转过程中的安全可信；以大数据增值服务平台为桥梁，创建各类行业应用与民生服务产品；实现62个单位、105个业务系统的整体管理。

理目录方面，以贵阳市政府数据共享交换平台为载体，通过对全市373个政府部门实地调研，共梳理业务系统1622个，建立政府数据资源目录项17595个，实现了政府数据分类最多，数据资源目录统一存储、统一管理最全，贵阳市也成为梳理完成市级政府数据资源全量目录第一城市。

聚数据方面，构建了人口、法人、空间地理、宏观经济和电子证照五大基础数据库，完成了贵阳市区级以上部门1385个系统、共计14053项资源目录的统一管控，为推进全市智慧治理提供了有效的数据支撑。

（二）一网通办：打通政务服务“最后一公里”

贵阳以政务服务线上、线下融合发展为路径，依托“一网多平台”整合现有政务大数据资源，按照“六个一”要求，把跨部门、跨层级、跨区域的数据接入统一政务服务系统，以“八个办”“四个零”服务标准进一步深化行政审批制度改革，彻底解决群众、企业“办事难、办事慢、办事繁”问题，实现“一网通办、一门服务、一次办成”，让“数据跑路”代替群众跑腿，彻底打通政务服务“最后一公里”。2018年7月，在新华网联合相关单位发布的电子政务服务能力测评电子政务服务能力（CESAI）指数报告中，贵州省省市统一的网上办事大厅政务服务能力排名第一。

（三）数据铁笼：把权力关进数据的笼子

监督问责是控制和约束公共权力、确保国家治理主体履行责任的必要保障。2015年，贵阳市率先启动以技术反腐及权力管制为目的的“数据铁笼”项目，通过运用大数据思维和相关技术，将政府行政权力运行过程数据化、自流程化、规范化，实现对政府部门“三重一大”、两个责任落实、一岗双责等权力运行的监管、预警、分析、反馈、评价和展示。构建一套基于数据的权力监督及技术反腐体系，是利用大数据技术实现反腐的应用创新，是以应用为导向实现政府治理能力提升和技术反腐体系完善的重要手段，可有效推动行政管理流程优化再造，促进政府简政放权、依法行政，彻底避免“不作为、懒作为、慢作为、胡作为”的政务乱象。

（四）促进以民生服务需求为导向的融合应用

以“筑民生”“智慧旅游”“智慧交通”等民生领域大数据应用等为代表的大数据与民生服务的融合应用，是贵阳大数据政务服务的硕果，也是政府大数据产业健康稳定发展的出发点和落脚点，更是贵阳大数据产业发展的成功之道。以民生需求为导向，充分释放数据价值，加快推进大数据与服务民生深度融合，着力促进公平普惠、便捷高效的民生服务体系建设，是当前推动经济社会高质量发展的有力支撑。

二、江苏政务数据共享实践

近年来，江苏陆续出台《江苏省政务信息系统整合共享工作实施方案》《江苏省政务信息资源共享管理暂行办法》《江苏省基础数据库建设实施方案》等系列政策，加快推动政务数据共享，已在共享交换体系、制度规范、基础数据库建设、共享应用等方面取得较好的工作成绩。

（一）建成一体化共享交换体系

按照省市统分结合原则，江苏构建以省大数据共享交换平台为核心的国家、省、市一体化大数据共享交换体系。目前，省级大数据共享交换平台已完成建设，并实现与国家数据共享交换平台和全国一体化在线政务服务平台、60 余家省级政务部门以及 13 个设区市的对接，建成全省一体化大数据中心。打通部门壁垒，建立与省级部门、设区市之间的互联互通，为跨地区、跨部门、跨层级的数据互认共享奠定基础。

（二）加强制度规范体系建设

一是制定政务数据共享相关管理制度。2018 年，出台《江苏省政务信息资源目录编制指南（试行）》，规范和指导江苏政务信息资源目录编制。2019 年，制定印发《江苏省数据共享交换平台政务信息资源申请、授权和使用管理暂行办法》，保障规范化政务数据共享应用。二是建立以资源目录为基础、责任清单为抓手的数据归集机制。编制印发 2017 版、2019 版《江苏省省级政务信息资源目录》，摸清政务数据资源家底；并自 2019 年起陆续印发三批《江苏省级部门政务数据共享责任清单》，加快亟须高频类政务数据的归集共享。三是抓紧研制政务数据共享相关标准规范。推进数据元规范、数据归集与交换规范、数据治理规范等一系列政务数据标准规范的研究与编制。

（三）加快建设基础数据库

一是建立江苏省基础数据库建设管理联席会议制度，负责协调基础数据库建设的重大问题，监督指导基础数据库建设进展。二是发布第一批基础库数据清单，已基本实现第一批基础库数据归集，同步加强数据治理，建立数据质量管控机制。三是推动基础数据库上线运行，初步建设形成人口、电子证照、社会信用、自然资源和空间地理五大信息资源库，为各级政务部门提供基础数据服务。

（四）推动政务数据共享应用

一是围绕政务服务“一网通办”，通过政务数据共享调用，让数据多跑路、群众少跑腿，实现不动产登记交易、职业资格考试报名等业务事项的“不见面”审批，减少纸质证明材料，解决群众办事“堵点”。二是通过共享国家疫情防控数据、过境信息等数据支撑全省新冠肺炎疫情防控、企业复工复产、学校复课等应用需求。三是满足跨部门、跨层级、跨区域不同系统间的数据参考、校核，实现业务协同，支撑智慧城市建设，助力政务部门数字化转型工作。

第十三章 “互联网+政务服务”监督考核

第一节 “互联网+政务服务”监督考核的概念

一、工作背景

英国著名历史学家阿克顿把行政权力概括为一个权力定律，即著名的阿克顿定律：权力导致腐败，绝对的权力导致绝对的腐败。权力不受制约，必然会被滥用，滥用行政权力，必然会导致行政权力的腐败。所谓“行政权力”，是指由行政主体执行国家法律政策、管理国家内政外交事务的权力，是国家权力的重要组成部分。行政权力作为国家权力中最具能动性、最有活力的权力，是实现国家职能不可或缺的一种权力形式，是凌驾于社会之上、最具权威的公共权力。从当今世界各国行政实践的发展来看，行政权力的逐步扩张已成为一个全球性的发展趋势。在这种趋势下，不可避免地出现了行政自由裁量权的滥用现象。因此，为了实现行政主体与行政相对人之间的和谐，即实现和谐行政，进而构建社会主义和谐社会，就必须对行政权力加以规范。

行政权力规范运行电子监察系统是利用计算机网络等信息化手段建立的专门用来监察、管理各行政部门行政审批实施情况的电子政务应用系统，它将以事后监督为主的传统监察方式转变为事前、事中、事后全过程监督，使行政审批项目办理更加公开透明，可以有效预防腐败问题的发生，实现了办理全过程的“可视化”。行政权力规范运行电子监察系统的成功开发和应用，体现了执政为民的理念，是落实中央《建立健全教育、制度、监督并重的惩治和预防腐败体系实施纲要》和国务院《全面推进依法行政纲要》的有效举措；它用创新的精神、信息化的手段，实现了行政管理的阳光化，提高了政府行政效能；电子监察系统将“公平、公正、公开”的运作模式贯穿于行政管理的各个环节，为改革和创新政府行政管理活动创造了新模式，优化了投资环境，为建设服务型政府搭建了新平台；将行政监察由个人行为监督为主转变为个人行为与行政程序监督并重，进一步推动转变公务人员工作作风，也是对国家大力提倡构建和谐社会的有力回应。

二、意义和必要性

（一）强化“互联网＋政务服务”透明高效运转的内在要求

在“互联网＋政务服务”推进过程中，必须不断完善制度和管理体系，织密、筑牢、关紧、管好权力制度的笼子，形成用制度管权、按制度办事、靠制度管人的体制机制。“互联网＋政务服务”实践已经有力证明，规范行政权力没有制度作保障就容易走形式；制度建设缺少科技手段就很难执行到位；电子监察若不采用固化的行权流程就会成为摆设，难以消除监管盲点，必然导致“暗箱操作”。很显然，“互联网＋政务服务”的顺利开展，光靠传统的“人管人”难以完全到位，必须建立“明规则”，取代“潜规则”，限制自由裁量权，降低权力寻租的可能，防止权力滥用的风险。

（二）确保“互联网＋政务服务”政策落实的重要举措

打通政务服务“最后一公里”，打破信息壁垒，提升服务效能，让“信息多跑路、百姓少跑腿”，需抓住监督考核的“牛鼻子”。2016 年 9 月，国务院印发《国务院关于加快推进“互联网＋政务服务”工作的指导意见》（国发[2016]55 号），对加快推进“互联网＋政务服务”工作作出总体部署，明确提出加强对各地区、各部门“互联网＋政务服务”工作的督促指导，开展督查评估，发挥第三方评估等作用，推动工作取得实效。2016 年 12 月，国务院办公厅印发《国务院办公厅关于印发“互联网＋政务服务”技术体系建设指南的通知》（国办函[2016]108 号），针对政务服务用户体验不足、评价手段欠缺等问题，提出了加强“互联网＋政务服务”评价考核体系建设的具体要求，明确了运用第三方评估组织开展网上政务服务调查评估的实施路径。监督考核已成为确保“互联网＋政务服务”各项部署不折不扣落实到位的“牛鼻子”。

（三）确保“互联网＋政务服务”顺利推进的利器

目前，政务服务事项地区差异明显、应用深度发展不均衡、标准化程度参差不齐，不同地区之间服务事项名称、流程、条件等存在差异，给群众和企业办事创业带来诸多不便，难以对各地区权力下放情况进行实时横向比对和统一监管，难以对“放管服”改革成效形成“全国一张网”的直观感觉，难以对中央领导的科学决策起到足够的支撑作用。

第二节 电子监察

一、概念内涵

电子监察，是指通过信息化手段对网上政务服务事项的办事流程、办事效率、收费合理等方面进行全方位、全过程监察，重点对事项信息完整性、事项办理时效性、流程合法性和内容规范性等进行实时督察。电子监察涵盖事前、事中、事后三个阶段。

政务服务管理机构应结合本地实际情况，针对政务服务运行的事前、事中、事后各个环节，从事项公开信息完整性、事项办理时效性、流程合法性和内容规范性等方面梳理本单位相应的内部监察规则，确定监察规则的类型、描述等内容，编制监察规则目录，积极利用电子监察手段进行内部监督检查。

根据政务服务事项的分类和业务办理特点，电子监察规则分为以下五类：

(1)时效异常。对具有法定期限或承诺期限的政务服务事项的办理时间，进行办理时效性方面的监察，包括临近时限预警、办理环节超期和办理超期异常三个方面。

(2)流程异常。对政务服务事项办理过程中出现的暂停、中止、退回等过程和办理结果，进行办理流程规范性方面的监察，包括过程异常、结果异常和决定异常三个方面。

(3)内容异常。对政务服务事项办理过程中所涉及的申请表格、申请材料、办理附件等内容，进行办理内容规范性方面的监察，包括完整性异常和一致性异常两个方面。

(4)裁量(收费)异常。对涉及自由裁量或涉及收费的政务服务事项，进行裁量(收费)合规性等方面的监察，包括裁量异常和收费金额异常两个方面。

(5)廉政风险点异常。对设有廉政风险点的政务服务事项，进行风险防范措施落实情况的监察。

二、主要功能

从管理功能上看，电子监察主要包括监察规则设置、运行监察、投诉处理、绩效评估、统计分析和监察日志。电子监察以实时采集政务服务事项数据为基础，对业务自动监控，凡违反办事程序的，及时发现问题，事先、事中提醒相关部门和行政许可人，避免发生行政过错。电子监察已成为支撑"互联网＋政务服务"服务事项全程公开透明运行的重要保障。

电子监察运行流程如图 13-1 所示。

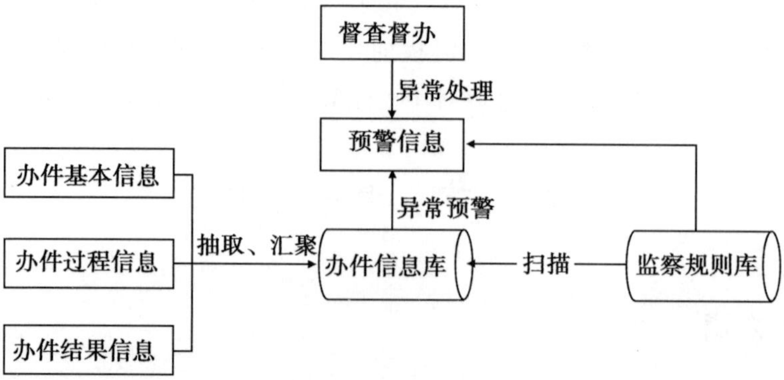

图 13-1　电子监察运行流程

(一)监察规则设置

监察规则设置支持监察条件、监察类型、监察状态、扫描时间的自定义配置，提供监察条件运算配置，运算关系包括和、或，大于、小于、等于，加、减、乘、除等。

提供监察数据自动运算功能：通过监察条件配置对相关数据进行逻辑计算，生成监察信息数据。

提供监察指标配置管理功能：监察指标由监察规则组合而成，通过监察指标将办件信息库中的异常数据自动抓取到异常信息库中。

监察指标分为五类：时效异常指标、流程异常指标、内容异常指标、裁量（收费）异常指标、廉政风险点指标。

(1)时效异常指标。设置临近时限监察，计算当日日期减去办件受理日期得到的时限，扫描比对事项法定期限和承诺期限，自动识别是否临近时限、是否超期异常。设置环节时限监察，计算当日日期减去流程上一环节通过日期得到的时限，扫描比对环节处理承诺时限，自动识别办理环节是否超期。

(2)流程异常指标。设置状态异常监察，扫描办件信息库中状态信息，自动识别是否暂停。设置结果异常监察，扫描办件信息库中状态信息，自动识别是否中止、是否不予受理、是否审批不通过。

(3)内容异常指标。设置完整性异常监察，扫描办件信息库中申请表格、申请材料、办理附件信息，识别申请表格字段内容、申请材料、办理附件是否为空。设置一致性异常监察，扫描办件信息库中办件过程信息，识别前后办理环节申请表格字段内容、申请材料、办理附件是否一致。

(4)裁量（收费）异常指标。设置裁量异常监察，扫描政务服务事项库中收费依据信息，比对相关部门收入征管系统的收费依据，识别收费裁量是否异常。设置收费异常监察，扫描办件信息库中收费信息，比对政务服务事项库收费依据信息，识别收费是否异常。

(5)廉政风险点指标。设置廉政风险点监察，对设有廉政风险点的环节、人员，扫描投诉信息库、办件异常信息库信息，识别风险情况。

(二)运行监察

运行监察包括实时监控、预警纠错、督查督办、大数据监察。

(1)实时监控。通过自动采集办件信息库数据，还原办件的办理过程。具备政务服务管理机构人员授权查阅功能，可查阅政务服务事项受理、承办、审核、批准、办结等过程信息，包括办件基本信息、办件过程信息、办件结果信息、申请表格、办理附件、结果附件、廉政风险防控信息等内容。政务服务管理机构人员可对发现的异常情况直接发起督查督办处理。

(2)预警纠错。应根据时效、内容、流程、收费、廉政五类监察指标自动判断，对异常情况发出预警信号，并通过“黄牌”和“红牌”方式进行提醒。

(3)督查督办。可根据预警信号，对发现的异常情况发出督办单，被督办人员需给出答复。督查督办的结果可纳入部门及个人绩效考评。政务服务管理机构人员对部门、个人行使权力过程中出现的疑似异常或异常的自查自纠情况进行调查处理。调查结果纳入部门、个人绩效考评。

(4)大数据监察。运用大数据技术,比较分析地区、部门、事项间数据,对各地区、各部门政务服务工作的整体运行情况进行监察。

(三)投诉处理

投诉来自互联网政务服务门户网上投诉、来电、来访等渠道,应提供登记、调查、审核、批示、结果认定流程管理功能。其中,网上投诉处理结果需通过数据接口推送到互联网政务服务门户反馈,系统应具备全程留痕功能,投诉结果认定结论与被投诉部门、被投诉人关联,并纳入部门、个人绩效考核。

(四)效能管理

效能管理可根据各地绩效考核管理办法进行设置,量化考核标准,自动对各部门、各岗位的办事效能进行打分、考核和分析,考核结果应通过数据接口定期推送到本级互联网政务服务门户进行公示。绩效考核包括考核规则设置、效能评估、申诉管理、数据上报等。

(1)考核规则设置。应具备考核规则自定义设置,分为部门、窗口、个人三种考核主体类型,手动和自动两种考核方式,考核指标包括考核方式、分值、内容、指标项、权重系数等具体指标。

(2)效能评估。效能评估由考核人员发起操作,可选择考核主体类型,挑选对应的具体部门、窗口或人员,挑选考核规则中的考核指标,填写考核时间范围,发起考核流程。自动考核部分抽取考核主体对应办件信息库的办件数据进行计算,形成办件量、提速率等指标项,自动评估打分;手动考核部分通过巡逻抽查发现问题,考核人员登记扣分并关联考核指标,受到群众表扬的,考核人员登记加分并关联考核指标。支持部门、窗口、个人考评情况的查询,支持部门、窗口、个人季度考核、年度考核报表汇总。

(3)申诉管理。个人考核扣分,在规定的时限内可进行在线申诉,陈述申诉理由,申诉申请提交后由政务服务管理机构人员进行查证,非因部门、窗口工作人员的过失而造成扣分的,将相应扣分加回。

(4)数据上报。本级效能数据需定期上报到上级政务服务管理平台,实现数据效能汇总。

(五)统计分析

支持灵活的查询统计设置,可按地区、时间段、部门、事项类型等进行设置,自动生成办件统计、满意度统计、部门办件汇总、办理事项汇总统计、办理时效统计、部门时效统计、异常数据统计、咨询问题汇总统计等数据统计报表，支持在线打印、电子表格导出功能。支持用图表的方式直观展现整体情况，包括各部门办件量、平均用时、办件满意度、异常办件等。

（六）监察日志

可对办件情况、办结情况及督办情况等方面的网上运行数据自动采集，定量分析形成日志记录；对所有政务服务管理机构人员在系统操作和使用等方面的工作情况进行监控、记录和分析统计。

三、典型案例

为改善投资环境，提高办事效率，按照行政审批制度改革的要求，湖南省用信息化的手段改善和规范政府行政审批过程，通过在全省建立统一的省厅、市（州）、县（区）三级网上政务服务和电子监察系统，实现行政部门政务服务项目“一站式服务、一窗式受理、一次性告知、一条龙审批、一单式收费”，实现对政务服务项目的实时监察、预警纠错、信息服务、绩效考核等功能。通过该系统的建设，从技术上规范政府行政行为，加强对全省行政许可、非行政许可和服务项目（包括重大投资项目审批项目）的集中管理、实时督导，增强政府的服务意识和公仆意识，优化湖南的投资软环境，构建与经济发展相适应的政府服务机构和服务机制，从而进一步强化对网上政务服务全过程的监督，全面提升全省电子政务水平，使之向信息共享、协同处理、综合应用的方向迈进。

（一）工作目标

按照行政审批制度改革的要求，以政府监管和审批业务为重点，以规范化流程和全程监察为主线，以在线申报及窗口申报相结合为申请渠道，为政府系统建立“一门受理、分发相关；协同审批、限时办结；公开透明、全程监督”的行政审批运作机制，建立一个以审批服务为核心的网上行政审批应用平台。

通过该系统可将原来分散在各职能部门的审批业务，经过规范和优化审批业务流程，在平台上加以自由控制，从而达到自动流转和管理功能的网上审批。系统能共享审批信息资源，减少审批表格的重复填报和录入，改变传统的审批模式和工作习惯，方便办事，提高政府的工作效率。

（二）主要举措

一是集网上虚拟大厅、政务服务、效能监察三大功能于一体，实现政府部门的互联互通。实现对政务服务的“集中管理、实时监察、统计分析、绩效考核”，从技术上规范行政行为，提高行政效能，构建与经济社会发展相适应的政府服务机制。

二是基本建设类项目审批，通过“阶段划分、信息共享、同步审查、限时办结”等方式实现变串联为并联，审批提速。实现“一窗受理、一站办结”，从流程上方便老百姓和窗口工作人员。

三是按照便利群众的总体要求,系统采用实体大厅与虚拟大厅相结合的方式受理公众的办事申请。虚拟大厅设在各级政府门户网站,实体大厅即各级各部门的政务服务大厅,群众既可足不出户从网络提出申请,又可到政务服务大厅提出申请。系统设立统一的查询功能,可登录政府门户网站或到政务服务中心对每个办件进行查询。系统还设立统一的反馈功能,通过政府门户网站、实体大厅、邮件、短信等渠道向用户反馈办理信息。

四是按照非税系统统一收费标准,设计收费流程,对进驻政务服务中心实体大厅的所有收费项目全部实现信息化、网络化、规范化管理。

五是最大限度地方便审批和业务办理。为方便领导审批,创建审批申报材料库、审批结果共享库等,避免信息重复录入,方便业务信息调用和共享。

六是建立电子监察系统数据接口规范。电子监察系统在业务规范及各地行政审批实施机关业务系统数据采集和交换的基础上,建立了一套电子监察系统数据采集和交换格式标准,包括具体的业务数据和交换方式,实现审批数据动态交换。

第三节 "互联网+政务服务"评估考核

一、概念内涵

国外政务服务评价的相关研究可追溯到服务质量评估的相关文献。服务质量的相关理论首先出现在私人部门,顾客是服务评价的主体,服务质量与顾客的期望和感知有关。受新公共管理运动的影响,西方国家公共部门开始大量引入私人部门的管理理念和技术,服务质量评价被引入公共部门,政府将公众视为顾客,遵循顾客至上的理念,主张将公众感知到的政府服务质量作为评价内容来反映政府绩效。近年来,随着信息技术和数字政府的发展,电子政务评价受到广泛关注。电子政务通常被概念化为政府使用信息和通信技术,结合组织变革,改善政府结构和运作方式的一种管理模式。它在及时性、响应性和成本控制方面优势突出,有助于提高政务服务效能和管理有效性,减轻行政和财政负担,培育一种更加开放和透明的文化,使公众、企业等其他社会利益相关者能够与政府建立更有意义的关系。电子政务评价的内容多集中在顾客满意度、服务质量和网站质量上。QoI(Quality of Information)和QoSI(Quality of Service Interaction)是电子政务服务评价中应用最广泛的模型。斯科特和高登将电子政务评估方法简明地总结为供给侧和需求侧两种,供给侧评估强调通过政府提供服务,而需求侧评估则强调通过电子服务建立政府与人民的关系。基于以上两种方法的分类,也有学者强调应综合使用这两种方法,达到内部(供应)和外部(需求)的平衡。西格韦霍斯和帕泽提出一个电子政务评估的概念框架，内容包括服务期望、电子政务系统的潜在价值、使用电子政务系统的潜在能力、使用政府系统的收益、便利条件、电子政府的法律环境、电子政府系统的基础设施、使用意愿、实际使用、公民满意度等。

国内关于政务服务评价的研究起步较晚，目前仍处于探索之中。政务服务评价可分为内部评价和外部评价两种模式。内部评价以政府自我评价为主，公众的意见仅被有限地纳入评价体系当中。外部评价是来自政府以外的社会和市场评价，在一定程度上可以提高评价结果的独立性与客观性。在信息社会背景下，电子政务作为政府服务公众的一种新手段，其服务质量对公众满意度和服务型政府的建构具有重要意义。关于政务服务评价的方法和体系，国内也尚未形成统一的认识。丁依霞等将政务服务能力归纳为服务供给能力、服务响应能力、服务智慧能力三个维度。司文峰等基于政务维度视角，从信息服务能力、事务服务能力、参与服务能力、服务供给能力、服务创新能力等方面构建了地方电子政务服务能力测评体系。朱春奎等通过梳理电子政务服务质量评价模型，发现技术、信息、服务、安全和组织等五个维度是政务服务评价中重要的维度。冯苑等以各政府网站发布的《政府网站工作年度报表》为基准构建了政务服务能力评价指标体系，并对31个省份政务服务能力进行排名。

二、网上政务服务的评估考核

评估考核是推进“互联网+政务服务”工作的重要抓手。网上政务服务评估评价要按照“以用户为中心”的原则，从公众体验和信息化支撑的角度，结合对网上政务服务的内容、管理和运维等多方面的考察，建立科学有效的评估指标体系，促进各级政府部门不断提升政务服务供给质量。

（一）评估考核原则

1.客观公正原则

按照统一设定的指标体系，全面综合反映政务服务工作实际成效，确保整体评估的客观性与准确性。定量与定性分析相结合，涉及公众体验的指标数据可采用独立的第三方机构采集，避免传统“内评估”的不足。涉及政府职能部门政务服务过程中内部运转的数据，运用技术手段对平台系统运行中的相关数据进行实时信息监测。

2.用户导向原则

注重对“互联网+政务服务”实际应用成效进行评估，以办事对象“获得感”为第一标准，强化办事对象在获取政务服务过程中的便捷度和满意度。

3.分类考核原则

综合研判各地区差异，实际考核中采用区域分组、事项分类等方式，实事求是地组织分类考核。

4.内外结合原则

"互联网＋政务服务"监督考核是一个闭环过程，除借鉴政府绩效考核的常规程序和方法外，应根据自身的发展现状和阶段目标进行程序设计和方法选择，采取"内外结合"的方法，将政府内部监督与第三方评估有机结合，推动监督考核工作的实施。

（二）第三方评估

第三方评估是指独立于政策运行过程之外的非营利性第三方机构实施的评估，是一种客观的社会监督。第三方评估应通过选择科学的评估标准和评估方法，对网上政务服务过程进行综合的、全方位的考察、分析并给予评价、判断和总结，其目的是为优化政策措施、提高服务质量、判断未来走势等提供决策参考和依据。

1.评估意义

（1）开展评估是落实重大政策措施的必要手段。一方面关系到改革的成败，另一方面也在于长期以来存在的"上动下不动"的执行打折问题引起了中央政府的高度重视。从这一点来说，保证各项政策措施的落实，也是政府自身改革的题中应有之义。虽然督查在一定程度上发挥了极大的促进作用，但由于督查本身缺乏技术支撑，再加上各种因素下的督查独立性不足，评估效果和公信力难免受损。第三方评估恰恰可以发挥研究咨询机构独立性、专业性的优势，避免政府在自我评估体系中既当"运动员"又当"裁判员"，从而使评估结果更加科学、独立、客观、公正。

（2）开展评估是"放管服"改革的内在需求。网上政务服务大厅是个"服务超市"，服务质量好不好、服务效率高不高、群众满意度如何，主管部门的自我检查、自我评估与群众的实际感受往往有较大差距。事实上，不管是"互联网＋政务服务"政策的出台、落实，还是建设和发展成效的监督考核，引入第三方评估能有效规避有关部门集"运动员"与"裁判员"于一身、融"执行者"与"监督者"为一体带来的倾向性弊端，将大大减少闭门决策、拍脑袋决策，使各项改革举措直面真问题，执行更有力。

（3）开展评估有利于"互联网＋政务服务"事中、事后监管。引入评估，推进决策的民主化、科学化，迫切需要更多社会化专业力量引入第三方评估，对"互联网＋政务服务"发展成效进行客观评估分析，以此获得接近真实情况的评估结果，并将评估结果面向社会公开、权威发布，有利于充分发挥客观的社会监督效力，有利于及时准确发现存在的问题，有利于进一步加强对政策落实的监督、推动，不断提高政府的透明度和公信力。

2.评估方法

从政务服务的供给方和需求方两个维度，针对政务服务发布数据、内部填报数据和系统实时数据，在充分考虑实际政务服务推进情况的基础上，形成一套科学合理、具有高度导向性与前瞻性的综合指标评价体系与综合模块计算方法。

供给侧评估考核指标体系主要考核政府、部门提供网上政务服务事项的覆盖度、发布事项信息的准确度和一体化平台的应用水平等指标。评价考核数据的获取，主要依据实时的数据监测、部门填报、后台系统检验和抓取等手段。

需求侧评估考核指标体系主要考核自然人、法人对各级政府部门提供网上政务服务的满意度、政府部门提供政务服务的便捷度等指标。注重的是公众对网上政务服务的满意度的测评，该指标要充分吸纳公共服务的接受者，即自然人、法人对网上政务服务的服务质量、友好程度、服务水平和服务能力的认知与评议，考核数据主要通过数据采集、问卷调查、网上服务评价、电话（短信）回访等途径获取。

3.指标体系

应按照“以用户为中心”的原则，从“公众体验”的角度，基于网上政务服务平台（政务服务门户网站、政务服务移动端等）的数据，结合对网上政务服务的内容、管理和运维等多方考察，围绕服务方式完备度、服务事项覆盖度、办事指南准确度、在线服务深度、在线服务成效度等方面，建立网上政务服务评估指标体系，评价网上政务服务的供给能力和服务质量。

服务方式完备度：重点评估网上政务服务提供的“可达性”，衡量公众和企业是否可以通过服务的导航，方便、快捷和准确地找到所需服务。侧重评估网上政务服务的提供方式、导引和渠道等内容，考核是否围绕服务对象“生命周期”概念，通过多渠道、多模式的手段，强化政府服务职能，为社会公众提供更具完备性、个性化和标准化的政务服务。

服务事项覆盖度：重点评估网上政务服务提供的“可见性”，衡量事项清单和办事指南的发布和标准化情况。

办事指南准确度：重点评估网上政务服务提供的“可用性”，通过逐条逐项梳理检查办事指南的基本信息、申请材料、办理流程、表格及样表下载、收费信息等内容，衡量办事指南公布的相关要素信息的准确性、完整性、翔实性和实用性。

在线服务深度：重点评估网上政务服务提供的“可办性”，通过制定网上政务服务办理深度标准，衡量各事项的在线办理实现程度。围绕网上统一身份认证体系、证照互认、网上支付等方面内容，衡量政务服务在线一体化办理程度。

在线服务成效度：从在线注册量、网上办件数量、服务时效、公众满意度、服务普及度等方面，评估网上政务服务的实施效果。

4.评价方式

“互联网＋政务服务”评估是一个多维度、多指标的复杂过程，受机构职能、业务定位、管理能力、发展情况等条件影响较大。在具体实施过程中，可参照指标体系进行指标组合和权重调整，总分 100 分。根据得分，60 分以上的可分为四个星级进行评定。

二星级：政务服务事项清单化管理，统一规范省、市、县三级政务服务事项；政务服务平台基本功能齐全，支持多渠道服务方式；实体政务大厅通过政务服务平台集中办理所有受理政务服务事项，反馈办理结果。评估计分达到60分以上（根据工作重点该分值可动态调整）。

三星级：政务服务事项清单实现动态管理；政务服务平台功能齐全，与业务审批系统进行对接，部分政务服务事项实现网上预受理；各级实体政务大厅之间平台互联互通，信息共享，基本做到同城通办。评估计分达到70分以上（根据工作重点该分值可动态调整）。

四星级：政务服务事项清单实现智能化管理；政务服务线上、线下平台功能完备，与业务审批系统有机融合，所有政务服务事项网上预受理；各级政务服务平台上下左右互联互通，信息充分共享，实现同城通办、跨区域通办。评估计分达到80分以上（根据工作重点该分值可动态调整）。

五星级：政务服务线上、线下平台高度融合，信息惠民智能化，满足用户个性化需求；实现跨层级跨领域一网办理、一站式服务，申请人办事就近能办、同城通办、异地可办；所有政务服务事项支持全流程网上办理，对各流程环节实行动态管理和监督评价；实现政务服务数据充分共享和有效开放利用。评估计分达到90分以上（根据工作重点该分值可动态调整）。

（三）评估实施

1.实施主体和考核范围

国务院办公厅定期组织对各地区、各部门“互联网＋政务服务”技术和服务体系建设推进情况进行评估考核，依据当前“互联网＋政务服务”工作推动重点，适时开展针对省级政府网上政务服务的评估。各省（自治区、直辖市）人民政府由办公厅牵头，组织本地区政务服务管理、审批改革、电子政务等有关部门，根据自身实际另行制定具体评估方法，构建本地区指标体系，对本级政府部门和所辖地市“互联网＋政务服务”推进情况进行评估。各级评估实施主体可委托权威的非营利性机构在统一的评估指标体系下开展第三方评估。

2.结果反馈与运用

加大考核结果应用力度，促进各级政务部门不断提升政务服务供给质量。

（1）政府内部通报。考核评估应纳入年度作风建设和绩效考核，通报考核结果。

（2）社会公开。各地应定期将“互联网＋政务服务”的工作推进情况，按照政府信息公开的要求向社会公开。

三、第三方评估案例

为贯彻落实党中央、国务院关于深入推进“互联网＋政务服务”和2019年政府工作报告的部署要求，推动政务服务绩效由企业和群众评判，不断提升各地区网上政务服务能力和水平，根据《国务院关于加快推进全国一体化在线政务服务平台建设的指导意见》(国发[2018]27 号)有关规定、全国一体化政务服务平台 2019 年度重点建设任务部署以及推进全国政务服务实现“一网通办”有关要求，国务院办公厅电子政务办公室继续委托中央党校(国家行政学院)电子政务研究中心，开展 2019 年度省级政府和重点城市网上政务服务能力(政务服务“好差评”)第三方评估工作。

(一)评估概况

1.调查评估对象

省级政府：各省(自治区、直辖市)和新疆生产建设兵团共 32 个(以下简称“各省级政府”)。

重点城市：各计划单列市和省会城市共 32 个(以下简称“各重点城市”)。

2.调查评估过程

按照委托评估的工作要求，中央党校(国家行政学院)组织相关专家成立了评估工作组，与国家政务服务平台建设工作组及地方政府的相关专家进行了多次沟通讨论，充分听取了意见建议，形成指标体系初稿后，广泛征求各地区书面意见建议，并组织召开 32 个省级政府和 32 个重点城市相关负责同志参加的调研座谈会，形成调查评估工作方案。2019 年 8 月 7 日，评估工作组组织召开评估工作方案专家研讨会，在听取专家意见建议的基础上对方案又进行了修改完善，并正式对外公开发布。

在评估实施阶段，评估组采用“用户感知”的方式，按照由群众来评判政务服务水平的导向，对 32 个省级政府和 32 个重点城市在国家政务服务平台和省级政务服务平台提供的相关服务进行了动态跟踪，采集了 64 个评估对象，涉及国家政务服务平台和省级政务服务平台相关数据共计超过 210 万项。同时，还整理分析了 64 个评估对象在一体化政务服务平台规划、建设、运维等方面的有关材料。在此基础上，评估组依据评估指标，建立数据评估模型，对所采集数据进行了全方位分析，并形成了评估结果。

(二)评估指标体系

本次评估在联合国电子政务调查评估(EGDI)框架下，根据《国务院关于加快推进全国一体化在线政务服务平台建设的指导意见》(国发[2018]27 号)提出的目标要求，在充分吸收《国务院办公厅关于印发“互联网＋政务服务”技术体系建设指南的通知》(国办函[2016]108 号)评价考核体系的基础上，结合我国推进全国一体化平台相关要求与实践现状，重点围绕在线服务成效度(“好差评”制度建设)、在线办理成熟度、服务方式完备度、服务事项覆盖度、办事指南准确度五个方面，建立科学、客观、实用的网上政务服务评估指标体系，推动政务服务从政府供给导向向群众需求导向转变。

2019 年评估重点和导向是：以“好差评”制度提升网上政务服务水平，推动政务服务从政府供给导向向群众需求导向转变，以“简审批、优服务”便利投资兴业。

近年来，网上政务服务能力第三方评估的思路方法和指标体系始终保持相对稳定，但每年评估指标导向都会有所调整，以反映年度工作重点和发展方向。结合 2019 年重点工作，2019 年调查评估的重点工作内容如下：

一是推进“好差评”工作落地生效。本次第三方评估从推动建立政务服务“好差评”制度、提升企业和群众办事满意度的角度出发，对网上政务服务的建设成效进行全面调查，推动平台建设从“有没有”向“好不好”转变，促进政务服务提质增效。

二是推动全国一体化平台建设，提升政务服务能力和水平。本次第三方评估结合国务院正在加快推进建设的国家政务服务平台有关工作部署，从支撑国家政务服务平台的平台对接、数据汇聚、服务接入等方面出发，推动国家政务服务平台与各地区平台的全面对接。

三是推动在更大范围实现“一网通办”，促进用户体验全面优化。本次第三方评估按照国办秘书局印发的《关于进一步推进政务服务“一网通办”有关工作的通知》的要求，围绕 2019 年推进“一网通办”工作的重点任务，从提升网办深度、强化数据共享、统一服务标准、推动流程再造等方面，推动实现企业群众办事“减时间、减环节、减材料、减跑动”，提升企业和群众的获得感。

通过优化完善，2019 年省级政府调查评估指标体系共包含 5 项一级指标、23 项二级指标、81 项三级指标。重点城市调查评估指标体系按照省级评估指标进行了相应调整，共包含 5 项一级指标、18 项二级指标、58 项三级指标。

调查评估的目的是基于对各地区网上政务服务的全面跟踪和梳理分析，力图通过数据，科学和客观地反映各地区网上政务服务发展水平，发现推进网上政务服务工作中存在的问题，形成推进工作的良性机制，促进各地区政务服务水平不断提升。

（三）评估结果

1.省级政府总体指数排名

省级政府网上政务服务能力总体指数排名前十的地区分别为：广东/浙江（并列）、上海、江苏/贵州（并列）、北京、安徽、福建、四川、湖北、河南、河北，各地区排名情况如表13-1所示。

2.重点城市总体指数排名

重点城市网上政务服务能力总体指数排名前十的城市分别为：深圳、杭州/南京/广州（并列）、宁波、合肥、青岛、哈尔滨、武汉、南昌、福州和长沙，各重点城市排名情况如表13-2 所示。

表 13-1 省级政府调查评估总体指数排名

省级政府	总体指数	在线服务成效度指数	在线办理成熟度指数	服务方式完备度指数	服务事项覆盖度指数	办事指南准确度指数	排名
北京	91.33	88.33	90.38	93.57	90.61	94.90	4
天津	81.49	75.41	75.05	80.83	85.89	95.32	17
河北	86.62	77.36	84.62	92.31	88.26	92.50	10
山西	80.34	67.54	75.30	87.47	84.47	90.78	20
内蒙古	80.29	74.67	72.65	81.80	86.48	90.26	21
辽宁	80.88	68.78	78.66	85.49	82.58	92.30	19
吉林	76.56	67.85	75.48	76.95	77.23	88.59	25
黑龙江	77.93	69.90	76.41	81.70	76.07	88.62	23
上海	93.93	95.17	89.83	93.97	95.61	96.81	2
江苏	91.90	92.43	87.89	93.43	90.70	97.47	3
浙江	96.73	97.23	95.46	96.95	96.98	97.55	1
安徽	90.82	86.26	86.06	94.36	91.89	98.68	5
福建	90.11	85.92	85.51	93.89	90.80	97.40	6
江西	83.32	67.47	80.80	93.30	82.72	96.14	12
山东	79.04	71.61	74.90	87.21	75.74	89.37	22
河南	87.00	79.45	81.52	91.69	91.28	94.21	9
湖北	87.91	78.75	87.86	88.57	89.78	96.81	8
湖南	83.66	75.86	78.13	89.70	83.71	95.16	11
广东	96.73	98.09	95.97	96.05	96.19	97.85	1
广西	82.66	72.54	78.26	83.25	90.62	92.06	15
海南	81.02	73.25	77.93	85.04	82.10	89.74	18
重庆	83.14	76.03	75.15	89.55	85.97	93.60	13
四川	88.31	83.52	84.33	89.67	89.92	97.35	7
贵州	91.90	90.04	88.51	94.02	90.58	98.97	3
云南	81.57	72.92	75.12	88.88	82.95	92.28	16
西藏	76.28	69.03	68.12	83.84	82.92	80.60	26
陕西	77.22	64.64	69.42	84.14	81.54	92.03	24
甘肃	75.28	67.30	74.60	84.90	70.03	81.26	29

续表

省级政府	总体指数	在线服务成效度指数	在线办理成熟度指数	服务方式完备度指数	服务事项覆盖度指数	办事指南准确度指数	排名
青海	75.95	72.00	71.41	73.50	77.13	90.48	27
宁夏	82.83	73.78	75.07	93.21	85.72	90.17	14
新疆	74.07	67.45	71.01	69.01	84.90	80.32	30
新疆生产建设兵团	75.33	69.12	67.47	82.25	77.25	84.89	28

表 13-2 重点城市调查评估总体指数排名

重点城市	总体指数	在线服务成效度指数	在线办理成熟度指数	服务方式完备度指数	服务事项覆盖度指数	办事指南准确度指数	排名
广州	96.45	95.38	95.89	94.19	98.56	98.99	2
武汉	88.45	86.17	85.93	89.17	89.04	93.97	7
哈尔滨	88.76	86.51	90.56	87.08	86.16	94.47	6
沈阳	82.76	74.86	80.41	84.56	84.56	92.42	15
成都	84.72	81.10	82.50	79.28	88.25	95.80	11
南京	96.45	94.84	96.48	96.30	96.01	99.34	2
西安	80.31	76.79	75.64	78.73	82.36	92.14	18
长春	76.88	72.12	74.87	74.77	74.22	92.94	23
济南	79.44	73.23	80.41	81.02	78.48	85.31	20
杭州	96.45	95.42	97.23	95.80	96.07	97.92	2
大连	78.38	70.57	76.57	75.46	79.40	94.38	22
青岛	90.13	86.53	86.85	91.92	92.64	94.68	5
深圳	97.34	96.30	97.09	99.38	96.16	97.99	1
厦门	84.36	76.76	76.46	86.78	91.04	95.54	13
宁波	95.28	93.28	95.23	94.63	96.06	97.86	3

续表

重点城市	总体指数	在线服务成效度指数	在线办理成熟度指数	服务方式完备度指数	服务事项覆盖度指数	办事指南准确度指数	排名
石家庄	72.32	68.23	68.71	78.30	64.82	85.79	27
太原	75.61	73.18	73.55	76.36	71.01	87.43	25
呼和浩特	78.64	78.00	75.03	73.70	79.87	90.43	21
合肥	90.50	90.42	85.92	91.17	90.44	97.40	4
福州	86.73	80.15	83.29	88.87	91.24	92.38	9
南昌	87.07	81.06	84.40	90.35	87.64	94.41	8
郑州	82.71	80.05	73.29	89.46	81.69	94.28	16
长沙	85.45	81.39	81.81	87.55	84.83	94.97	10
南宁	80.25	73.06	77.05	78.25	82.15	95.33	19
海口	76.49	69.22	78.61	79.25	78.54	76.23	24
贵阳	84.49	76.13	81.69	81.85	90.19	96.21	12
昆明	80.68	74.01	76.99	80.36	82.04	94.34	17
拉萨	73.10	75.40	70.08	71.12	77.51	71.82	26
兰州	72.15	73.42	73.26	60.19	69.02	88.70	28
西宁	65.70	61.80	65.00	59.23	73.77	70.32	30
银川	83.00	76.92	81.45	89.99	75.56	94.28	14
乌鲁木齐	72.07	63.56	68.61	72.73	75.75	83.40	29

3.成效总结

自2016年国务院政府工作报告首次提出大力推进“互联网＋政务服务”以来，各地区把加快推进网上政务服务作为深化“放管服”改革的关键之举，以互联网思维促进信息技术与行政管理深度融合，在政府职能转变、优化营商环境、提升服务质量等方面取得显著成效。2019年度调查评估的结果再次印证，在大力推进全国一体化平台建设的指引下，各地区依托全国一体化平台，推动政务服务从低效到高效、从被动到主动、从粗放到精准转变，网上政务服务能力和水平持续提升，一体化政务服务平台的辨识度、知晓度、美誉度显著提升,一体化政务服务平台已经成为企业和群众办事的主要渠道。

1)省级政府网上政务服务能力和水平

省级政府方面,北京、上海、江苏、浙江、安徽、福建、广东和贵州8个地区的网上政务服务能力总体指数为"非常高"(超过90),占比为25%。天津、河北、山西、内蒙古、辽宁、江西、河南、湖北、湖南、广西、海南、重庆、四川、云南和宁夏15个地区的网上政务服务能力总体指数为"高"(90~80)。9个地区的网上政务服务能力总体指数为"中"(80~65)。

分析得出,得益于近年来一体化政务服务平台建设的大力推进,在过去一年省级政府网上政务服务能力水平显著提升,网上政务服务能力总体指数和五项分项指数均有不同程度提高。网上政务服务能力指数为"非常高"的地区从2016年的3个地区增加到8个地区,指数为"高"的地区从2016年的9个地区增加到15个地区,网上政务服务能力指数为"低"的地区首次为零。

总体来看,各地结合实际,在建设模式、应用成效、技术实现等方面持续推进,探索出许多独具特色、深受企业和群众欢迎的好经验、好做法,形成了一批行之有效的建设模式和创新实践,呈现出不少新亮点。政务服务流程显著优化,服务形式更加多元,服务渠道更加畅通,群众办事满意度显著提升。北京"营商环境优化"、上海"一网通办"、江苏"不见面审批"、浙江"政府数字化转型"、安徽"皖事通办"、福建"数字福建"、广东"数字政府改革"、贵州"全省通办"等创新经验,已经成为全国一体化平台建设的典型标杆,在全国发挥了较强的引领和示范作用,从"盆景"到"风景",网上政务服务最佳实践层出不穷,头雁示范效应凸显。

2)重点城市网上政务服务能力和水平

重点城市方面,广州、南京、杭州、青岛、深圳、宁波和合肥7个城市的网上政务服务能力总体指数为"非常高"(超过90)。武汉、哈尔滨、沈阳、成都、西安、厦门、福州、南昌、郑州、长沙、南宁、贵阳、昆明和银川14个重点城市的网上政务服务能力总体指数为"高"(90~80)。11个重点城市的网上政务服务能力总体指数为"中"(80~65)。

第十四章 “互联网＋政务服务”国际趋势

第一节 “互联网＋政务服务”的国际发展情况

联合国电子政务调查报告是联合国经济和社会事务部对联合国各会员国的电子政务发展水平进行调查，以电子政务发展指数（EGDI）为依据所发布的调查报告。联合国电子政务调查评估自2001年启动以来，已连续发布了10次报告，成为全球电子政务领域的权威报告。

2020年报告的主题是：数字政府助力可持续发展十年行动。报告围绕以电子政务支撑2030年实现17个可持续发展目标为核心，从全球视野和全球思维的角度，剖析全球电子政务发展实践，总结国际电子政务发展趋势。

一、全球电子政务发展指数基本情况

2020年联合国电子政务调查数据显示，有更多的国家和城市正在推行数字政府战略，其中一些战略与早期电子政务发展的战略截然不同。各国政府在追求数字政府转型过程中采取的一些新方法包括：将电子政务作为一个平台来传送信息，整合在线和离线多渠道来提供服务，敏捷地发展数字服务，扩大电子参与以及伙伴关系，采用以数据为中心的方法，加强提供以人为本的数字服务能力，以及创新地使用人工智能和区块链等新技术。

从全球范围来看，世界各国电子政务发展持续推进，越来越多的国家正在大力推进数字政府战略，以数据为中心，强化电子参与，整合线上和线下渠道，提升以人为本的数字政务服务能力。数据显示，全球电子政务发展指数（EGDI）从2018年的0.55上升到2020年的0.60，即使在情况特殊的国家和资源有限的国家中，进展也很明显。从分项指数发展来看，人力资本指数和在线服务指数均值略高于2018年，而通信基础设施指数均值则有显著提高。自上一期联合国电子政务调查以来，电子政务发展指数值高和非常高（高于0.50）的最不发达国家、内陆发展中国家以及小岛屿发展中国家的数量增加了

29%。126个成员处于"高"或"非常高"级别,比2018年增加了15个,占比65%。其中,57个的EGDI值为"非常高",比2018年增加了17个国家,增幅达43%。全球仅有8个处于"低"级别。世界五个区域在2020年都提高了其电子政务发展平均指数值。欧洲仍然处于领先地位,其次是亚洲、美洲、大洋洲和非洲。

在接受调查的35个美洲国家中,有86%的国家的电子政务发展指数值高或很高。欧洲的电子政务发展自调查开始以来一直处于全球领先地位。大洋洲国家的电子政务发展水平处于两个极端:澳大利亚排名第5位,新西兰排名第8位,但该地区其他国家的电子政务发展指数总平均值为0.44,明显低于全球平均水平(0.60)。在非洲,尽管各国持续落后于其他区域,但也出现了加速发展的积极迹象。在非洲,向更高的电子政务发展指数组别迈进的国家比例最大(15个国家,即28%)。然而,基础设施和人力资本发展方面的差距阻碍了该区域许多国家迈向更高的电子政务发展指数水平。亚洲已成为电子政务发展第二先进的地区,其电子政务发展指数均值从2018年的0.58上升到2020年的0.64。亚洲也是电子政务发展指数排名提高15位以上的国家最多的地区(8个)。

二、全球电子政务发展主要特征

一是数字政府转型快速推进。数字政府作为数字化转型的"重中之重",受到国内外普遍重视。世界各国政府正利用数字技术创新政府运作方式,并不断转变信息公开、政府决策和公共服务方式,积极了解公众需求,解决公众关注的热点问题。许多国家已经进行了机构改革,以更好地支持数字政府转型。在193个联合国成员国中,有145个国家设有首席信息官或类似职位,新的组织结构的挑战需要改变各级政府的组织文化,发掘公共部门、社会组织及个人能力。数字政府转型需要整体方法推进,包括推进数据治理,促进有效的公共通信,强大信息通信技术基础设施以及新技术应用能力,建立符合信息化发展需求的制度和机制,制定数字化发展战略,形成监督和评估机制。

二是在线服务成为各国发展重点。从全球范围来看,各国都在积极改善电子政务以及公共服务的在线提供。大力提高在线服务水平成为各国普遍共识。更多的国家开始关注通过电子政务建设整体政府,解决协同治理问题,并将其作为应对复杂挑战的关键。在构建整体政府中,强调基础资源层面的集约化建设与利用、管理层面的统筹规划与高效协同、服务层面的一体化无缝整合成为各国的普遍做法。总体来看,全球在线政务服务发展阶段已由以政府网站提供信息服务,开始迈向实现跨部门、跨层级的系统整合集成,提供一体化网上政务服务的整体服务阶段。数据显示,除1个成员外,所有国家都建设开通了国家门户网站。在本调查评估的20种在线事务服务中,平均提供14种服务,162个国家至少提供1种服务,提高了16%。全球有66%的成员国提供事务的在线服务。在OSI极高和高的群体中,其普及率最高,分别为93%和81%。在全球范围内,最普遍的在线服务事务是企业登记，有162个国家提供这项在线服务，自2018年以来增加了30%。专门针对弱势群体提供在线信息和服务的国家数量增加了约11%。通过短信或移动应用程序提供服务的国家数量平均增加了38%，移动服务最常见于教育部门(127个国家)、环境部门(116个国家)、卫生部门和就业部门(115个国家)。

三是政府快速响应能力不断提升。在新冠肺炎疫情期间，信息通信技术在保障人民的生命健康和人身安全、保持经济良性运转和社会良性运转方面发挥了重要作用。各国政府通过其国家门户网站、移动应用程序和社交媒体平台公开信息，快速响应公共需求。对193个成员的国家门户网站调查显示，各国政府在报告和分享与疫情有关的信息时展现出很高的透明度。很多国家的政府开通了专门的防疫网站和应用程序，在信息和资源更新方面表现出极大的灵活性。拥有强大电子政务系统的国家能够向公众、地方政府和医疗工作者们提供明确的最新信息，同时还能与社会平台开展合作，减少错误信息的传播。通过信息共享和在线服务的提供，数字技术使政府和公众在疫情暴发期间保持联系，使各国政府能根据实时数据进行分析并迅速作出决策，提高地方政府协调能力，并向最需要的人提供服务。截至2020年3月25日，只有57%(110个国家)的国家发布了关于新冠肺炎疫情的信息。截至2020年4月8日，提供此类信息的国家约达86%(167个国家)。

四是城市电子政务蓬勃发展。报告还选取代表城市进行了评估，对城市电子政务的发展水平进行评估。2020年报告的调查评估中把评估范围进行了扩展，根据地理位置和人口分布情况从原来的40个城市扩大到了世界不同地区的100个城市，有14个城市的本地在线服务指数(LOSI)水平非常高。大多数城市处于LOSI中等或低水平组，中国上海的在线服务指数(LOSI)排名第9位。在线服务指数由80项指标组成，包含技术、内容提供、服务提供以及参与度四个方面。整体来看，在2020年调查的城市服务网站中，内容提供是所有网站表现最佳的一项，大多数城市都基本达到了相关指标的要求，但是在促进公众参与服务创新方面还有待加强。

五是电子参与持续推广。参与是治理的一个关键层面，也是可持续发展的支柱之一。电子政务调查主要从三个层面展开，分别是信息提供(政府向公众提供信息)、咨询(政府就政策或在不同阶段提供服务的方面向公众反馈)和决策(政府让公众参与决策)。根据政府门户网站向公众提供信息、咨询和决策有关内容，通过调查对电子参与进行评估。电子参与调查评估作为在线服务内容的一部分，并通过电子参与指数(EPI)对各国的电子参与情况进行电子参与的调查领域包括教育、卫生、社会保障、就业、环境和司法。中国政府在政务公开、政民互动方面做了大量工作，通过政府平台和社会平台了解人民群众需求，公众积极参与公共政策征求意见。中国的电子参与指数为0.964，排名第9位。电子参与平台继续在更多国家推广，出现了一种多功能参与平台的趋势。电子参与指数值高或非常高的国家的共同特点是:政府通过利用信息通信技术加强业务联系,在决策和提供服务方面推动系统思维方法。虽然在设计能够促进各机构和各级政府之间一体化的机构方面没有蓝图,但电子参与指数值高的国家遵循的基本战略是,在实施自动化进程之前重组机构和组织结构,建立适当的横向和纵向工作流程。

六是数据治理框架不断完善。随着政府数据应用的不断深化,面临的风险和挑战也在不断发生转变。政府开展了利用数据治理框架和以数据为中心的电子政务战略,以创新的方式产生公共价值。优化利用数据,有助于提高公共机构的成效、问责和包容性,建立在数据基础上的政府将有助于提高信誉和公正性。监管机构和决策者激发公众的信任,并逐渐从信任转变为值得信任,而不是由公众承担责任。

2020年调查数据显示,许多国家已经在政策、机构和能力改革方面取得了重大进展。已建立政府数据开放门户网站的国家数量从2014年的46个增加到2020年的153个。在接受调查的成员国中,59%的国家制定了开放政府数据政策,57%的国家接受公众对新数据的请求,52%的国家提供使用开放政府数据,49%的国家开展了数据开放应用大赛。随着处理复杂数据集的技术能力不断提高,这些数据集可以为决策者提供更好的洞察力和预见性,并使电子服务更高效、更可靠、更包容,尤其是在实现复杂的可持续发展目标方面,数据将发挥更大作用。随着政府数据的急剧增加,以及人们对其巨大潜力及随之而来的挑战和风险的认识不断提高,对有效数据治理需求变得更加迫切。各国政府必须采取整体政府的方法,在国家数据战略、强有力的数据领导和数据生态系统支持下,发展总体数据治理框架。

七是以政府数字化转型带动数字经济发展成为主流趋势。为应对新信息技术革命提出的政府治理挑战,美国、英国、日本等发达国家都在加速"数字蝶变",大力推动政府数字化转型和数字政府建设。数字化转型成为"重中之重",受到世界各国普遍重视,如韩国的政府3.0计划、美国的"开放政府战略"、欧盟的"数字欧洲"。纵观国际电子政务发展实践,将政府数字化转型与国家发展战略融为一体,通过电子政务的创新发展促进服务型政府建设,提升公共服务效能,创新政府管理方式,实现经济社会可持续发展已成为世界各国政府的普遍共识。政府数字化转型从根本上讲是将治理转型和创新作为一个国家总体发展战略和追求可持续发展的一部分。许多国家已经进行了机构改革,以更好地支持政府数字化转型,在193个联合国成员国中,有145个国家设有首席信息官或类似职位,151个国家制定了数字化战略,123个国家制定了数字化安全战略。

三、全球电子政务发展对我国的启示

报告数据显示,我国电子政务发展指数从2018年的0.6811提高到2020年的0.7948,排名比2018年提升了20位,取得历史新高,达到全球电子政务发展"非常高"的水平。其中，作为衡量国家电子政务发展水平核心指标的在线服务指数上升为0.9059，指数排名大幅提升全球第9位，国家排名第12位，在线服务达到全球“非常高”的水平。分析发现，本次联合国电子政务调查报告中我国在线服务全球排名的大幅提升与我国不断深化“放管服”改革和大力推动全国一体化政务服务平台建设的决心与行动密不可分。

一是持续提升在线政务服务能力和水平，打造中国特色网上政务服务体系。在线服务是电子政务发展的重点，随着全国一体化政务服务平台的投入运行，我国在线政务服务建设与发展已进入快车道。网上政务服务更要主动适应我国社会主要矛盾的变化，以一体化平台建设为牵引，以政府数字化转型带动数字经济发展，把制度优势更好地转化为政府治理效能。我国网上政务服务具有覆盖广、需求多、弹性大的特点。建设一个面向14亿人口的政务服务平台，古今中外并无先例可循，涉及政府业务创新与信息化技术创新融合，难度极大。全国一体化平台建设作为政府数字化转型的“重中之重”，肩负着推进国家治理体系和治理能力现代化的重任。目前，以国家政务服务平台为枢纽的全国一体化政务服务平台已初步建成，并取得了阶段性进展和初步成效，但与群众需求还有差距，还有不少亟须解决的难点、痛点问题。全面实现一网通办和异地可办，还需要更大力度的改革配套，要抓紧研究制定我国数字政府建设的指导性文件，从政府组织模式、治理体系变革、资源配置机制等全新的视角引领政府治理模式创新发展，主动顺应政府数字化转型发展趋势，构建与之相适应的组织构架体系、数据管理体系、标准规范体系、业务发展体系和政策法规体系，从全局和战略的高度为数字化时代政府改革与治理能力建设提供指导和遵循。

二是注重从平台建设到效能建设的转型升级，推动更多服务事项一网通办。按照党的十九届四中全会提出的任务要求，以全国一体化政务服务平台建设为抓手，推进政府部门信息系统统筹集约建设，解决“重复投资、条块分割、烟囱林立、信息孤岛”等问题，破解“一网通办”面临的“分散规划、分散建设、分散使用、分散运维、分散管理”等痼疾。持续深化政务服务一体化建设思路，充分发挥全国一体化政务服务平台建设成效，提升全国一体化平台身份认证、电子证照、电子印章等基础设施利用率和公共入口、公共通道、公共支撑作用，推动政务行政权力事项和公共服务事项应上尽上，纳入一体化在线平台办理，实现网上咨询、网上预约、网上办理等功能，促进一体化平台从“建平台”到“提能力”转变。加快实体大厅向网上大厅迁移，同时要推进两个大厅深入融合，实现预约、咨询、受理、办理、查询、反馈、支付、邮寄等环节的线上、线下无缝衔接，使办事群众享受到“无缝隙”“一体化”和“无差异”服务。注重培育网上办事的舆论氛围，探索行之有效的宣传推广方式，吸引企业和群众主动上网办事，切实体验在线服务“跑腿少”“办事快”的独特成效。

三是有序推进数据治理，提升数据开放利用水平。当前，我国政务信息资源共享取得突破性进展，政务信息整合共享工作基本实现“网络通、数据通”的阶段性目标。公共信息资源开放有效展开，全国多个地区建立了公共信息资源开放平台，开放数据的规模大幅度拓展。在做好平台对接的基础上，推动垂直业务系统与全国一体化政务服务平台对接，推动各地区、各部门业务受理系统、内部审批系统与全国一体化平台实现对接和互联互通。以业务需求为导向，加快建立高效的数据共享协调机制，全面梳理数据共享供给需求，更好地满足各地区、各部门普遍性高频政务服务事项的数据共享需求，为全国政务服务“一网通办”提供更有力支撑。坚持“联网为原则，不联网为例外”的原则，深入推进“用户通、系统通、数据通、证照通、业务通”一体化的“五通”建设，着力破除“数据孤岛”，以数据共享和协同治理支撑系统性、整体性、协同性的一体化服务模式。加快政府数据开放进程，继续扩大政府公共数据资源开放范围，提高开放数据的质量，为社会公众提供有效供给，加快政务数据资源开发利用，助力政府决策科学化、公共服务高效化、社会治理精准化。

四是聚焦跨区域通办，推动流程优化和业务协同。依托全国一体化政务服务平台构建的数据共享响应机制，发挥国家政务服务平台的数据集散中心作用，以一体化提升本部门政务服务平台跨地区、跨部门、跨层级的政务服务能力。按照《国务院关于在线政务服务的若干规定》(国务院 716 号令)要求，建立健全配套政策，围绕电子证照、电子印章、电子档案、电子签名等方面，加快电子证照的全国范围标准化，实现证照数据和样式的规范统一，推动解决电子证照跨区域互认互信的难题。

五是聚焦群众关切，推动服务模式从“事项供给”向“服务场景”转变。依托全国一体化政务服务平台，围绕企业和群众“办事难、办事慢、办事繁”等问题，深入了解服务需求，精准配置服务资源，提升网上政务服务的需求精准化、供给精准化和服务精准化水平。围绕用户需求和重点服务，优化平台搜索，注重服务引导，缩减在线服务页面，提升网上政务服务的便捷性和友好性。围绕一网通办、主题集成服务、移动服务等内容，推动线上、线下融合，打造贴合用户需求的场景化服务应用，切实提升企业和群众获得感、满意度。

第二节　典型案例

一、美国：建设数字政府平台，优化交互服务

（一）美国数字政府战略

美国联邦政府极其重视数字政府的发展，2012 年就发布了《数字政府战略》。过去的几届联邦政府也为此做出了努力。如克林顿政府了解到互联网的重要性，督促各机构开发网站；布什政府提出了“电子政务”的概念，实现了网站从只能浏览到可以办理业务的

转变，布什的总统团队也帮助美国政府推出了联邦政府的第一个官方门户网站；奥巴马总统推动政府采用最新的技术趋势，如 18F-美国数字服务和 data.gov 计划，同时奥巴马还亲自为联邦政府的数字政府转型作出贡献，如在社交媒体上举行大量会议，在网上为联邦政府树立了一个鲜明形象，这些都为特朗普政府的数字化转型奠定了基础，他把数字政府的观念从烦琐和混乱的应用程序转变为一个为所有公民提供精简、安全和易用的公共服务资源。美国“数字政府战略”是其打造“21 世纪政府”总统命令中的一部分内容，旨在为美国民众提供更优质的公共服务。

（二）美国数字政府的战略目标

美国数字政府的实施围绕以下三个目标进行：一是保证全体美国公民和日益增多的移动员工，能够随时随地通过任何设备获得高质量的政府信息和服务；二是确保美国政府在数字时代背景下，能尽快适应数字世界，抓住机遇，以安全、实惠的方式来采购和管理设备、应用程序和数据；三是开放政府数据，以推动经济创新并促进经济增长，通过使用新技术让美国政府部门更透明、更高效，改进政务服务质量，提高服务水平。

（三）美国数字政府建设原则：创建平台，以信息、用户为中心

美国数字政府战略从概念模型方面明确了信息服务的三个分层。信息层：把信息分为结构化信息和非结构化信息。平台层：包括所有用来管理信息的系统和流程。表示层：指信息的组织和提供给客户的方式，代表政府和私营部门提供数字政府服务信息的方式。

以信息为中心。联邦政府掌握的信息，对公众、企业和政府规划都有巨大的潜在影响价值。他们认为，数据是一项有价值的国家资本，应对公众开放，而不是把其禁锢在政府体制内。因此，不管采用何种信息形式，为了最大限度地利用信息价值，必须从一开始就采用以信息为中心的方法，安全地构建具有互操作性和开放性的数字服务体系。基于此，美国政府以开放 API 接口用于读取的方式发布了上百个政府数据集。这些 API 接口所包含的数据包罗万象，可供私营行业的开发人员开发新的应用程序和服务。以信息为中心的方法能分离信息本身和表现形式。开放数据和内容的做法意味着当需要给客户提供服务时，可以重复使用相同的 Web API 去完成相同的操作行为。此外，在结构化数据和元数据中加入安全隐私控制，数据拥有者就可以更加集中精力将数据安全可靠地传给用户，接收数据的设备也只需要少量的资源就可以保障设备安全，以信息为中心的模式能够安全有效地为公民提供数字服务。

以客户为中心。数字服务质量影响着公众参与联邦政府工作的体验，无论采用哪种形式，政府部门必须将服务以最快的速度高质量地传递给用户。为了适应不断发展变化的数字信息技术，随时随地为任何设备提供服务，联邦政府使用响应式的网页设计和搜索引擎等现代工具，同时为将服务过渡到移动平台上，各机构提供优先面向客户的移动服务应用，并优化服务移动应用；设定绩效考核，从衡量业绩和客户满意度方面来提高服务质量。

共享平台。联邦政府通过使用现代化的数字服务平台实现信息共享，建立了一个数字化服务创新中心、顾问团队和跨部门治理机制。数字化服务创新中心负责识别共享的、开放的内容管理系统(CMS)解决方案，帮助政府机构开发 Web API，启动共享移动应用开发项目。顾问团队负责帮助数字化服务创新中心优化共享服务需求，促进现有政策和最佳实践的共享，识别并推荐变化以帮助消除政策和标准方面的鸿沟。通过这些来改进数字化服务的提供，帮助美国政府各部门内部以及部门之间的雇员一起工作，应用一致的标准，并且以一致的方式创建和分发信息，以降低成本，精简部门。

安全和隐私。当政府转变为以信息为中心并支持移动应用的数字政府时，作为风险管理的一部分，现有的安全、隐私、数据保护、空间安全优先权，必须要求考虑现有技术和新兴技术的整个生命周期，以反映快速变化的技术环境。移动环境中的安全比传统桌面环境更富有挑战性，需要有新的措施来持续监测和管理设备，才能保证数据本身的安全。面对安全挑战，美国出台了移动和无线安全标准，来帮助各政府机构找到合适的安全解决方案，并在联邦政府中共享。新技术的更新迭代速度快，因此必须对数字政府计划中使用的新技术以及相应的安全和隐私保护措施采取连续性评估措施。2017 年 3 月 19 日，美国众议院正式通过《政府技术现代化法案》，这有助于提升美国联邦政府信息网络的安全保护水平。

(四)美国数字政府转型：更加重视公民体验

尽管美国在数字政府服务领域经验丰富，但其数字政府的发展仍然存在挑战，数字政府发展的不确定性和美国民众对数字化服务的需求和预期上升的矛盾突出。为了缓解这一矛盾，特朗普政府将多年来一直用来推动经济发展的公私合作伙伴关系模式(PPP)运用在数字政府计划中，利用这一模式的特点来调动企业在数字政府建设中的积极性，同时可以向私营部门转移责任，降低风险。在这种模式下，政府不需要进行前期投资，公司就可以建立和启动数字化服务。同时，特朗普政府可以在前几任政府的工作基础上，把数字政府的观念从烦琐和混乱的应用程序转变为为所有公民提供一个精简、安全和易用的公共服务资源。内部和外部安全漏洞意味着政府必须努力减少潜在威胁以保护公民数据，各机构必须努力改善大多数公民在网上政务服务时遇到的不良体验。最后，由于技术专家将成为具有数字能力的政府命脉，新晋的、合格的技术专家候选人的不足是其发展的一大障碍。美国政府在加快数字政府转型、更加重视公民体验方面，主要做了以下工作。

帮助机构对软件进行现代化改造并支持物联网发展。更换过时的系统，可以让机构更智能、更有效率地花钱，扶持直接惠及公民的项目，如教育举措和公共基础设施的改善。物联网和IT现代化使政府部门之间不再隔离，融为有机的一体。这将有助于改善公民服务，因为它们可以增加信息共享，并解决了政府面临的共同挑战，如应用程序效率低下、在线资源不足。

鼓励推行云计算的使用，实现文化的变迁。私人承包商是提升政府信息技术的关键，因为他们提供了安全、可靠和经过检验的解决方案、软件和专业知识。推进如FedRAMP等计划，政府机构可以访问提供云解决方案的私人承包商，这些解决方案都已经过严格审查，以确保他们符合高安全标准。

培养一个鼓励创新和前瞻性思维的环境。这是政府机构吸引下一代员工的关键所在。这些人精通最新的技术，并提供市场需要的IT技能，用新的洞察力和专业知识来增强政府的能力。

建立更强有力的安全标准。加强政府数据存储和管理的安全性，这将使公众更加信任政府。提高安全性将确保公民的关键数据，如医疗保健记录、财务信息和社会保障号不会受到损害。

实施自动化和数据分析以简化服务。自动化降低维护成本，缩短维护IT系统所需的时间。这使得各机构能够分配额外的资源，增强以公民为中心的IT，如加快在线响应时间并提高交互的透明度。

利用私营部门创新的想法和实践。美国创新办公室表明，政府明白私营部门是如何向政府开放的，目前开放的这些想法、概念、技术和信息共享功能在以前是无法实现的。为了政府信息技术的发展，政府部门必须继续咨询私营部门，以解决最棘手的技术问题。

（五）积极构建整体政府，推进数字政府计划

“整体政府”已成为当代西方政府改革的新趋向，其基本目标是通过消除不同政策之间的矛盾和张力，直接有效地增加公共政策的效能；通过消除不同项目方案的重叠和冲突，而充分利用资源；在政策部门的不同利益主体之间加强合作、传递优秀理念，形成一种协同的工作方式；以公民需要为导向，提供一套无缝隙的服务而不是碎片化的服务。整体政府的发展在推动数字政府发展上起着重要作用。美国联邦政府主要着手从以下几个方面来构建整体政府，由此推进数字政府计划。

1.通过网络与通和平台整合，促进基础设施和共性应用的集约化发展

《联合国2014年电子政务调查报告》指出，目前主要发达国家更加关注通过电子政务手段建设整体政府和解决协同治理问题，并将其作为处理需要政府做出综合反应的各种复杂挑战的关键。在构建整体政府中，强调基础资源的集约化建设与利用、管理层面的统筹规划与高效协同、服务展面的“一站式”无缝整合成为各国的普遍做法。2010年2月，美国启动联邦数据中心整合计划（FDCCI），着手关闭一批规模小、能耗高的数据中

心，目标是到2015年关闭联邦政府40%的数据中心。自此，美国政府数据中心开始进入整合、升级、云化的新阶段。目前，美国依托现有平台积极搭建政府公用应用程序库，面向全国所有政府部门，整合一系列应用程序，包括一般商业性应用软件、IaaS基础设施云服务、办公类应用软件以及社会媒体类应用软件，有效提升IT资源和应用软件利用率，减少分散投资建设。积极推动共性应用的集约化建设，一方面避免了重复投资、重复建设，符合低碳、节约、可持续发展的思路，另一方面便于统一集中管理，有效支撑政府各部门信息共享和协同作业。

2.实施云计算战略，积极推进政府云应用

随着云计算的成功案例逐渐累积，技术应用越发成熟，各国政府开始高度重视云计算技术，通过颁布相关战略计划加速部署应用。目前，美国、英国、日本、韩国、澳大利亚等电子政务领先国家均通过战略、政策和具体行动明确了云计算的优先应用策略。2011年9月，美国发布《联邦政府云计算战略》，规定在所有联邦政府信息化项目中优先运用云计算，从而解决电子政务基础设施利用率低、资源需求分散、重复建设、工程建设难于管理等问题。至今为止，美国联邦、州、地方各级政府已经全面采用云计算。

3.借助移动通信和社交媒体，创新公共服务方式与内容

当前，公众通过移动通信、社交媒体等多渠道，随时随地、更加便利地获取更多公共信息和服务的愿望越来越强烈。政府部门广泛应用移动通信技术和社交媒体，创新公共服务手段和方式已是大势所趋。美国联邦政府将2012年定为移动政务元年。2012年1月，发布《联邦移动政务策略》，制定了6条发展目标用以协调、统筹和推动美国移动政务的发展和建设。2012年5月，美国发布《数字政府战略：创建21世纪的平台　更好地为美国人民服务》，将面向用户的移动政务服务置于优先地位。新加坡《电子政务总体规划（2011～2015年）》将移动互联网技术作为电子政务的重要内容，提出一站式的政府移动网站建设，目前汇集了300余项移动服务，同时将移动媒体作为政府民意征集、新闻发布、公民参与政务的重要途径和渠道。《联合国2014年电子政务调查报告》显示，2012～2014年使用移动应用程序和移动门户网站的国家数量增加了一倍，移动技术已经被广泛应用于农业、应急救险、教育、社区服务、医疗卫生等领域，很大程度上提高了政府的工作效率，方便了政府与公众的沟通以及公众参与政府决策，为公民提供了优质、高效和便捷的服务。此外，脸书（Facebook）、推特（Twitter）等社交媒体也成为继政府网站外又一服务渠道。《联合国2014年电子政务调查报告》显示，使用社交媒体的国家数量从2010～2012年增加了两倍多，2014年又增加50%，有118个国家使用社交媒体进行在线咨询，70%的国家将其用于电子政务的开展。

4.挖掘大数据潜力，助力政府智慧服务和管理

当前，大数据所蕴含的战略价值已经引起多数发达国家政府重视，为抢占先机，取得

大数据领域的国际竞争优势,美国、澳大利亚、英国、法国等率先制定了大数据战略规划,从国家战略高度支持该国大数据应用与发展。在大数据战略部署下,政府先试先行,将大数据充分应用在政府公共服务、社会管理和业务决策中。

在美国,门户网站均已部署了基于云服务模式的网站用户行为分析系统。基于对海量网站用户访问行为数据的分析和挖掘,提炼用户需求,指导政府提供更加个性化的网上服务,并通过对用户访问规律和点击行为的动态监测,有针对性地改进政府网上服务,精准推送服务内容,使在线服务越来越向智慧化、精准化、主动化的方向发展。

在社会管理方面,美国一些政府部门(如医疗、交通、公安等)已经开始注重挖掘本部门所掌握的数据价值,更有效地提高部门业务运作效率,提升公众满意度。例如,美国疾病预防控制中心(CDC)利用从多处收集的海量数据,开发了复杂的流感跟踪系统,及时了解疫情变化,并基于流感跟踪系统,建立了专门网站,每周将数据向公众开放,方便公众查询当地的流感情况。再如,美国警察部门正在兴起一项新的应用——预测警务(Predictive Policing),基于大数据分析预测一个城市哪个地区最可能发生犯罪以及哪里最有可能找到犯罪分子。此外,应用大数据实现精细化的交通治理逐渐成为一种趋势,包括利用大数据分析处理交通拥堵、监测恶劣天气的道路状况、检测道路损毁状况等。

(六)美国数字政府建设经验

虽然中国与美国的体制不同,但美国的数字政府建设走在了国际前沿,它的发展经验、策略值得我们学习。

1.建立以企业和公众为中心的电子服务体系

美国数字政府战略强调以用户为中心,这与我国倡导的“以人为本”思想完全一致,同时它强调的信息共享、推进政府间的“信息共享和业务协同”正是当前我国电子政务建设的重中之重。我国的数字政府发展要加快建设面向企业的电子化服务平台和面向居民的电子化服务平台,实现网上和网下联动,梳理企业信息,建立企业电子档案信息库,将分散在政府各部门的某个企业的所有相关信息进行整合;同时依据公众个人信息,按要求进行梳理整合;引进先进的科学技术,简化企业和公众办理事项的程序,提高办理效率和准确度,积极构建以企业和公众为中心的电子服务系统。

2.完善法规

美国联邦政府为了建立标准化数字政府,制定了《政府信息公开法》《个人隐私权保护法》《美国联邦信息资源管理法》等一系列法规,用法规来规范数字政府的发展,并取得了良好的效果。目前,我国对于数字政府的发展还没有一套系列的法规,同时因为地域差别标准制定难度大,这将影响到我国数字政府的发展。随着我国在数字政府领域积累的实践经验,其法规的制定也会逐渐完善。制定统一的数字政府法规,是进一步保障我国数字政府高效、标准化运作的必然要求。

3.建立评价机制

联邦政府为了促进数字政府的发展，专门成立了数字政府研究中心，按周期对各州的数字化程度和网络安全程度进行评估。但我国的数字政府发展还有一定的距离，其建设缺乏实用性、安全防范措施，离用户期望水平有很大差距。因此，有必要对各级政府的数字化程度进行定期的科学评估，以评促建，最终提高数字政府发展的质量和安全性。

二、英国：向“默认数字化”与“政府即平台”转移

（一）英国数字政府转型之路

联合国经济和社会事务部《2016 联合国电子政务调查报告》显示，英国电子参与指数和在线服务指数居 193 个成员之首。这在很大程度上要归功于其始于 2012 年的英国政府数字战略的实施。2017 年是该战略发布的第 6 年，也是英国启动“全政府”的新一轮转型战略的一年。从政府默认数字化、向单一平台（GOV.UK）迁移、“政府即平台”到新提出的“全政府”，英国数字政府转型之路并非一帆风顺，取得显著成绩的同时也衍生出一些新挑战。

2008 年以来，英国经济发展迟缓，政府预算持续赤字。与此同时，公务员制度固化导致政府公共服务发展水平远低于公众预期。在财政收入不能有效增加的条件下，公共服务如何提升成为摆在英国政府面前的一道难题。2012 年 11 月，英国政府推出英国政府数字战略（The Government Digital Strategy，数字政府战略），希望借由数字战略降低政府运行成本，并打造一个高效便捷、人性化且强互动的数字政府。此时的英国，电子政务水平居世界第 3 位。“数字政府战略”共包含 16 项分计划，由内阁办公室（Cabinet Office）牵头，并下设数字服务小组（Government Digital Service，GDS）负责具体事务，税务海关总署（Her Majesty's Revenue and Customs）、交通运输部（Department for Transport）、劳动和养老金部（Department for Work and Pensions）、司法部（Ministry of Justice）等 16 个部门参与落实执行。

2012～2016 年，在 GDS 支持下，英国政府各部门先后共投入 4.36 亿英镑，开展了诸如转向单一平台（GOV.UK）、数据开放、打造数字化示范服务、启动“政府即平台”计划等大量工作，取得显著成效。

（二）英国数字政府转型成效

1.政府数字服务普及率稳步提高

早在 2012 年，英国调查部门对英国成年人抽样访谈调查发现，英国公众对政府在线服务尚未完全接纳：82%的英国成年人经常或偶尔访问互联网，77%的英国成年人每天至少访问一次互联网，50%以上的成年人会在线使用网上银行、购物、搜索引擎、邮件等服务；但仅有 46%的受访者在线使用过政府服务，8%的受访者在线访问过政府信息，如

果将那些没有条件使用互联网的人群纳入进来，比例可能更低。

经过五年发展，英国公众对政府数字服务的认知和使用习惯都取得了长足进步。2016 年，英国成年人中使用互联网与政府进行互动的比例达到 53%，比 2008 年提升 13 个百分点；获取信息的比例提高至 42%；在互联网上提交填写好的表格提升最快，达到 34%，比 2008 年提高 18 个百分点。整体来看，政府数字服务的使用比例相比在线购物（78%）还有较大差距。

2.GOV.UK 作为统一平台成效显著

2012 年 10 月，英国政府开始着力用 GOV.UK 替换“超级网站”Directgov 和 Businesslink.gov.uk 作为政府在网络上的单一域名和所有中央政府部门、相关机构和非政府组织等的信息发布和事务办理服务的唯一平台。2014 年 12 月，25 个中央部门、374 个部门下属相关机构和非政府组织均已完成向 GOV.UK 的迁移。

GOV.UK 的搭建，统一了英国政府部门信息和服务的入口，不仅方便了用户，激发后者使用数字服务的积极性，同时也提高了各部门的效率。据英国政府 2015 年第 1 季度统计数据，GOV.UK 网站平均每周访问者在 1200 万人左右，高峰时期可达到 1360 万访问者和 2120 万次访问量，周访问量占当时英国常住人口总量的 21%。

高访问量要得益于网站的易操作性。相比之前的 Directgov 和 Businesslink.gov.uk，GOV.UK 网站的易操作性和访问效率都有明显改进。经调查，93%的用户认为 GOV.UK 非常或者比较易于操作，而 Directgov 和 Businesslink.gov.uk 的这一数字只有 75%；在搜索信息时，Directgov 和 Businesslink.gov.uk 需要 120 秒，GOV.UK 则快了 1/3，平均需要 80 秒。

3.英国在线服务指数名列全球第 1 位

2012 年，英国尚有超过 300 个事务性服务没有可用的在线服务渠道，或者有在线服务渠道，但许多用户仍然选择线下办理事务。据统计，每年有超过 2.5 亿笔交易仍在通过邮政、电话、面对面等线下渠道进行，带来大量的政府服务成本。

近年来，GDS 依照默认数字服务标准，端对端地帮助各部门重新设计了 25 项最重要且使用频率最高的公共服务。截至 2015 年 3 月，已有 20 个示范服务投入使用。

英国电子政务从简单的信息公开、提供基本互动（如填写电子表格等）到具备完整的在线办理能力（如申请和处理纳税申报、社会福利、护照办理等），是公共领域在线办理与公共服务供给的更为深度的转型与改革。《2016 联合国电子政务调查报告》显示，英国电子政务发展指数位列联合国成员国的榜首。

4.数据开放生态系统初成

2010 年，英国开放数据平台 data.gov.uk 正式上线。2012 年，英国要求政府部门必须以机器可读形式来发布数据。目前，data.gov.uk 已经发布了 42150 个开放数据集，涵盖环境、社会、健康、教育、商业、经济、司法等各个领域,还向用户提供了412个APPs;数据开放格式也充分考虑到不同用户需求,具有HTML、CSV、WMS、WCS、XLS、WFS共6种数据格式。此外,政府还会依据数字默认服务标准提供高质量的应用程序接口(API),在部门中进行集成服务,并将这些提供给第三方组织,通过这种方式将政府的数据顺畅地传递到企业和非营利组织手上。例如HMRC的API,使会计师和软件提供商能够整合申请缴税、公司账户等详细信息,企业只需要提供一次信息,相较以前节省了大量时间和交易成本。

政府开放数据不仅便于公众了解政府政务、监督政府工作,英国政府也希望数据开放能推动本国企业创新发展。为此,英国政府于2012年12月出资1000万英镑支持建立了世界上首个开放数据研究所ODI(The Open Data Institute),也是第一个帮助企业改革、研发并探索开放数据机会的机构。数字政府战略分项计划"开放政府数据和事务办理服务"也专门指出要开放数据和事务办理服务给第三方,帮助后者创新自有服务。2012年至今,ODI已帮助超过12个团队,创造了百万英镑的营收,在发展数字服务、建设智慧城市方面扮演着重要角色。

5.成本节约成效初显

节约成本是数字政府战略推出的最初动力。《数字效率报告》曾指出,线上服务的平均成本比电话服务的成本低约20倍,比邮政服务低约30倍,比面对面服务低约50倍。英国国家审计署2017年发布的报告显示,2011~2016年的5年间,GDS部门共节省13亿英镑的IT支出。其中,22个有数据的示范服务中,有12个服务实现了正收益。

(三)英国数字政府建设经验

英国数字政府战略落地实施的这几年,积累了一些经验,除了统一标准、顶层设计等具有普遍认知外,还有一些创新做法值得思考和借鉴。

1.将数字素养的提升放在转型的首要位置

作为"一把手工程",部门领导人的数字素养对于部门的数字能力有着重要影响。英国政府将提升各部门领导人的数字素养作为提升部门数字能力的一条重要途径,对前者进行数字培训,提升其数字技能,培养数字化思维。GDS还下设了招聘中心帮助各部门组建长期稳定的数字团队,2014年共帮助招聘了100多名技术和数字化专家担任各部门的领导职务,如劳动和养老金部的数字架构主管、司法部的数字和变革总监、税务海关总署的IT项目设计主管及内阁办公室的首席数字官等。

此外,GDS还搭建了10个社区,为数字服务管理人员提供一个互相交流的平台,他们可以在平台上探讨共同面对的问题或最佳做法。这种非正式网络将不同部门间数字领导人和管理者连接起来,就数字服务相关问题进行探讨并达成共识,间接促进了各部门领导人数字素养的提升。GDS还于2016年9月宣布,将接管由就业保障局发起的数字学院，计划每年培训3000名公务员。

2.对“政府即平台”理念的实践

“政府即平台”并不是一个新概念，通用技术平台的建立为发展默认数字服务奠定了基础，统一建设、共同使用也避免了技术平台不衔接的问题，降低了因不同部门重复分散建设的成本。

3.注重第三方力量的参与

公共服务社会化趋势日益明显。为鼓励更多第三方力量参与到数字政府战略的落地中，分计划提出改进招标过程，降低企业的进入门槛。更重要的是，英国政府将开放合作的理念践行于各个环节。例如，积极开放API，将企业和第三方平台作为政府网站的延伸和扩展。GOV.UK的FCO旅行咨询页面提供了一个API，可以将旅行公司、一般咨询网站和GOV.UK相关联，用户通过旅行公司和一般咨询网站就可以查询FCO旅行咨询页面的相关信息。不仅如此，内阁办公室搭建的政务云平台是一个开放平台，吸引供应商不断加入数字市场。现如今，数字市场的供应商总数已达到1852家(87%为中小企业)，可以为用户提供19966项服务。截至2015年3月23日，政务云的销售额为5.16亿英镑。

4.GDS在组织上保障战略的落地执行

英国数字政府战略之所以能落地执行，很大一部分功劳要归功于内阁办公室专设的团队——数字服务小组GDS。在这五年里，GDS作为一个重要角色推动了数字技术在英国政府中的发展，使得数据和技术对于政府转型的重要性得以被英国广泛接受。

GDS创建于2011年，在内阁办公室的领导下对政府数字渠道的建设全面负责，具体负责制定默认数字服务标准，开发、运营统一的通用技术平台和门户网站GOV.UK，协助支持其他部门提高数字能力，为部门管理层提供数字培训，搭建数字技能共享平台，帮助没有条件接触数字化的公众提供辅助数字支持，督促各部门按时发布部门数字战略及战略实施成效等。

(四)英国“政府即平台”计划

2015年3月，英国政府启动“政府即平台”计划，政府提供共性服务的跨部门通用平台。该计划采取跨部门模式提供公共服务，推动以平台为基础的政府。“政府即平台”的运作方式与亚马逊的运作方式类似，采用的系统包括四个元素：创建平台、任命数据官员监督数据使用、采用更加灵活的工作方式和关注以用户需求为先的运行原则。要实现以上这一点需要“重置政府的各个层面”，聚焦用户需求而不是方便政府，在此原则的指导下进行平台的建设。要最终完成这些“政府即平台”的建设需要打破孤立和重复的服务，在设计公共服务时分解为不同模块，每个模块完成单一任务。这些服务可以互相关联并扩展，便于升级维护，然后放开允许第三方访问数据。

“政府即平台”的具体运作：由内阁办公室与各部门协商，牵头制定和提供一系列通用的、跨政府部门技术平台，范围覆盖数据开放、数据洞察、身份认证、支付、云服务、事务办理等，以支持新一代默认数字服务。其中，数据洞察平台通过综合分析网络、财务等系列数据，可为领导人提供高水平的决策依据，还可以为数字服务经理开展服务提供更多数据；身份认证平台可以保证用户在隐私受保护的前提下更快、更安全地使用不同网站的在线服务，无须再去一一注册，极大地简化了用户网上办理业务的流程。

截至目前，已有95万个个人账户通过认证。GDS还拥有一个世界级的用户实验室，可供所有部门使用。政策团队可以在实验室内测试如何改进政策制定，帮助政府理解公众需求和行为，找出可以改良之处。

2017年4月，英国政府数字服务部门透露，通过使用在线身份认证识别系统Verify和政府通知系统Notify等"政府即平台"服务，地方公共服务每年约节省5亿英镑。Verify平台可帮助委员会提供更方便、更快和更高响应度的全天候服务，并保护隐私，确保信任。地方服务通过使用公共平台组件和通用标准，估计每年可节省3亿～5亿英镑。如果地方当局在提供大量需要GOV.UK验证的服务时采用了上述方法，10年后仅在IT支出上可节省5000万～8000万英镑，包括每年5160万英镑的单人税折扣、1200万英镑的蓝色徽章（用于帮助残疾人停车的网上项目）和1320万英镑的数字成人社会护理。2017年3月2日，GDS宣布其另一平台Notify已做好准备，所有需要为用户更新电子进度的政务服务都可使用该平台。GDS自2016年以来已经运行了Notify的公测版，已在一些政府服务机构以"仅限邀请"的方式提供，包括在线申请英国护照或向持永久授权书的人提供服务。

三、爱沙尼亚：通过数字化构建服务型国家

（一）资源短缺造就无差别服务

爱沙尼亚人在苏联解体后的20世纪80年代末和90年代初开始重建居民工作，但不是在每个村都建立银行和政府的实体服务机构，爱沙尼亚人决定在私营和公共部门利用新兴技术。通过开发数字解决方案和电子服务来解决问题，为新政府简化流程，爱沙尼亚人为未来政府奠定了基础。

爱沙尼亚拥有世界上最发达的数字基础设施。根据早稻田大学第13届数字政府排名，爱沙尼亚是信息通信技术发展非常快的国家，不仅体现在数字政府活动中，也体现在向公民提供的移动应用服务中。2013年，爱沙尼亚有80％的人口使用互联网，到2014年有83％的家庭拥有互联网。

特别是爱沙尼亚所有学校都已联网。在爱沙尼亚，超过1007个公共场所覆盖了无线，其中一些是免费的。2015年，有98％的银行交易是在线进行的。在电子税务方面，2015年爱沙尼亚年超过95％的所得税是在网上申报的。在移动服务方面，爱沙尼亚手

机普及率相当高。手机合同的数量是每100人就有139多个合同。

爱沙尼亚现在拥有全欧洲速度最快的互联网，网络普及率高达98%。政府已经基本实现“无纸化”的电子政务运作，99%使用电子身份证的爱沙尼亚人可接入4000余项公共和私人的数字化服务，98%的银行交易在网上完成。同时，爱沙尼亚政府大力简化创业审批程序，只需10分钟便可创立一家实体公司。

爱沙尼亚在1991年从苏联独立出来后不久，就意识到对于一个天然资源匮乏的小国来说，在线经济和大规模技术创新才是发展的方向。作为一个只有130万人的小国，如何在大国主导的国际社会中生存下来，并赶上西方发达国家的水平，是爱沙尼亚人必须考虑的问题。国家领导人意识到，如果爱沙尼亚想要在大国环绕的欧洲生存下来，并且赶上西欧发达国家的经济发展水平，当时正初见端倪的互联网技术或许是最佳机会。20世纪90年代初，爱沙尼亚所有的学校实现了计算机互联网化，使得年轻一代从小就可以受到信息技术的熏陶。

同时，爱沙尼亚还是一个量很“小”的国家，面积才4.52万平方千米，人口也不足中国稍大的一个城镇。根据爱沙尼亚统计局2012年5月31日公布的独立以来第二次人口普查的统计数据，全国总人口仅129.4万。这个国家不但“小国寡民”，而且还是一个小型的经济体。

爱沙尼亚“小国寡民”的特点限定了本国市场的广阔性。爱沙尼亚市场有限，大多数爱沙尼亚企业从一开始就着眼于全球市场，只有立足于全球市场才有生存下去的可能。爱沙尼亚的产品设计者在研发产品之初就要将产品的用户扩展到除爱沙尼亚以外的国家，要考虑到如何让其他国家的公众也可以方便地使用产品的功能，被不同背景文化的人接受。

以爱沙尼亚的“电子公民”为例，爱沙尼亚是全球首个开放“电子公民”身份服务的国家。来自世界各地的申请人足不出户就可成为其网络国界中的“公民”，只需在网上填写相关表格并缴纳一定费用就可以申请办理手续。如果信用记录良好，爱沙尼亚的海外使馆将在数月内向申请人发放实体电子身份证。2015年4月1日，爱沙尼亚政府以更开放的姿态向全世界发出参与数字化建设的邀请，全球非本国居民都可申请其“电子居住证”，外国人可以通过电子签名和授权获得爱沙尼亚的数字化服务。自2014年这项创意面世，迄今已有来自全球130多个国家超过1.3万名海外人士获得爱沙尼亚的电子身份证。爱沙尼亚政府希望到2025年“电子公民”能够达到1000万，这相当于该国人口数量的7倍多。

（二）爱沙尼亚数字政府建设成效

1.生活服务便捷、高效

数字政府的好处渗透爱沙尼亚人生活的各方面，使其公民的生活变得高效、便捷。

如家长和学生使用爱沙尼亚的 e-School 来查询作业、课程、成绩和教师合作；爱沙尼亚以即时方式把来自各种源头的健康资讯，汇集成每个人的单一记录，使这些记录不会存在单一一个资料库里，每个爱沙尼亚人对自己的健康记录，有独自专属的存取密码，可以自己掌控与决定让哪些医生或家人能够在线上取得这些资料。自 2005 年起，爱沙尼亚公民在全国选举中使用线上投票，他们可以在全世界任何地方，使用他们的身份证卡或行动 ID 登入后投票。在世界的任何地方，爱沙尼亚人都可以毫无障碍地参与本国政治，行使自己的权利。

2.无纸化流程，提高办事效率

爱沙尼亚的数字政府发展使得该国的办事流程向无纸化转变。该国人民可以在网络上投票，监视与编辑他们的自动化报税表格，申请社会安全福利，取得银行服务以及大众运输服务，他们不需要银行的金融卡或大众运输系统通行卡。2013 年，95%的爱沙尼亚报税人使用电子报税，有 98%的银行交易是在网络上进行的。除了线上投票，爱沙尼亚内阁使用“无纸流程”，在网络上公布所有立法草案，每周的内阁会议平均时间从大约 5 小时缩减至 90 分钟。爱沙尼亚有一套线上土地注册系统，大举改革了房地产市场，把土地转移流程从 3 个月缩减为稍稍超出一星期。同时，爱沙尼亚公司可以在线成立、注册和管理。2009 年，爱沙尼亚获得“最短时间注册新企业法人”的吉尼斯世界纪录——只需 18 分钟，公司在分红前无须缴纳企业所得税。

3.节省财政资金

数字化更有利于政府运行，可以实现资源最大化利用，减少公务员数量。例如，爱沙尼亚在社会保障的登记板块，建立了一套新的信息系统，能用更少的人手做同样的事情，公务员减少了大约 20%。通过数字化，各个政府部门之间的信息建立了联系，你给出税务机关的代码，就能登记住址搬迁等。这种互联也节省了大量的财政资金，精简了政府服务。数据统计显示，仅是给每个人配置数字身份，就直接节省了大约 2%的 GDP。这 2%对爱沙尼亚这样的国家来说非常重要。节省的钱足够国防预算了，因此，爱沙尼亚将节省的钱用来支付国防预算。

第十五章　新技术在“互联网+政务服务”中的应用

不断推进政府治理模式的变革和创新，建设人民满意的服务型政府是实现社会经济发展的内在要求，也是国家治理体系和治理能力现代化的题中应有之义。党的十九大继往开来，在肯定和明确过去五年伟大成就和历史性变革的基础上，对新时代政府职能的转变和公共服务体系的发展与完善提出了新的要求。习近平总书记明确指出，当前要“决胜全面建成小康社会，奋力夺取新时代中国特色社会主义伟大胜利”，就必须切实做到“登高望远、居安思危，勇于变革、勇于创新，永不僵化、永不停滞”。这一表述可以说为新时代我国政府治理模式的变革创新指明了方向。近年来，在全球互联网和大数据技术的发展和推动下，人类社会生产的信息化和智能化得到了显著提升，尤其是伴随着人工智能、5G、大数据、云计算、边缘计算、区块链、VR 虚拟技术、生物识别技术等前沿技术的创新应用，政府治理方式和治理手段亦不断创新。智能革命全面且重构政府治理模式，形成以智能化、互联互通、资源整合与共享为核心，满足用户多样化、个性化、精确化服务需求的政府治理创新模式。

第一节　人工智能与政府治理转型

一、人工智能与政府治理转型的背景

人工智能(Artificial Intelligence，AI)，顾名思义就是“人造的智能”，也即用电子计算机模拟或实现的智能，目前学界对其概念的界定不一。根据国外学者的相关研究，普遍将其界定为基于计算机研究、开发用于模拟、延伸和扩展人的智能的理论和技术科学。如美国学者温斯顿就认为：“人工智能即研究如何使计算机去做过去只有人才能做的智能工作。”而当代著名的人工智能专家尼尔逊则直接将人工智能视为“怎样表示知识、怎样获得知识及使用知识的科学”。国内学界对该领域的关注主要集中在计算机与互联网

领域，社会科学层面的相关研究目前还不是很多。作为信息化时代的高阶产物，现代人工智能以数据和知识为载体，通过对数据和知识的获取、表示和使用来完成处理复杂任务的目标，其内含着数据挖掘、机器学习、计算机视觉、知识处理系统和自动程序设计等多个复杂环节，人工智能的产生不仅挑战了人类智慧的社会主导能力，同时也为各类机构治理能力的提升带来了前所未有的空间与潜力。

从历史发展的脉络看，人工智能的概念早在20世纪50年代便已出现，并在长期的发展中历经多次的范式转变和认知变迁。概而言之，自1950年“图灵测试”的理念提出以来，人们对其认识大致经历了“弱人工智能”和“强人工智能”两大阶段。其中，弱人工智能即能制造出可进行推理和解决问题的智能机器，但机器本身并不产生自主意识。20世纪下半叶以来，计算机的不断普及为人工智能的发展提供了现实契机，以计算机为载体的弱人工智能技术亦开始出现并不断壮大，尤其是在工业自动化领域得到了广泛应用，为提升社会生产效率提供了巨大辅助。学界普遍认为，弱人工智能技术在当前已基本实现。与此相对应，强人工智能则意味着机器不仅善于推理和解决难题，而且也具备了相应的自我意识，即机器不再仅是一个“研究心灵的工具”，本身业已成为“一个心灵”。从全球人工智能产业发展境况看，当前人类科技在如何唤起机器意识上还面临诸多难题，整体而言依然停留在较“弱”的阶段上，但随着相关技术的不断发展，尤其是大数据技术的不断成熟，目前的新一代人工智能无论在知识学习还是人机融合上，较之以往已有了巨大的飞跃和突破，在实现由“弱”到“强”的转变中正缓慢加以递进，并为各类机构的发展提供了更为智能的支撑。

二、人工智能给政府治理模式变革带来的机遇

人工智能在政务服务中的应用愈来愈显示出强大动能，政务服务方式、方法已经悄然发生变革，主要体现在政务服务辅助系统和个性化服务两个领域，以数字化、信息化、智能化的方式建立公民与政府的沟通渠道，为公众提供个性化、定制化服务，带来政务服务质量、效率的双重提升。

（一）人工智能促进政府服务效率提升

效率是政务服务追求的首要目标，随着人工智能的发展，越来越多的政务服务通过人工智能技术来提供服务，不断为政务服务效率提升提供动能。在人工智能赋能政务服务的过程中，人工智能通过自然语言学习、机器学习和数据挖掘等技术，利用各种形式的现有数据，开发公民与政府高效沟通的数字化沟通渠道，以达到提升政务服务效率的目的。这样的数字化沟通渠道主要有两种方式：一是人工智能通过深度学习功能，依托语音识别、文字识别、自然语言识别等技术实现政府表单填报、信息搜集、客服受理、线上审批、身份认证等服务性工作，极大地提高了政务服务的效率。二是公民通过网络平台、数

据平台、机器人等有人工智能底层算法支撑的技术平台享受业务查询、业务办理、民情上传、监督政府等与政府管理有关的政务服务。这些高效便捷的数字化沟通渠道有效提升了政务服务的效率和质量，增强了公民对政务服务的参与度，实现了政府与公民之间的良性互动。

（二）人工智能驱动政务服务方式变革

人工智能在大幅提高政务服务效率的同时，驱动政务服务的方式、方法发生变革。一是政务服务主体机器化。治理主体已由传统的“人”转向“机器”。智能机器人借助认知自动化技术、认知预测技术、认知参与技术等人工智能技术完成政府公务人员角色的模拟，并通过深度学习模拟公众的逻辑思维以及对话管理实现与公众的正常沟通，从而实现服务社会的功能。二是政府公民互动数字化。政务服务通过数字化操作平台提供政府与公众交互渠道，并由经过大量数据训练的人工智能机器完成。高度的数字化政务服务取代以往通过电话、面对面沟通的互动形式，服务流程与信息由机器特殊处理过的数字呈现，并通过提高透明度以及在政府和公民之间提供无缝隙服务来提高效率和服务质量。三是政务服务手段算法化。人工智能的能力根据基础算法、训练程序和训练数据而有所不同。人工智能嵌入政务服务的情景中，都是依靠程序设计的底层算法模拟公众思维模式、伦理价值、道德观念来实现的。“智能”服务取代“人工”服务，在某种程度上是依托算法理性代替人类逻辑和思维，进而驱动政府进行新一轮的机构、人事、思维变革。

（三）人工智能增强政务服务韧性

人工智能嵌入政府服务的进程就是技术和组织结合并优化，最终实现跨机构的协作并重构复杂的技术和组织集成平台的过程。在这个过程中，利用现代信息通信技术力量从根本上重新设计政务服务业务流程，以实现其绩效的显著改善。一是使传统科层制趋向扁平化。人工智能凭借强大的运行能力、分析能力、整合能力，实现政府部门之间的业务重组、组织优化、服务升级。多部门协同服务摆脱科层制的束缚，实现组织纵向与横向信息交互，从而减少政务服务中出现的重复性、无效性工作。二是打破传统政务服务局限。传统政务服务受限于时间、空间，政务办理程序和政务公开并不同步，使公众精力浪费在“跑腿”上，从而产生不必要的时间成本和劳动成本，无形之中损害了政务服务的绩效。人工智能依靠远程智慧终端实现自主办理，多智能体通过数据交互实现服务过程公开化和透明化，实现政务服务质量和数量的双重提升，从而优化政务服务绩效。三是为公众提供个性化政务服务。服务质量因个人的期望而异，基础设施、社会文化、个人教育、收入状况、位置差异等因素都会影响公民的政务服务体验感，而各地政府由于资源有限，政务服务具有同质化或简单异质化问题，使得部分公众无法获得较好体验感。通过大数据训练的人工智能可以根据用户以往服务反馈进行深度学习，洞悉公众偏好，主动地、精准地和有温度地向公众营销政务服务，有针对性地提供定制化、个性化服务，从而提升公众对政务服务的满意度。

三、人工智能重塑政务服务流程的应用场景

人工智能的认知自动化、认知预测和认知参与等技术模拟人类的"听懂、看懂、理解"能力,介入申请、受理、审批和监督的管理环节,以实现智能营销、智能受理、智能审批和智能监督,更好地体现了政务服务流程蕴含的政府回应、服务、决策和监督的管理价值。

(一)智能营销

政务服务申请是公众以政务服务事项向政府部门发送政务服务需求,启动政务服务流程。目前,政府部门是被动地接收公众申请,依申请提供政务服务。在人工智能条件下,政府部门可利用人工智能技术主动地读懂和理解公众服务需求,主动地、精准地和有温度地向公众营销政务服务,由被动服务转变为智能营销。

第一,主动营销。传统的政务服务采用"公众请求—政府响应"的被动式服务模式。在人工智能技术介入的情境下,前端利用大数据技术主动感知和收集公众浏览政府网站、政务服务网,使用政务服务应用程序等的时间精力、搜索用词的类型与特征;后台使用自然语言分析和机器学习分析公众需求,并与政务服务专家知识库比对,智能地识别与匹配公众政务服务需求,向公众主动地营销政务服务,构建一个服务型政府。

第二,精准营销。精准营销是指政府部门利用人工智能技术对企业和市民沉淀在政府部门的政务服务数据进行分析和用户画像,基于政务服务生命周期模型预测公众需要,并精准地向公众推荐和提供政务服务。所谓"政务服务生命周期",是按企业和市民的成长阶段,企业从注册登记、投资建设、生产经营到申请破产,市民从摇篮到坟墓(即从出生、成长到死亡),将相关的政务服务事项梳理形成前后有序连接的企业或市民政务服务链。同时,依据政务服务链可将相关政务服务事项申办的法律依据、条件、标准与材料等梳理成政务服务知识库。政府部门基于政务服务知识库可使用在线虚拟助手或机器人智能地为公众提供咨询、服务预警等,构建一个预见性政府。

第三,温度营销。政务服务供给既要考量供给侧的政府供给能力,还要回应需求侧的公众需求。大数据技术能从政府门户网、政务服务网和社会网站政民互动平台等收集公众就政务服务发表的文字、语音、表情、图片和视频等海量数据。对于这些复杂、丰富和多维的数据,人力难以短时间内完成整理、归类与分析,而以自然语言分析技术为基础构建的情感分析能快速地解读数据背后公众的态度与情感。据此,政府部门能及时地洞悉公众吐槽或点赞的政务服务,并积极地调整政务服务和回应公众需求,建成一个有温度的政府。

(二)智能受理

政务服务受理是政府部门对公众申请政务服务事项的身份、材料等进行形式审查,

确定是否将外部公众需求转入内部管理流程。目前,政府部门以政务服务窗口为载体,面对面地审查公众的申请身份和材料形式,完成受理工作。在人工智能技术支持下可进行智能核身、智能判读和全时受理,解放、取代人力以实现智能受理。

第一,智能核身。政府部门核查申请人的证件是否真实、人证是否合一,是确保政务服务需求真实合法、保障公众权益的重要手段。人工智能增强身份认证,可使用人脸识别、视网膜识别、虹膜识别和图像识别等技术识别申请人及其证件,然后基于大数据分析和深度学习与电子证照库比对验证。人脸识别等生物技术相对成熟,准确率已经超过人类,被应用在金融、安检和考勤等领域。腾讯公司基于语音识别、图像识别和深度学习等技术开发的AI核身方案“腾讯慧眼”能进行人脸比对、活体检测和证件OCR,解决了在线政务的身份核验问题,已被应用于山西工商、重庆国税的政务服务。

第二,智能判读。政府部门目前采用人力对政务服务事项申请材料进行形式审查。人力判读方式不仅耗费了大量的人力,而且效率低。人工智能的图像识别技术在文件阅读方面相比于人工有较大优势。IBM的Watson可在15秒内读完4000万份文件,以色列Law Geex公司的AI合同审查平台能节省80%的时间和90%的成本。政务服务标准化是“互联网＋政务服务”改革的基础性工作,目的是梳理行政许可、公共服务的事项目录,并统一规范办事依据、办事条件和审查要件等信息,形成政务服务标准化知识库。利用机器学习、文本分析和自然语言处理等认知技术学习政务服务标准化知识库,就能自动化智能判读申请材料的形式。

第三,全时受理。人力受理政务服务,会受到政府部门的工作时间与场所空间的限制,出现工作积压和公众等候问题。地方政府尝试在政府网站、政务服务网等开通在线服务。但是,因缺乏在线分析与回应的智能平台,目前的在线服务也仅是公众向政府部门单向的较低层次的在线咨询与申请,无法实时回应与受理。经学习政务服务知识图谱、基于专家系统构建的智能机器人能“7×24”全天候、一对多并发式地在线接收、分析、审查材料形式并受理政务服务需求,从根本上改变8小时工作制下“1对1”的人工受理模式。

(三)智能审批

政务服务审批是政府部门对公众申请政务服务事项的材料进行内容审查,并作出许可决定。人工智能的重要价值在于认知预测。人工智能通过学习专家知识,凭借强大的计算处理能力与分析方法,在解决复杂性问题时能扩展人类的认知。在政务服务审批中,基于政务服务事项的复杂程度,使用人工智能分解、取代或者增强人力,实现机器自主审批或辅助审批。

第一,机器审批。政务服务事项依据《行政许可法》和相关法律法规设立,一般有明确的申请条件与审批标准。但是,因法律制度不完善、行政环境变动和公共事务复杂性,政务服务事项审批中也会出现行政许可自由裁量空间。政务服务事项依据内容与结构的复杂性,可分为具有相同结构重复性、遵循简单规则、有限可能结果等特征的结构化政务服务事项,以及具有不确定性、复杂性等特征的非结构化政务服务事项。对于结构化政务服务事项,政务服务流程已被数字化和自动化到一定程度,机器人可直接从中获取知识并自主地智能决策。2017 年,广州推出了"人工智能+机器人"全程电子化商事登记系统。该系统有信息填报、数字签名、智能审核和自助领照四个流程。在审批环节,按业务事项的标准化程度分为智能审核和人工审核。对于标准化政务服务事项,从申报到领照,全程由机器人受理与审批,用时约 10 分钟。

第二,辅助审批。对于具有不确定性、复杂性特征的非结构化政务服务事项,需要结合人工智能与人类经验的相互优势进行审批决策。人工智能在更强的计算处理能力与分析方法支持下,通过对政务服务系统上分层的机器学习来增强分析和预测能力,为扩展人类的认知提供智力增强支持;人类借助于人工智能的辅助,基于个人的知识积累与工作经验,对不确定性和模糊性的政务服务作出审批决策。这种人工智能辅助人工审批的方式,不仅以人工智能技术增强了人类的决策能力,还积累了非结构化政务服务事项审批的案例知识。这些非结构化政务服务事项的案例知识为机器学习提供了新的经验数据,将进一步改善和提升机器辅助审批的能力。

(四)智能监督

政务服务监督的对象是政务服务许可行为、公众实施许可事项活动、政务服务人员态度,分别采取了行政层级监督、现场检查监督和事后投诉监督等方式。基于机器学习、自然语言处理和计算机视觉的人工智能,促进政务服务监督转向机器监督、循数监督和全时监督。

第一,机器监督。政务服务许可行为是否违法是依据《行政许可法》,按照科层制的管理原则,由上级行政机关对下级行政机关进行检查监督。这种行政组织内部的层级监督是行政审批权自我防控的重要构成部分,但在实践中却存在着监督乏力与监督缺位的问题。在人工智能时代,利用图像识别技术、机器学习等阅读海量的卷宗,并自动化甄别出违法的许可行为。这样,既能有效地增强上级行政审批机关的监督能力,也能规范下级行政审批机关的审批行为,从而提高行政审批权自我防控效果。

第二,循数监督。公众实施许可事项活动是否违法是由政务服务审批机关通过核查反映被许可人从事政务服务事项活动情况的材料进行监督。这种现场检查监督存在着监督的效果差、效率低和成本高等问题。因政务服务审批机关与被许可人间信息不对称,被许可人存在机会主义倾向,出现从事超出许可事项范围的活动,甚至是欺骗和隐瞒真实信息。以欺诈、伪造证明材料或者其他手段骗取医疗、工伤、养老及生育等社会保险待遇的行为时常出现。在人工智能时代,政务服务审批机关基于人工智能技术构建的智能化监督系统，对政务服务事项相关的数据碰撞分析，循数监督公众实施许可事项活动。如国土监察中采取高分辨率卫星图像与深度学习算法，实时监督城市土地资源。

第三，全时监督。政务服务人员态度是否规范，由政务服务的主管机关和派驻的监察人员进行监督。这种监督大多采用公众对政务服务人员的行为与态度的投诉和举报，是一种事后监督。截至 2016 年，我国 82.5％的政务大厅已经安装了视频监控。这为基于人工智能的实时监督提供了基础设施和数据来源。Emotient 公司的人类情感分析系统利用摄像头来获得、记录面部肌肉运动，并根据人工智能计算模型来分析面部表情，可在数秒钟内解读出面部表情所代表的意义。在政务服务中，同样可利用视频识别技术，实时抓取和收集政务服务人员的表情和动作，并利用机器学习和自然语言理解分析其情绪，进行有效的服务态度预警。

四、思考讨论

人工智能促进政务服务形成自学习、自适应和自服务的服务形态，是未来“互联网＋政务服务”深化改革的方向。但是，因人工智能自身问题及其应用于政务服务的制度限制，人工智能“虚假繁荣”背后还有如下需要客观判断与冷静分析的难题：

第一，责任问题。人类对自我知识和认知有主体责任，在专业分工与层级节制的科层体制中，依据其工作岗位承担相应的责任。但是，人工智能算法并不具有责任承担的主体性资格，政务服务中人工智能机器人自动化受理、审批与监督的主体责任缺失、模糊不清，将是科层制管理中技术治理的难题。

第二，数据问题。数据是人工智能应用的基础和制约因素。数据孤岛、数据质量低、数据利用不足等依然存在，数据治理成为政府数字治理中一个亟须回应的基本问题。数据分析的基本逻辑是“垃圾进去，垃圾出来”。在数据质量不高的情境下，盲目应用会出现技术失控。这样，不仅无法有效地提高政务服务的质量与效率，反而会给政务服务带来巨大风险。

第三，员工问题。新修订的《公务员法》明确了公务员进入和退出的机制，以保障公务员的合法权益。关怀公务人员的成长与发展是政府部门的组织文化和组织能力建设的重要内容。人工智能在政务服务中解放、分解、取代和增强人力，将会重塑行政管理流程和重新设计工作岗位，也意味着公务人员工作技能的重塑。因此，政务服务人员的培训、转移和退出等也是值得关注的管理问题。

第二节　区块链与政务服务

区块链技术是继 AI、IOT、大数据之后快速兴起的一种革新性技术。AI、IOT、大数据助推生产力发展，而区块链技术能够有效改善生产关系。同时，区块链技术作为新技术，与AI、IOT、大数据等技术融合发展已成未来趋势。区块链技术已成为全球各国政府、科技巨头、学术界、产业界关注和研究的焦点。国内外陆续出台各项政策推动区块链技术在数字资产、金融、司法、供应链管理等多个领域的应用，变革政府服务模式。

一、区块链的内涵与外延

（一）区块链

区块链是一种分散的、集体维护的数据库技术，其特点是分散性、对操作的抵抗性和巨大的可扩展性，主要解决了信任问题，同时带来了去中心化、多中心化。信息的价值和主导作用在区块链技术中得到充分体现。区块链技术的发展目前已经经历了数据货币、智能合约和万物互联三个阶段，即从最初的比特币到资产数字化再到万物数字化。

目前，中国区块链产业的发展和应用正处于窗口发展阶段，各级政府不断给予各项支持。自2018年以来，国家陆续出台了许多鼓励性和扶持性政策促进区块链技术的应用。以阿里巴巴为代表的我国大型互联网企业相继开拓了自身区块链业务，政府也不断创新区块链技术应用模式，提升政府服务和治理的协同水平。

（二）电子政务中的区块链核心技术

（1）分布式账本。分布式账本技术是区块链系统形成完整系统的第一步。分布式账本技术指的是区块链系统中的完整数据库，该数据库由不同节点共同记录且在不同节点下单独储存和跟踪数据。区块链中的各个节点受到去中心化特质的影响，均能够独立运作，且能与其他节点相互监督，在公开的环境中保证电子政务信息的有效性和安全性。

（2）非对称加密。该加密方法需要两个密码共同保护。一般而言，两个密码分别被称为“公钥”和“私钥”，两者需要共同使用。“公钥”即公共钥匙，可以向外界公开；“私钥”即私密钥匙，该钥匙不能对外公开。通过两个密钥的共同使用，数据得到了有效的保护，能大大提升电子政务信息管理的安全性。

（3）智能合约。特定的规则是智能合约运行的基础，这类规则一般而言具有极高的可靠性和数据真实性，且运行智能化，不依赖于人为操作。在智能合约的助力下，电子政务的服务效能将得到提升。从本质上说，区块链是由所有交易者组成的分布式数据库，聚集分散用户的针对性强。

（三）区块链技术在电子政务中运用的特点

（1）去中心化。与核心内容去中心化不同，从本质上说，区块链是一种分布式的数据库。从区块链的工作原理出发，其数据的收集和存储均建立在可信度高的算法上，打破了传统三方机构的限制。在电子政务中，区块链的任何一个模块的工作都是相对独立且平等的。换句话说，单个模块和节点的损坏并不会影响整个区块链的正常运行。区块链技术的应用从根本上解决了政务服务过程中最大的信任问题，这对构建政府的新一代信任机制至关重要。

(2)开放性。参与者在区块链系统中体现为某一个节点，且参与者可以经由开放式的系统取得区块链中的信息。也正是基于此，避免了政务工作中信息不对称的弊端，解决了数据共享的“老大难”问题。换句话说，区块链中的信息对参与者而言是完全公开透明的，参与者可以在任何节点中获取完整的数据副本。

(3)自治性。在政务服务的背景下，区块链系统在多变的环境中完全依靠自身系统的调控运行，不受人为因素的干扰和控制，运行过程中所有的模块和节点都在协商一致的安全机制下展开，对数据进行有效且自由的交换和更新。

(4)信息不可篡改。由于数据会在系统中被实时跟踪和记录，所以在区块链系统中信息造假的难度较大，为电子政务的信息安全提供了良好的保障。审批过程中的数据会被真实完整地记录下来，数据可溯源性强。如果想要篡改网络数据，就必须控制至少半数以上的区块链节点，因此，区块链系统中的数据是值得信赖的。

(5)匿名性。区块链系统的信息传递不需要公开身份信息。由于参与者以节点的形式参与到区块链中，且节点之间的切换有固定的算法，因此在算法的支持下信息就能实现有效的传递，并不需要身份验证，从而大大提升了政务服务的效率。

二、政务协同过程中应用区块链技术的切入点

(一)通过区块链思维实现体系结构“去中心化”

“去中心化”是区块链的最基本特征，它提供了一种分布式手段来担保和核实交易，从而为最终甩开中心控制提供了机会。这种“去中心化”的本质可以实现智慧政务协同体系结构的弹性，提升智慧政务建设的可行性，主要表现为无须新设中心化硬件和管理机构。智慧政务建设在硬件方面的难点在于中心化硬件的稳定性、非中心化硬件的覆盖率以及随之产生的重复性投资困境。软件方面的难点在于新建管理机构对于原有行政体系的调整以及在现有行政体系中的合理定位。区块链的“去中心化”特性可以缓解智慧政务协同对于中心节点硬件性能和稳定性的过高要求，减少随之产生的较高数额的设备投资，无须新增管理机构。同时，可以保障各地区政府遵循同一应用规则应用平台。联盟链的建成意味着各参与者必须遵循区块链的同一应用规则，无论数据存储、共享和调用，还是事项处理流程、时效和操作规则，都必须遵循联盟链所确定的统一规范，从而使政务协同的效率得到本质提高。最后，由于区块链使用分布式账本算法，即使某地智慧政务平台出现故障无法正常运行，也不会影响其他平台之间的协同工作，同时有效规避了互联网中的安全风险，避免因为单个节点受攻击而影响整个系统，从而使智慧政务协同的稳定性得到保障。

(二)通过区块链思维实现数据共享与认证

对于智慧政务协同而言,其实现的重点在于政务数据共享,而用于共享的政务数据必须是权威和可靠的,这就需要有科学精确的认证机制,区块链则是实现智慧政务协同数据共享与认证的良好解决方案。首先,通过区块链实现分布式数据采集、存储和更新。运作机理是当某地区产生一条政务服务事项时,相对应的政务数据将通过 P2P 的形式传输给协同政府部门,同时在区块链中存储、更新,通过对账计算实现政务数据复制,并由所有节点一起实现交易验证。其次,通过分布式共识机制实现不同区域政府间政务数据检验与认证。共识机制是区块链节点就区块信息达成全网一致共识的机制,可以保证最新区块被准确添加至区块链,节点存储的区块链信息一致、不分叉,甚至可以抵御恶意攻击,从而实现政务数据的准确添加和信息一致。最后,以区块链数据的不可篡改和可追溯性,保障政务数据共享的精确性和安全性。所谓“不可篡改”,指的是政务数据一旦由某个节点采集,并经全部节点认证通过,就很难被删除,如果需要修改则会产生一组不可删除的修改日志;所谓“可追溯性”,是指智慧政务平台中任意一笔政务服务“交易”都会被完整记录在区块链中,随时进行历史信息追查。通过区块链,可以使智慧政务数据的采集、存储、认证、共享、追溯形成完整而科学的链条,从而更有力地支撑智慧政务协同。

(三)通过区块链思维实现服务优化升级

体系结构和数据共享认证分别是智慧政务协同的框架和基础,而服务优化升级则是智慧政务协同的关键。在区块链思维下,智慧政务协同具有以下三个方面的显著优势:第一,提升政府服务能力,打造网络“信任链”。在智慧政务协同联盟链中,无论是政务主体、客体还是第三人,其身份都是经过所有节点认证的,区块链中所存储、更新以及可被获取的数据信息,也是经过共识算法从而实现不可篡改、可被追溯的,其可靠性显而易见。因此,通过区块链思维实现的智慧政务协同服务是安全可靠、深度信任的,有助于政务服务质量的显著提升。第二,区块链智慧政务协同可以降低系统负载,提升行政效率。这是由于在区块链中基于的是分布式账本,各地区政府分节点只需将政务服务所产生数据的哈希值存储到区块链中,相比较原始数据而言,占用系统内存和带宽更少,可以有效避免数据冗余和保护数据隐私安全。第三,通过区块链对数据和多方哈希的记录同步保障政务公开。在传统政务和电子政务阶段,虽然政务公开已经成为重点工作,但政务公开不全面、不主动、不得当现象时有发生,责任主体认定缺乏有效机制。区块链中数据采集过程会产生相关管理日志,多方哈希可以实现数据同步,从而对信息处理的记录进行明确记载,使监管更加有效,民众也更容易在可信节点中获取并验证高质量的政务公开信息。

三、区块链技术在政务领域的应用场景

网上政务服务平台建设是贯彻落实党中央、国务院推进“放管服”改革部署的重要举措。近年来，各地区、各部门纷纷推出“一网通办”“最多跑一次”“一照一码”等政务服务新模式，网上政务服务平台已成为提高社会民生服务水平、推进政府治理能力现代化的重要体现。

由于网络固有的开放性和虚拟性，网上政务服务平台建设面临着安全性、可信性的双重挑战。一方面，要确保平台的数据安全，保护国家和企业利益、商业秘密和公民隐私，防止数据泄露、篡改、丢失等网络安全事件发生；另一方面，也要防范网上虚假信息注册、伪造电子证明材料等行为。同时，还要避免企业或群众为证明材料来回往返、重复证明等问题，影响“数据多跑路、群众少跑腿”实施效果。可见，提升网上业务平台的安全性和可信度是政务部门开展网上政务服务的关键，而提升平台安全性和可信度的主要途径就是对各种证照、证明、单据及其批文、审批记录等进行底账管理，逐步完善全网平台的信任体系。

国务院令第 716 号文件明确了电子签名、电子印章、电子证照的法律效力，区块链的安全技术特征有利于改进网上政务服务平台的信任模型，促进政务部门与社会公众之间的交互共识，其应用主要有以下几个方向：

（一）改进和深化电子认证应用服务

按照国家的指导意见，网上政务服务平台须统一身份标识和电子印章，实现跨层级、跨部门、跨区域的电子证照互认共享。目前，电子认证服务体系由身份认证、授权管理和责任认定等部分组成，经国家认可的第三方机构授权，采用中心化、层级认证模式，在安全逻辑上存在单点失效、跨认证机构互信难、不支持跨平台注册等问题，在如何保证公钥传递一致性和防止人为误操作方面也存在风险。

一种解决方案是在电子认证服务中引入区块链思维，将公钥存储在分布式账本上，由若干验证节点、证书用户以及依赖方共同组成区块链网络，各节点（或设备）之间通过执行智能合约代码以对等方式进行识别和交互，不需要任何中心化注册服务，减少对身份提供商或证书颁发机构的依赖性，当一个或多个节点遭受攻击或出现异常时整个平台运行不受影响。区块链与电子认证结合有助于解决电子认证服务的跨 CA/RA 互认、公钥传递一致性等问题，提高跨系统身份单点登录、证书配置效率，从而改善网上业务办理的用户体验。

（二）促进电子证照安全可信与共享

推行“多证合一”和电子证照对于优化营商环境具有极其重要的现实意义。电子证照是一种基于电子认证的、以特定式样呈现的特殊文件。一份完整的电子证照包含了持

证主体与颁证机构双方的基础信息、编号标识及其规定的使用期限、运营(或用途)范围、有效参数等元数据,嵌入电子签名、电子印章、数字水印等信任要素。构建基于区块链技术的电子证照库应用,一种用例思路是:在各政务部门(如公安、民政、税务、社保等部门)证照办理系统设前置处理节点,组成联盟链网络,形成部分去中心化的电子证照账本,同时提供电子证照 API 信息,为跨行业的电子证照信息检索、上传、修改、注销等功能提供数据接口,依据国家电子证照系列标准规范及安全保障要求,授权政府相关部门的业务应用系统调用,实现电子证照登记、申办、核发、领取、存档、查验、注销的全流程、全周期信息链管理。

(三)实现网上业务办理的跟踪追溯

在网上业务报审和办理过程中,申报信息与材料的受理、核验、流转、确认等环节在区块链上全程留痕记录,数字签名与时间戳无法篡改、不可抵赖。节约计算资源,申报信息数据上传到区块链过程中,原始信息数据不会随之上传,仅保留该数据经过加密算法处理后的哈希值作为摘要信息,并确保摘要信息的连贯性和线性一致性。这样既能防止内部人员违规操作,也为因误操作或其他客观、不可抗力因素更正办理信息、订正业务数据提供有迹可循的依据。

(四)推进电子票据一体化安全管理

票据办理是政务服务最基础、最常见的环节,票据电子化服务是落实“放管服”改革部署、提升政务服务效能的关键业务之一。借助区块链技术推行票据电子化、一体化管理,将开票单位、用票单位以及存储在各业务系统的电子票据接入基于区块链技术的网络系统。利用区块链的“防双花”机制,既能确保票据的唯一性和完整性,也能根据其对等特性有效防范票据中介、票据变造等风险问题,同时将数字签名与时间戳贯穿其生成、传输、储存、使用、作废各环节,有助于财政监管和行政督查线索追踪,促进政务服务及其票据业务的高效、规范管理。

此外,区块链技术在行政审批电子监察、服务质量和绩效评价等方面也是应用探索热点。利用区块链的技术特性,有助于强化对政务服务事前告知、事中监控和事后追责等监督管理,防止对行政效能评估数据的人为篡改。

第三节　虚拟现实与政务服务

一、虚拟现实概述

虚拟现实(Virtual Reality,VR)是一种可以创建和体验虚拟世界的计算机系统。此处的虚拟世界又被称为“虚拟环境”,指具有真实感的立体图形,它既可以是某种特定现实世界的终端再现，也可以是纯粹构想的世界操作者借助特定设备，通过视觉、听觉、触觉等感官与之交互，从而产生身临其境的场景效果，所以，VR技术为人机交互提供了新的方式。通常，VR系统具有多种输出形式（如图形、声音、文字等）和处理多种输入设备的能力，并且能够进行碰撞检测、实时交互、视点控制及复杂行为建模等。随着近几年信息技术和互联网的不断发展，越来越多的领域开始使用虚拟现实技术进行辅助设计和应用，如军事、电影、电视、游戏、教育、医学、精密加工制造和数字展示等领域。

VR的基本特征可分为沉浸感、交互性、想象力三个方面。

(1)沉浸感是指用户感到作为主角存在于模拟环境中的真实程度。立体的模拟环境应该使用户难以分辨真假，使用户全身心投入计算机创建的三维虚拟环境中。

(2)交互性是指用户对模拟环境内物体的可操作程度和从环境得到反馈的自然程度。如用户可以用手直接抓取模拟环境中虚拟的物体，这时手有握着东西的感觉，并可以感觉到物体的重量，视野中被抓的物体也能随着用户的移动而移动。

(3)想象力是指用户沉浸在多维信息空间中，依靠自己的感知和认知能力全方位地获取知识，发挥主观能动性，寻求解答，形成新的概念。

人能沉浸在虚拟现实环境中，并与它发生交互作用，从定性和定量综合集成的环境中得到感性和理性的认识，从而激发人的创造性思维。虚拟现实的三个特征体现了人的感受在整个系统中是最重要的，强调了人在虚拟现实系统中的主导作用。

二、虚拟现实与电子政务

互联网的出现及飞速发展使IT行业的各个领域发生了深刻的变化，它必然引发一些新技术的出现。虚拟现实技术并不是一个新话题，在图形工作站甚至于个人计算机上早已日臻成熟，并已应用到各个领域。互联网上的虚拟现实技术是现在的热门技术，互联网代表了未来的新技术，显而易见，虚拟现实技术将在互联网上占有重要的地位。

电子政务时代，对政务的网上咨询、办理提出了更高的要求。一般的网上政务系统只是单一的文字显示，这样会使用户在办理业务时感到枯燥乏味。为适应这一形势的需要，电子政务的三维立体交互办公技术出现了。它作为先进的网上三维虚拟电子政务技术，可以让用户身临其境地处在办事的环境中，让群众在办事的过程中感受到乐趣。

三、虚拟现实在公共服务中的应用发展

（一）虚拟现实完善公共服务

作为公民，经常会与政府部门有业务方面的交集。但政府部门机构庞大、程序复杂，人员相对较少，办事效率仍存在提升空间。采用虚拟现实技术，那么公众在去政府部门办事前可通过3D情景模拟的方式来了解办理业务的流程，大大提高公众和政府办事的

效率。

对于电子政务来说，虚拟现实技术的引入将进一步完善虚拟政府的功能。随着经济的发展、技术的进步以及伴随而来的社会现代化，将虚拟现实技术引入电子政务中，可以在进行一项市政工程的决策前，采用虚拟现实技术进行预演，结合数值计算技术，真实地模拟在各种情况下的发展过程，以便于工作充分进行比较，从而为政府各级领导制定合理方案提供决策依据。

目前，虚拟现实技术在电子政务中的应用才刚刚开始，可以预见的是，在不久的将来，虚拟现实技术将会影响甚至改变我们的观念和习惯，并将深入人们的日常生活当中。随着虚拟现实技术的不断发展，人们可以研制开发和推出虚拟现实技术的实用系统，如虚拟政府、虚拟银行、虚拟医院、虚拟工厂等。在虚拟现实环境中，用户或参与者不仅是被动观看和接受，更是和虚拟的三维环境相融合，交互性地体验和感受虚拟现实世界中广泛的三维立体多媒体内容。

（二）虚拟现实与政务协同办公

政务协同办公是指运用以计算机技术为核心的多种技术手段，把实体、资源、创意动态地联系在一起，使得每个部门的成员成为信息网络中的节点，每个节点都能够直接与其他节点交流，而不需要通过一个等级制度安排的渗透。在资源有限的条件下，为了争取最大的合作优势，达到最高的目标，以某个核心组织为中心，通过信息网络将相关部门连接起来。虚拟现实技术能够通过服务核心组织，根据目标、功能和需求，将任务分解为多个子任务，合理地分配组织需要的用户和角色，并对不同合作伙伴及完成任务的业务流程服务进行约束和监控，对真正发挥整个协作体组织的整体协同效果具有非常重要的意义。

电子政务协同办公系统以“整合”为目标，以“协同”为手段，将触角延伸到政府管理和服务的各个环节中。从本质上讲，协同办公是为了打破部门之间的数据不流动或流动不畅、业务流程单一等问题，将先进的管理思想和业务模式融入办公系统中，帮助政府部门搭建一个关联、协作、灵活和深化的平台，让政府部门可以将管理的视野延展到各个环节，并方便对各种数据资源和业务资源的利用、分析和调配。因此，为了推进电子政务虚拟服务更好地发展，一方面，要加强政务规范的统一建设，否则不同部门之间难以理解对方所表达的内容，也就难以实现部门之间资源的有效共享和业务协作；另一方面，要注重政务流程建模，将不同的政务业务服务组合起来，形成政务流程，并通过政务流程的执行及流程之间的互操作性来满足需求。

主要参考文献

[1]魏礼群. 建设服务型政府[M]. 广州：广东经济出版社，2017.

[2]徐跃军，陈宏晓，唐鹏. “互联网+政务服务”新形势、新趋势、新未来[M]. 北京：电子工业出版社，2018.

[3]翟云. “互联网+政务服务”开启中国政府治理新路径[M]. 北京：国家行政管理出版社，2020.

[4]何毅亭，李毅，王益民. 中国电子政务发展报告(2018～2019)[M].北京：社会科学文献出版社，2019.

[5]张望，王益民，何毅亭. 中国电子政务发展报告(2019～2020)[M].北京：社会科学文献出版社，2020.

[6]丁曙初，谢桢机，董书哲. 广东省电子证照应用实践[J]. 信息技术与标准化，2019(6)：24-34.

[7]卢慧敏. 网上中介服务超市打破权力寻租空间[J]. 信息化建设. 2018(8)：44-46.

[8]云南省投资项目审批服务中心管理办公室. 中介超市：让行政审批走出“灰色地带”[J]. 紫光阁，2018(1)：59-60.

[9]姚木奎. 政府治理创新视角下的“中介超市”研究——以惠州市中介超市为例[D]. 华南理工大学硕士学位论文. 2018.

[10]宋光，秦玮彤. 推进丹东市“中介超市”的思考及对策[J]. 辽宁经济，2017(7)：50-51.

[11]宋燕，张婷婷. 深化改革创新机制，以互联网思维打造智慧型“中介超市”[J]. 机构与行政，2017(7)：16-18.

[12]赵丛云. 建设广东省统一网上中介服务超市的对策研究[J]. 中国政府采购，2020(11)：55-59.

[13]中国互联网络信息中心. 中国互联网络发展状况统计报告[EB/OL]. http://www.cnnic.net.cn/hlwfzyj/hlwmrtj，2020-09-29.

[14]艾琳，王刚. 行政审批数据资源开放的实践思考：基于“一站式”政务服务的数据

治理[J]. 国家行政学院学报，2016(2)：63-67.

[15]王印红，果蒙蒙. 办证难、行政审批改革和跨部门数据流动[J]. 中国行政管理，2016(4)：13-18.

[16]马建堂."互联网＋政府管理"集中在三个领域[EB/OL]. 人民网，http://politics.people.com.cn/n/2015/0727/c1001-27366574.html，2015-07-27.

[17]翟云，王益民. 政务信息资源共享缘何步履维艰[N]. 学习时报，2014-7-28(A8).

[18]李克强. 深化简政放权放管结合优化服务 推进行政体制改革转职能提效能——在全国推进简政放权放管结合优化服务改革电视电话会议上的讲话[EB/OL].http://www.gov.cn/guowuyuan/2016-05/22/content_5075741.htm，2016-5-22.

[19]翟云."互联网＋政务"：现实挑战、思维变革及推进路径[J]. 行政管理改革，2016(3)：30-35.

[20]中国软件评测中心. 政务数据质量管理调查白皮书[R]. 北京：中国软件评测中心，2019.

[21]中国电子信息产业发展研究院. 中国大数据发展指数报告[R]. 北京：中国电子信息产业发展研究院，2018.

[22]山东省人民政府办公厅. 山东省电子政务和政务数据管理办法[EB/OL]. http://www.sd.gov.cn/art/2019/12/27/art_107851_79338.html，2019-12-27.

[23]国务院办公厅. 关于印发政务信息系统整合共享实施方案的通知[EB/OL]. http://www.gov.cn/zhengce/content/2017-05/18/content_5194971.htm，2017-5-18.

[24]山东省人民政府办公厅. 山东省政务信息系统整合共享实施方案[EB/OL].http://www.yantai.gov.cn/art/2017/11/22/art_12308_1130412.html，2017-11-22.

[25]李重照，黄璜. 中国地方政府数据共享的影响因素研究[J]. 中国行政管理，2019(8)：47-54.

[26]王蕤，张妮. 西部数字政府建设中政务数据共享问题及对策——以甘肃省兰州市为例[J]. 管理科学，2021(1)：153-160.

[27]赛迪智库信息化与软件产业研究所. 我国政务数据共享：成效、问题与建议[N]. 中国计算机报，2021-4-26(008).

[28]张辉. 基于服务过程的电子政务服务质量评估模型研究[J]. 图书情报工作，2010(11)：116-118.

[29]丁依霞，郭俊华. 中国电子政务服务创新研究 20 年：一个系统性分析[J]. 中国科技论坛，2021(1)：44-54.

[30]司文峰，胡广伟. 基于政务维度视角的我国内地电子政务服务能力分异规律

[J]. 情报杂志，2018(5)：161-168.

[31]朱春奎，李文娟. 电子政务服务质量与满意度研究进展与展望[J]湘潭大学学报(哲学社会科学版)，2019(1)：60-64.

[32]冯苑，聂长飞. 政府门户网站政务服务能力的组合评价研究[J].情报科学，2020(8)：153-158.

[33]王学军. “好差评”提升政务服务绩效的公共价值逻辑[J]. 西北师大学报(社会科学版)，2021(3)：102-112.

[34]王益民. 全球电子政务发展前沿与启示——《2020 联合国电子政务调查报告》解读[J]. 行政管理改革，2020(12)：43-49.

[35]国脉研究院. 特朗普的数字政府目标与六大转型举措[EB/OL]，http://www.echinagov.com/viewpoint/53500.htm，2017-7-21.

[36]金江军. 美国数字政府战略及启示[J]. 环球风采，2012(8)：54-55.

[37]王璟璇，杨道玲. 国际电子政务发展趋势及经验借鉴[J]. 电子政务，2015(4)：24-30.

[38]刘琼，王宇. 如何从第三到第一，解码英国电子政务的转型之路[N]. 人民邮电报，2017-06-09(08).

[39]庞宇. 英国电子政务的发展转型及经验启示[J]. 电子政务，2018(2)：62-70.

[40]纪光欣，王英明. 人工智能嵌入政务服务：赋能、风险及治理[J].三晋基层治理，2021(1)：72-76.

[41]刘晓洋. 人工智能重塑政务服务流程的认知逻辑与技术路径[J].电子政务，2019(11)：104-111.

[42]胡洪彬. 人工智能时代政府治理模式的变革与创新[J]. 学术界，2018(4)：75-87.

[43]刘红波，林彬. 中国人工智能发展的价值取向、议题建构与路径选择——基于政策文本的量化研究[J]. 电子政务，2018(11)：47-58.

[44]贾开，郭雨晖，雷鸿竹. 人工智能公共政策的国际比较研究：历史、特征与启示[J]. 电子政务，2018(9)：78-86.

[45]陈涛，冉龙亚，承瀚. 政务服务的人工智能应用研究[J]. 电子政务，2018(3)：22-30.

[46]刘玉洁. 基于人工智能视角的政务服务研究[J]. 信息化建设，2018(8)：22-24.

[47]郭海霞，余凯迪. 区块链电子政务应用场景研究[J].科技创新，2020(6)：66-68.

[48]王毛路，陆静怡. 区块链技术及其在政府治理中的应用研究[J].电子政务，2018(2)：2-14.

[49]侯衡. 区块链技术在电子政务中的应用:优势、制约与发展[J]. 电子政务，2018(6):22-30.

[50]毕瑞祥. 基于区块链的电子政务研究[J]. 中国管理信息化，2016(23):148-151.

[51]刘洋，冯知新. 基于区块链思维的智慧政务协同建设研究[J]. 科技创新与生产力，2021(1):83-86.

[52]井底望天，等. 区块链与大数据:打造智能经济[M]. 北京:人民邮电出版社，2017.

[53]张磊. 区块链在电子政务方面的应用研究[J]. 现代商业，2018(24):23-24.

[54]崔葳. 区块链在电子政务服务中的应用研究[J]. 江苏科技信息，2019(7):45-48.